D1099411

LE DÉSIR EST ROI

DU MÊME AUTEUR
AUX PRESSES DE LA CITÉ

LA FIN DU VOYAGE
BOIS D'ÉBÈNE
DEUX CŒURS DE FEMMES
MERCI, COLONEL FLYNN
AFIN QUE NUL NE MEURE
SANGAREE
DOCTEUR LAND
DIVINE MAITRESSE
LE CŒUR A SES RAISONS
NOIRS SONT LES CHEVEUX DE MA BIEN-AIMÉE
LA ROUTE DE BITHYNIE
HOPITAL GÉNÉRAL
LA MAGDALÉENNE
STORM HAVEN
LES DIEUX S'AFFRONTENT
L'HOMME AU MASQUE BLANC
FUITE SANS RETOUR
DE GALÈRE EN PALAIS
L'AMOUR EST AU BOUT DU VOYAGE
LA ROSE DE JÉRICHO
LE PROCÈS DU DOCTEUR SCOTT
NON PAS LA MORT, MAIS L'AMOUR
LORENA
VÉRONIQUE
L'ENFER DES OMBRES
AMOUR AUX BAHAMAS
OPÉRATION ÉPIDÉMIE
MESSAGE DE DIEU
LE SALAIRE DU PÉCHÉ
BON SANG NE PEUT MENTIR
CAPITAINE CARTER
LE MIRACLE EST POUR DEMAIN
LA MOISSON DU DIABLE
TU ES PIERRE
LE DÉSIR EST ROI
DAVID
LE SANG DU DRAGON
LE MIRAGE DORÉ
NUITS DES CARAIBES
CHIRURGIEN AU LONG COURS
LE GLAIVE ET LA CROIX
UN MÉDECIN PAS COMME LES AUTRES
LE CHEMIN DE DAMAS
FEMMES DE MÉDECINS
APRÈS LE 3eme JOUR

Frank-G. SLAUGHTER

LE DÉSIR EST ROI

PRESSES POCKET
116, RUE DU BAC, PARIS

Le titre original de cet ouvrage est :

A SAVAGE PLACE

Traduit de l'américain par France-Marie WATKINS

1

— Et quelle impression ça fait de rentrer chez soi, docteur ? Est-ce que New Salem vous est étranger après dix ans d'absence ? Ou bien éprouvez-vous toutes les émotions de l'enfant du pays qui retrouve sa terre natale ?

— Posez-moi la question demain, répondit Mike Constant. Je pourrai sans doute mieux y répondre.

Aaron Zeagler se carra dans son fauteuil directorial — un « trône » massif recouvert de cuir rouge — et jeta les yeux sur le dossier posé sur son bureau. Exprès, il promena son regard dans la vaste pièce avant de le reporter sur l'homme assis dans le fauteuil des visiteurs. Encore une fois, il fut à la fois surpris et rassuré par ce qu'il voyait. Il s'était attendu à ce que le nouveau chirurgien-chef de service du New Salem Memorial Hôpital soit un diamant brut — trop conscient de ses origines, prêt à défendre son diplôme médical avec un excès d'orgueil. Il n'avait pas imaginé l'assurance du docteur Mike Constant, sa prudence à s'engager, sa faculté de remplir le fauteuil du visiteur comme s'il y était à sa place de tout temps... *Moi-même à trente ans*, pensa l'homme assis derrière le bureau. *Le même don d'ironie derrière un masque presque solennel. Le même besoin volontaire de vaincre l'ennemi à ma façon.*

— Quand je suis arrivé pour la première fois à Dutchmans Hill, reprit Zeagler, j'avais encore à prendre contact avec la ville. New Salem était pour moi un nom, et rien de plus. J'étais bien trop occupé à mettre une nouvelle usine sur pied pour me demander si je serais accepté.

— Il y a combien de temps de cela, monsieur?

— Exactement trois ans. Je ne nierai pas que la Compagnie Electronique Zeagler ait apporté de grands changements au New Salem des Hauteurs — encore qu'il nous reste à pénétrer New Salem proprement dite. Ne jugez pas trop sévèrement l'invasion tant que vous n'aurez pas comparé l'ancien et le nouveau. Vous pouvez commencer par la vue de la fenêtre de mon bureau.

Mike Constant s'approcha du grand panneau de verre thermique qui formait le mur est du bureau. En regardant son visiteur fouler le tapis, Zeagler tendit la main vers le premier cigare interdit depuis le déjeuner. Le geste était machinal. C'était celui d'un homme qui a besoin d'un temps de réflexion ; tant que le docteur Constant n'abaisserait pas sa garde, il ne pourrait le juger que de l'extérieur.

Son meilleur ami, pensait Zeagler, ne pourrait le trouver beau. La puissance de ses traits burinés — il ressemblait à un nouveau Lincoln — et le sens du devoir, que l'on devinait profond en lui, compensaient le manque d'harmonie des traits. Les yeux gris très écartés, qui contemplaient les derniers bâtiments de la chaîne industrielle Zeagler, avaient vu leur part de cruauté humaine. Ils avaient supporté l'indifférence du monde et gardé une vision claire des choses. Certain à présent que Mike Constant relèverait bien le défi qui l'attendait ici, Zeagler alla le rejoindre devant la fenêtre.

Pour un profane, le tableau pouvait rappeler une autre planète — meilleure au besoin. L'architecte qui avait tracé les plans de l'usine avait compris que le centre industriel d'aujourd'hui, à la campagne, devait se fondre dans le paysage plutôt que le dominer, mais il n'avait trouvé aucun moyen de camoufler ces rangées de rectangles d'acier et de verre que ni la suie, ni la fumée ne souillaient et qui bourdonnaient d'une vitalité bien à eux. Tout autour s'étendaient des hectares de terrains de stationnement, couverts d'autos étincelantes dont la valeur proclamait la prospérité de leurs propriétaires. A près de deux kilomètres au-delà de l'usine, et aussi adroitement tracé et construit que l'usine dont il dépendait, se trouvait le village de la compagnie Zeagler, avec son supermarché, son cinéma et son centre communautaire. On devinait sans avoir besoin de le demander que ces belles demeures de style ranch ou colonial étaient destinées à la plus agréable des vies familiales, que la plupart des antennes de télévision y étaient compensées par des installations stéréophoniques, que les frigos regorgeaient de primeurs, de légumes frais, de produits laitiers de choix et de viandes de première catégorie.

Sur une colline à l'ouest — une éminence dominant les Hauteurs de New Salem — se dressait le grand hôpital où le docteur Constant officierait bientôt. Le panorama, songeait Zeagler, est presque trop parfait pour être vrai. Seules, les machines comptables du rez-de-chaussée peuvent témoigner que ce bien-être a été mérité.

— Vous rappelez-vous les Hauteurs avant que j'y vienne construire?

— La plupart de ces terres étaient des pâturages, dit Mike Constant. Les Van Ryn avaient des vaches de Guernesey sur le plateau. Leurs étables de traite se trouvaient à Dutchman's Hill.

— Je n'ai jamais vu la colline sous son jour pastoral, répondit Zeagler. Lorsque j'ai mis mon usine en marche, il y avait longtemps que les Van Ryn avaient vendu leurs terres pour payer leurs impôts.

Comme vous le voyez, nous n'avons rien épargné pour justifier notre achat.

— Qu'utilisez-vous comme source d'énergie? Le barrage de Bear Creek?

Aaron Zeagler eut un sourire indulgent.

— Il y a longtemps qu'il ne suffit plus. Nous tirons surtout sur le Niagara.

— J'ai entendu dire que vous faisiez des expériences avec l'énergie atomique.

— Nous avons dépassé le stade des expériences, docteur. J'installe des réacteurs dans mes ateliers, aussi vite que Washington me le permet. Quand tout cela fonctionnera vraiment, New Salem sera une exploitation modèle. Le climat est déjà idéal pour l'expansion industrielle — si je puis continuer à trouver assez de place.

L'industriel fit un geste brusque, presque violent, comme pour chasser un mauvais rêve. En sentant le martèlement avertisseur à ses tempes, il força son esprit trop avide à ralentir. Le bref coup d'œil du jeune médecin à ses joues congestionnées ne lui avait pas échappé. Il savait que l'autre avait également remarqué le tremblement convulsif de ses mains, après qu'il eut jeté le cigare.

— Le manque d'espace vital risque d'être fatal, docteur, dit-il d'un ton plus mesuré. J'ai besoin de tout le soutien de la ville pour l'obtenir.

— Que produit votre usine, au juste?

— Des équipements électroniques de toutes sortes. Des pièces de machines comptables, des instruments de précision pour la défense nationale — de tout. Dans d'autres usines de l'État, je fabrique des pièces de sous-marins. A l'étranger, mes usines travaillent à l'automobile de demain. Ici, à New Salem, je consacre mes derniers ateliers aux lasers. Vous en avez entendu parler, je pense? Un procédé qui amplifie l'énergie-lumière en la répercutant dans des baguettes de rubis.

Mike Constant hocha la tête.

— A Berkeley, j'ai des amis qui travaillaient avec des lasers — pour les communications dans l'espace.

— Voyez-vous, nous nous préparons à faire des affaires avec d'autres planètes.

Une lueur d'approbation brillait dans les yeux de Zeagler quand il reprit place derrière son bureau.

— Comme vous le constatez, j'ai fourni à mes directeurs et à mes techniciens un vaste espace vital. L'hôpital que j'ai fait construire à Indian Hill sert à toute la communauté. Comme mes écoles et mes dispensaires, si New Salem veut bien les accepter. Sous sa forme actuelle, la Compagnie Électronique Zeagler donne du travail à vingt mille hommes et six mille femmes. Si j'avais assez de place, je pourrais en employer le double. New Salem aurait tout intérêt à m'aider...

L'industriel se tut brusquement, de crainte d'en dire trop, et trop tôt.

— J'en conclus que vous avez ici des ennemis?

— Un homme comme moi a des ennemis partout. A New Salem, c'est la tyrannie du passé. La famille Van Ryn, et ceux qui persistent à vénérer son ombre.

— Je pensais que vos problèmes avec les Van Ryn étaient résolus. Votre fille n'a-t-elle pas épousé Paul Van Ryn?

— Il y a six ans. C'est ce mariage qui m'a amené à New Salem. J'avais l'intention de donner à mon gendre une véritable chance, ici — faire de lui mon successeur, s'il s'en montrait capable, dit Zeagler en souriant, tout en remarquant le mouvement d'indifférence de son visiteur. Vous étiez à Cornell avec lui, je crois?

— En effet — jusqu'à ce que Paul quite l'Université.

— Dans ce cas, vous comprendrez que mes espoirs n'étaient pas fondés. Même si mon gendre avait été d'une étoffe plus solide, il aurait eu besoin de l'accord de sa mère pour me permettre de m'implanter à New Salem.

— Mrs Van Ryn est toujours de ce monde?

— Si on peut appeler cela être de ce monde, docteur. Elle continue de régner sur cette baraque gothique à Bearclaw Point, en face de la fonderie familiale abandonnée.

— Elle n'en reste pas moins Duchesse de Rynhook

— C'est son titre local. Je suppose que c'est un terme d'affection — si on ne lui conteste pas ce droit. A mon avis, c'est tombé en désuétude à la fin du XIXe siècle.

— Pas si elle peut donner des ordres à Paul, et veiller à les faire observer.

L'industriel hocha la tête et soupira.

— Certains de ces ordres le maintiennent sous le toit de sa mère. Quand il a épousé mon Anna, je lui ai offert le terrain de Mohawk Knoll — et une maison pour eux, construite sur les plans qu'il voulait.

— Avec un atelier?

— Ah! vous savez qu'il peint?

— C'est la seule chose au monde à laquelle Paul s'intéresse...

— A part les femmes.

— Je suis heureux que ce soit vous qui le disiez, et pas moi.

— Il est inutile de nous étendre sur cet aspect de sa personnalité. Quand ils revinrent de leur voyage de noces, il préféra la tour du château de sa mère. Alors Anna a fait percer le toit, et installer une verrière. Ils y vivent depuis.

Zeagler s'interrompit, en sentant un afflux de sang lui monter à la tête.

— Que savez-vous au juste de tout cela? Et combien en avez-vous deviné?

— Je suis resté longtemps absent, je le crains.

— J'ai votre curriculum vitae sous les yeux. Diplômé de sciences à Cornell — la Corée — une licence de médecine à Stanford — deux internats brillants dans deux hôpitaux de la côte du Pacifique.

Vous êtes tout de même natif de cette région. Ne dit-on pas que l'on peut enlever un garçon de New Salem, mais que l'on ne peut ôter New Salem d'un garçon ?

— Je ne discuterai pas du folklore.

Quand Mike Constant souriait, sa figure burinée rajeunissait de plusieurs années.

— Comme vous le voyez, me voici de retour, ajouta-t-il. Il est tout à fait vrai que l'on m'a fait revenir. Je ne veux pas insinuer que vous m'avez fait mander, mais...

— Naturellement, j'ai fait pression sur les médecins qui ont loué mon hôpital, dit Zeagler. Je pouvais difficilement agir autrement, quand le docteur Artemus Coxe vous a chaudement recommandé.

— Le docteur Coxe est un vieil ami...

— C'était à eux qu'il revenait finalement de prendre une décision, et ils l'ont basée sur vos états de service. Mais je me suis réjoui de leur verdict. Dès l'instant où votre nom a été prononcé, j'ai compté sur vous pour m'aider à guérir cette ville, aussi bien que ses habitants.

— C'est beaucoup demander d'un chirurgien qui s'attend à être accaparé par les devoirs de sa charge,

— L'Hôpital Memorial de New Salem est un centre nerveux, docteur Constant. Maintenant que le vieil hôpital cantonal a fermé ses portes, c'est le seul établissement de ce genre dans la région — sans compter la clinique du docteur Coxe dans la vieille ville. Vous aurez bientôt à soigner les malades de la vallée, à tous les échelons. A ce moment, vous comprendrez les problèmes que je dois affronter ici. J'espère que vous trouverez comment les résoudre. Nous en discuterons ensemble. Vous renouerez des liens anciens, pour votre profit et le mien...

— Ma famille s'est éteinte il y a longtemps. A part le docteur Coxe, je ne sais vraiment pas si je pourrais vous citer encore le nom d'un seul ami.

— Ne discutons pas davantage, mais disons que nous avons la possibilité de refaire cette ville — de lui donner une nouvelle place au soleil. Voulez-vous m'y aider ?

— En qualité de médecin, il m'est difficile de vous dire non.

— Peut-être me prenez-vous pour un illuminé, parce que je fabrique des instruments pour entrer en contact avec d'autres planètes. L'âme humaine est une cible beaucoup plus mouvante. Si je pouvais attirer une commission de citoyens dans ce bureau — et la contraindre à m'écouter — il n'y aurait plus aucun problème. Malheureusement, les esprits que je dois toucher à New Salem me semblent fermés à toute discussion.

— En quelle mesure puis-je vous aider, monsieur ?

— Tout d'abord, en allant rendre visite aux Van Ryn. A ma fille, mon gendre et sa mère.

— La Duchesse me fera convoquer lorsqu'elle apprendra mon retour. On ne se présente pas à Rynhook sans y être invité.

— Cependant vous connaissez sûrement assez bien Paul pour aller le voir !

— Nous n'avons jamais été bien intimes, monsieur Zeagler.

— Pas même à l'Université ?

— Nous avons en commun le football — et rien d'autre.

— Je ne m'attends guère à ce que les Van Ryn vous accueillent à bras ouverts, quand ils comprendront vos rapports avec moi. Nous pouvons au moins tracer un plan de bataille, et prévoir notre stratégie. Comme je vous l'ai expliqué — et comme vous le savez certainement — mon gendre est gouverné par sa mère, qui est à son tour sous l'empire de ses propres furies. Ma fille refuse d'intervenir. Vous comprendrez pourquoi lorsque vous la verrez.

— Que dois-je demander, quand je verrai la Duchesse ?

— La vente de ses terres, afin que je puisse construire une nouvelle usine.

— Je suis pratiquement certain qu'elle refusera.

— Bien sûr, elle refusera. Néanmoins, mon offre aura été enregistrée — et vous serez mon ambassadeur. Si besoin est, mon observateur en terrain ennemi.

— L'espionnage n'est pas mon fait, monsieur Zeagler.

— Votre mission n'aura rien d'aussi sinistre, docteur. Après tout, un homme de votre profession a certaines entrées.

L'industriel examina Mike Constant d'un regard voilé, puis il demanda :

— Vous souvenez-vous d'une famille de New Salem appelée West ?

C'était la dernière question importante de l'entrevue. La rougeur qui monta aux joues de son visiteur apprit à Zeagler qu'il avait eu raison de la différer.

— En dehors des Van Ryn, les West sont les plus anciens habitants de la ville. Ils ont été parmi les fondateurs, au temps des pionniers. Leur demeure de Gate House se dresse toujours à Rynhook, dont ils étaient autrefois les régisseurs.

— Vous en connaissez alors les survivants ?

— Il me semble que Sandra West est infirmière. Elle a habité New York.

Zeagler nota à part soi que Mike Constant prenait soin de répondre à la question de manière indirecte.

— Je crois, ajouta le médecin, qu'elle est revenue il y a un mois, pour soigner son frère Jason.

— J'ai connu Jason West autrefois. Un comédien de la vieille école.

— Vous le décrivez à merveille, monsieur.

— Anna a fait un essai dans un de ses spectacles, alors qu'elle nourrissait encore des ambitions dans ce domaine. Je me suis laissé dire qu'à présent, il lutte contre une affection cardiaque — sans trop de succès. Pourriez-vous aller les voir aussi?

— Seulement si j'y suis convié.

— Dans leur position, entre ville et château, j'espérais qu'ils pourraient vous fournir des renseignements supplémentaires.

Zeagler se leva, avec le chaud sourire rapide qu'il savait arborer à volonté. Le visiteur feignit de ne pas comprendre ce signal de congé manifeste.

— Que diriez-vous si je refusais le travail que vous me proposez?

— Au Memorial Hôpital, docteur, ou dans cette enquête que je viens de vous exposer?

— Pour le moment, j'ai bien envie de refuser les deux.

— Je suis certain que vous regretteriez cette décision, déclara Zeagler. Ce n'est pas bien souvent que le fils prodigue peut rentrer chez lui pour jouer au Bon Dieu.

— Je ne suis guère qualifié pour ce titre, monsieur.

— Permettez-moi de ne pas vous suivre. Dans le sens biblique du terme, vous êtes un véritable fils prodigue. Un vagabond des contrées lointaines qui revient chez lui retrouver ses racines.

— Bien que le père ne soit pas là pour tuer le veau gras?

— Même alors, docteur. J'étendrai la parabole, si je puis me le permettre. Les West méritent aussi ce titre ; l'ancien grand acteur célèbre qui revient chez lui pour mourir, la sœur qui abandonne une carrière à New York pour le soigner. Et, Dieu sait, mon gendre...

— Là, nous sommes d'accord.

Mike Constant se leva enfin et Zeagler lui prit la main. La ferme pression des doigts du chirurgien le rassura. *J'ai piqué votre curiosité*, pensa-t-il. *Je vous ai donné un sentiment de puissance tout nouveau. Désormais vous combattrez pour moi — et vous vous battrez bien.*

A voix haute, il dit simplement :

— Rien de ce que nous avons évoqué aujourd'hui ne vous lie. Vous avez un contrat avec l'Hôpital Memorial de New Salem. Vous vous devez d'abord au groupe qui vous emploie. J'ai simplement tenté de donner à cet emploi une autre dimension.

Mike sourit.

— Vous parliez de jouer au Bon Dieu. Ne vous seriez-vous pas réservé le rôle de Jéhovah — et pour moi celui de chef des anges?

— J'ai été accusé d'une telle tendance par des amis et des ennemis également, répondit Zeagler avec un sourire. Vous reconnaîtrez que l'univers que j'ai créé autour de cette usine se suffit à lui-même, non?

— Il y paraît, en effet.

— J'aime voir les gens gagner de l'argent pour moi, docteur. Et j'aime à me dire que je les ai aidés à atteindre à une vie meilleure — avec plus de loisirs créateurs qu'aucun travailleur dans l'histoire. Les maîtres Van Ryn pourraient-ils en dire autant?

— Non, sans doute. Mais bien entendu, ils régnaient à une époque où le droit divin des patrons allait de soi.

L'industriel haussa les épaules.

— Je m'intéresse aux vivants — tout comme vous. Je n'ai que faire des fantômes torys. Tirez-en vos propres conclusions. Je suis certain que vous reconnaîtrez que ma façon de faire est la meilleure pour New Salem.

— Je vous donnerai ma réponse demain, si vous le voulez bien.

— Demain, je dois être à Rome, répliqua Zeagler de l'air d'un homme qui tient entre ses mains un globe amenuisé. La semaine prochaine, je dois me rendre à Tel-Aviv pour y ouvrir ma première usine en Israël. Mettez l'entre-temps à profit, pour décider si nous devons être des alliés. Reprenez les fils de votre ancienne existence ici et voyez comment ils se nouent avec celle d'aujourd'hui. Aimeriez-vous visiter l'usine avant de partir ?

— Je l'ai traversée avant notre rendez-vous, monsieur. Ce que j'en ai vu me paraît plus étrange que la planète Mars.

— Je suis sûr que votre salle d'opération me ferait le même effet. C'est le drame de notre époque que des hommes comme nous doivent rester enfermés chacun dans sa spécialité. Malgré tout, je crois que vous admettrez que nous parlons le même langage.

Dix minutes plus tard, en suivant la route en dos d'âne et en virages qui conduisait à Overlook (une éminence au-dessus de l'Hudson qui dominait tout le panorama de New Salem), Mike Constant avait encore les oreilles bourdonnantes, conséquence normale de sa confrontation avec une dynamo humaine. C'était une sensation presque semblable à l'ivresse. Il s'efforça de ne pas y céder, et concentra toute sa pensée sur la conduite de sa vieille voiture.

Depuis une centaine de mètres, il était persuadé que l'antique guimbarde n'atteindrait jamais le sommet. Durant presque tout le voyage à travers le continent, le moteur avait soufflé comme un asthmatique, et cette dernière épreuve n'arrangeait rien. Il eut été plus prudent de gagner sa ville natale par la route de la rivière — mais le besoin de contempler un panorama familier avait prévalu... Lorsque la vieille auto atteignit le sommet de la colline, il la laissa rouler vers le terrain de dégagement et s'arrêta, heureux de se trouver seul. Pendant quelques instants, il resta assis au volant — l'oreille tendue au cliquetis du moteur qui refroidissait, tout en songeant à son entretien avec Zeagler.

L'industriel était parfait dans son genre particulier. Comme la plupart des hommes qui ont brillamment réussi dans le domaine qu'ils se sont choisi, il avait tendance à simplifier à l'excès quand il portait son attention au-delà de son univers quotidien — à exagérer, dans son impatience à concilier la fin et les moyens. Son indomptable énergie avait exigé son tribut. Mike avait diagnostiqué sans peine la cause de ces interruptions soudaines, dans ses monologues, qui étaient à la vérité des coups de freins. L'hypertension était visible à l'œil du médecin.

Zeagler n'avait pas tort quand il prétendait qu'ils parlaient le même langage. Ils étaient tous deux descendants d'immigrants, et tous deux avaient durement lutté pour réussir. Dans le cas de Mike Constant, les outils avaient été le scalpel, l'instinct inné du chirurgien de guérir qui lui avait toujours été aussi naturel que de respirer. Chez Zeagler, c'était le génie mécanique, la faculté qu'avait l'inventeur de penser dans l'avenir.

Sa carrière apportait la preuve que les histoires des réussites américaines foudroyantes n'avaient rien perdu de leur magie. Aucun des échelons de la légende n'y manquait : la naissance dans le ghetto, la montée en flèche, la première petite fabrique dans un misérable hangar des faubourgs de Chicago, le mariage de jeunesse qui n'avait produit qu'un seul rejeton... En deux décennies, la fabrique de Chicago avait éclaté en un empire industriel. Après la mort de sa première femme, un second mariage avait allié Zeagler à l'une des plus vieilles familles des États-Unis, assurant ainsi sa position... Il n'était guère surprenant qu'il se fût hérissé devant les restrictions et les obstacles rencontrés à New Salem. Il était encore plus normal qu'il regrettât le mariage de sa fille avec Paul Van Ryn.

Mike laissa ses pensées se tourner vers Paul, en sachant à l'avance que les images évoquées ne seraient pas plaisantes. Il y avait d'abord le Paul du lycée de New Salem — le garçon que son père encore riche, aux idées démocratiques, avait refusé d'envoyer dans un collège privé. Même alors, il avait allié un physique byronien aux qualités du footballeur ; même alors, il avait été un artiste qui peignait des tableaux fous que personne ne comprenait, un Don Juan en petite voiture torpédo qui choisissait ses conquêtes.

L'image se confondit avec celle du demi-dieu universitaire de Cornell, qui avait rejeté toutes les contraintes, et avait abandonné le ballon de cuir pour le chevalet, en troisième année. Paul était allé ensuite étudier la peinture à Florence — un pèlerinage artistique qui prit fin brusquement à la mort du père et à la faillite des Fonderies Van Ryn. En revenant examiner les restes du naufrage, il avait appris que la fortune de sa mère avait pour le moment sauvé Rynhook.

Un effort résolu de sa part eût pu sauver également la fonderie. Paul avait négligé cette opportunité, et laissé les créanciers envahir les bâtiments de Bearclaw Point, puis il était retourné à son art.

Mike — qui avait été mobilisé cette même année et envoyé en Corée — ne savait pas grand-chose des faits et gestes de son ancien condisciple, par la suite. Il avait vaguement appris le mariage de Paul et d'Anna Zeagler, et la magnifique situation proposée à son gendre par l'industriel, à condition que Paul pût persuader la Duchesse de Rynhook de vendre le terrain de la fonderie. Mike n'avait pas été surpris quand Paul avait décliné la proposition ; c'était bien dans sa nature de faire un riche mariage, et de refuser ensuite d'en assumer les obligations. Et cela lui ressemblait encore plus, d'avoir respecté le refus obstiné de sa mère de quitter Rynhook.

Marcella Van Ryn avait été une présence redoutable dans la jeunesse de Mike — un personnage entrevu par la porte d'une cuisine quand il venait livrer les commandes de l'épicerie de son père de Lower Street, une main alourdie de bagues offrant un menu pourboire. Il se rappelait la convocation dans un grand salon du château quand le *Reporter* de New Salem avait annoncé qu'il bénéficiait d'une bourse pour entrer à Cornell, et la voix tonnante qui lui avait ordonné de faire de son mieux, et le regard perçant de la Duchesse — et l'ordre de venir lui rendre des comptes quand son éducation serait terminée. New Salem, avait déclaré la première dame du pays, avait fait beaucoup pour lui, et la ville aurait toujours besoin d'un bon médecin. Son devoir était de la faire profiter des fruits de son instruction...

Comme les Van Ryn, les West avaient toujours fait partie intégrante de New Salem, mais à l'échelon inférieur, dans ce no man's land entre le château et la fonderie où se dressait la maison du régisseur, Gate House. Jason West avait porté un don remarquable aux sommets de l'art du spectacle. La sœur de Jason Sandra — de deux ans plus jeune que Mike — avait dansé follement aux bals de ses quinze ans ; elle avait bagarré, avec autant d'acharnement que les autres en ce temps-là, pour avoir l'honneur de se promener dans la décapotable de Paul Van Ryn. A Cornell, elle avait paru presque ignorer l'existence de Mike. Seul Paul l'intéressait — jusqu'à ce qu'elle entre à l'École d'Infirmières Saint-Paul à New York. Même alors, Paul avait séché des cours pour la suivre en week-end ; le bruit courait qu'ils étaient amants, et que la liaison s'était terminée seulement au départ de Paul pour l'Europe.

Pendant que Paul était à Florence, Mike était retourné pour quelque temps à New Salem, afin d'y travailler tout l'été avec le docteur Artemus Coxe. Sandra avait obtenu un congé d'études, et était venue mettre Gate House en ordre à la mort de ses parents ; elle y était restée, pour soigner un frère malade pour qui la bouteille s'était révélée une bien fragile béquille.

La dépression nerveuse de Jason West avait duré jusqu'en septembre — date à laquelle Mike devait partir pour la Corée, avec un grade obtenu durant sa période de préparation militaire de Cornell. La veille de son départ, il avait trouvé le courage de demander à Sandra leur premier rendez-vous. Il ne sut jamais si l'idée du soldat partant pour la guerre avait attendri le cœur de la jeune fille, ou si les caprices de Jason lui avaient fait accepter avec joie une soirée d'évasion.

Elle était passée le chercher dans la voiture de son frère, une décapotable Duesenberg luxueuse, avec bar à l'arrière. Ils étaient montés à Overlook — alors comme à présent le coin préféré des amoureux, le soir... Rien qu'en fermant les yeux, Mike revivait ces instants : il revoyait la lune voilée de brume et cette fille énigmatique qui ne lui avait jamais paru plus désirable... ni plus lointaine.

— Tu ne vas pas me demander pourquoi nous sommes ici? murmura-t-elle.

— Non, Sandra. J'espérais que c'était pour la raison habituelle.

Sandra prit une cigarette dans son sac et attendit qu'il lui offre du feu.

— Ce n'était pas pour cela, Mike, mais je veux vraiment que tu me parles un peu de toi. Si tu y tiens, je te parlerai même de moi à mon tour. Tu as toujours l'intention de devenir chirurgien?

— C'est ce que j'ai toujours désiré. Le docteur Coxe dit que je dois diriger tous mes efforts dans ce sens.

— Et tu réussiras, Mike.

— Après la Corée, j'envisage un stage dans une faculté de médecine de Californie. Stanford, probablement. Je devrais avoir assez d'arriérés de solde pour payer mes études.

— Je te souhaiterais bonne chance — si tu n'étais pas de ceux qui forgent leur propre chance.

— Quand dois-tu retourner à New York?

— La semaine prochaine, je pense. Mon insupportable frère commence à en avoir assez d'être malade. S'il perd l'habitude de rompre ses contrats, il sera accueilli à bras ouverts à Hollywood.

— Reviendras-tu à New Salem?

— Et toi, Mike?

— Je n'en ai pas la moindre idée, pour le moment.

Sandra tira une longue bouffée de sa cigarette. (Maintenant encore, il se rappelait comment elle avait maintenu le bout incandescent entre eux.)

— Tu possèdes le sang neuf dont cette ville a besoin, dit-elle enfin. Pour le salut de New Salem, j'espère que tu décideras de revenir exercer ici un jour.

— L'heure de la décision est encore loin. Avec un peu de chance, je ferai mon internat à San Francisco. Si je suis assez bon, je m'établirai sur la Côte. En comptant l'armée, cela devrait faire au moins dix ans.

— Tu seras un merveilleux chirurgien, Mike. Quand tu auras terminé tes études, tu pourras choisir ce que tu voudras.

— Toi aussi, à New York.

— Mon cas n'est pas si simple. Je ne sais pas encore trop ce que j'ai à offrir.

— Je puis répondre à cette question tout de suite, si tu me le permets.

— J'aime mieux que tu n'en fasses rien, Mike.

— Pourquoi? Tu sais très bien que je suis amoureux de toi depuis la sixième.

— Ce ne serait pas juste. L'amour unilatéral sait être parfois destructeur. Je m'y connais, crois-moi.

— Parce que tu es vraiment amoureuse de Paul Van Ryn?

— Ce n'est un secret pour personne, à New Salem.

— Je suis heureux que tu ne te fasses pas l'illusion qu'il t'aime.

— C'est un garçon étrange, Mike. Le connais-tu vraiment ?

— Nous étions dans la même classe à Ithaca — mais nous nous adressions à peine la parole, en dehors du terrain de football. Je suppose qu'il me jugeait trop au-dessous de lui. C'était son droit, en qualité de futur seigneur de Rynhook.

— Me croiras-tu, si je te dis qu'il ne vit que pour sa peinture ?

— C'est une façon comme une autre d'excuser ses manières.

— Il entend être un jour un grand artiste. C'est pour ça qu'il a emprunté de l'argent à sa mère pour aller à Florence.

— Pour moi, il ne vaut strictement rien. Surtout en ce qui concerne une fille comme toi. Pour ton bien, je prie le ciel qu'il reste en Europe.

— Tu ne peux pas l'écarter en le considérant comme un play-boy de plus, Mike. Paul vaut mille fois mieux que ça. Je reconnais qu'il ne sera jamais ce que New Salem appelle un travailleur...

— Son père est mourant. On dit qu'il est à moitié fou de voir la fonderie péricliter. Que fera Paul quand la catastrophe arrivera ?

— Il continuera à peindre.

— Même si la famille a tout perdu ?

— Je t'ai déjà dit qu'il ne vit que pour son art.

— Comment pourrais-tu être heureuse avec un tel homme ?

— L'amour et le bonheur ne sont pas toujours synonymes. Quand Paul reviendra d'Italie, je serai prête à partager l'avenir qu'il lui plaira de m'offrir.

— Alors que tu vois si nettement ses défauts ?

— Le cœur n'est pas toujours aux ordres de la raison, Mike.

Derrière le foyer scintillant de sa cigarette, il devina que Sandra pleurait tout bas. C'était affreux de savoir qu'il ne pouvait rien pour elle — qu'il n'avait aucun moyen de la consoler, et qu'elle ne l'avait amené là que pour délivrer son esprit d'un fardeau.

— Je suis content que tu comprennes qu'aimer un être comme Paul n'est pas une sinécure.

— C'est peut-être le rêve d'enfant d'une écolière qui refuse de grandir. Il y a des mois que Paul ne m'a pas écrit. Il m'a peut-être totalement oubliée. Cela, bien sûr, pourrait être mon salut.

— Il faut que tu quittes New Salem le plus tôt possible, insista-t-il. Je t'aiderais, si tu me disais comment.

— N'aie pas pitié de moi, je t'en supplie. Je ne pourrai pas le supporter.

— Parce que le fils d'un petit épicier grec devrait savoir rester à sa place — et ne le fait pas ?

— Non, Mike. Parce que j'ai trop d'amitié pour toi pour te blesser. Tu n'es pas le premier, après tout, qui tombe amoureux d'une fille qui ne le mérite pas. Quand tu auras accompli ton devoir de soldat et que tu feras ta médecine, tu te diras bon débarras en pensant à moi.

— Si ça ne te fait rien, je préfère conserver l'espoir.

— L'espoir de quoi ? Que je surmonterai mon amour pour Paul, et que je comprendrai tout ce que j'ai manqué en te repoussant ?

— Un homme a besoin d'un rêve quand il part pour la guerre. Même si c'est un rêve qu'il sait irréalisable.

— Pour cela au moins, je te remercie.

Elle se pencha sur le volant et l'embrassa tendrement. Ce n'était pas un baiser de coquette, ni un baiser passionné. Mike se sentait un cœur de plomb tandis qu'elle remettait la voiture en marche, maintenant que le geste d'adieu était passé — qu'elle avait accordé la bénédiction à laquelle les femmes ont eu recours de tous temps pour envoyer les hommes à la guerre.

***

Ce dialogue avait été étrangement troublant. Dix ans plus tard, en se rappelant chaque parole aussi nettement que si Sandra West avait été à ses côtés, il comprenait qu'il se cramponnait toujours au même espoir qui l'avait accompagné en Corée.

Mike était interne à l'Hôpital Général de San Francisco lorsqu'il avait appris par les journaux le mariage de Paul et d'Anna Zeagler. En se demandant comment Sandra avait réagi, il avait été terriblement tenté de combler le fossé qui les séparait... L'année suivante, il avait vu Jason West dans une reprise de *Liliom*. Mike avait été frappé en constatant à quel point l'alcool et la maladie avaient réduit le frère de Sandra à l'état de fantôme.

Quelques mois auparavant à peine, il avait lu dans la presse que le grand acteur était retourné à New Salem pour un nouveau repos prolongé. La nouvelle que Sandra avait une fois encore interrompu sa carrière d'infirmière pour venir soigner Jason West et l'aider à surmonter une nouvelle dépression lui était parvenue en même temps que l'offre d'un poste à l'Hôpital Memorial de New Salem. C'était comme si le destin cherchait à les réunir, et il n'avait pas songé à refuser...

Le fils de Spiros Constant était resté farouchement fier de ses aïeux. Un descendant des guerriers d'Homère, se disait-il, ne pouvait céder à personne ; il avait même été vaguement choqué lorsque son père avait raccourci leur nom, quelques années après son installation à New Salem. A ses yeux, ce n'était qu'un accident de naissance que Paul Van Ryn demeurât dans un château à Bearclaw Point alors que Mike Constant et son père veuf avaient à peine les moyens de se payer un logement de deux pièces dans une des habitations à bon marché où logeaient les ouvriers de la fonderie.

Durant ces premières années, Spiros Constant (qui avait espéré posséder une ferme au nord de l'État de New York) avait pauvrement gagné sa vie en vendant des légumes avec une petite carriole. Puis il avait ouvert une boutique à Lower Street, qui n'était guère qu'une sente aux pavés ronds serpentant du mauvais côté de Bear Creek. Mike livrait les commandes de son père après l'école. Pendant les vacances, il gagnait le peu d'argent qu'il pouvait en portant des journaux à domicile, en faisant la cueillette des fruits ou des légumes de saison, en travaillant comme petit manœuvre aux fonderies Van Ryn.

Chaque dollar qu'il économisait allait grossir une tirelire destinée à payer ses études de médecine. C'était le but qu'il s'était choisi après sa première visite au docteur Artemus Coxe, dont la petite clinique de dix lits avait toujours été une institution de la vieille ville.

Au lycée, les prouesses sportives de Mike sur le terrain de football lui avaient valu des honneurs, et ses premières véritables amitiés. En grandissant, il ne pouvait guère se plaindre que ses origines fussent une barrière à son ascension dans le monde, encore que certaines portes demeurassent résolument fermées... L'univers plus vaste de Cornell l'avait accueilli sans hésitation, comme boursier et comme sportif. Sa chance, au cours des dix dernières années, avait été constante. En Corée, son unité était arrivée à Pusan trop tard pour y combattre. Il avait attendu la fin de la longue trêve, et il était revenu à temps pour s'inscrire à Stanford.

Le G. I Bill — le prêt aux anciens combattants — y avait commandité ses études ; en travaillant tout l'été au laboratoire de chirurgie expérimentale, il avait pu s'acheter l'antique Ford avec laquelle il était revenu à New Salem. Le coffre contenait tous ses biens — une grosse valise et une petite bibliothèque de voyage. Dans une serviette de cuir, il transportait ses papiers militaires, ses notes, concernant des cas divers, prises au cours de son internat et son diplôme tant convoité de l'Académie de Chirurgie.

La médecine avait été sa vie, depuis le jour où il avait assisté à son premier cours d'anatomie. Les années passées avaient été tellement stimulantes qu'il avait rarement pris le temps de se demander s'il était heureux. En de bien rares instants, il s'avouait cependant que le souvenir diffus de Sandra West était tout ce qui remplaçait l'amour pour lui, et que les choses de l'âme continuaient de lui échapper, dans les brefs moments où son travail ne l'absorbait pas entièrement. La vision du souvenir — et le besoin de montrer à quelques nababs guindés qu'il avait réussi dans le domaine qu'il avait choisi — avaient suffi à le faire revenir à New Salem.

Mike Constant descendit enfin de voiture et s'approcha du bord de la falaise. De cet endroit, elle tombait à pic dans la vallée, à près de cent mètres plus bas ; la petite ville s'étendait à ses pieds, nette et précise comme un diorama. Un seul regard suffit à le convaincre qu'il ne l'avait jamais quittée.

Dans la jeunesse de Mike, New Salem avait été une petite commune industrielle — trop grande pour être un village, trop petite pour une ville — dont l'avenir semblait aussi solide que le roc de la falaise sur laquelle il se tenait. A première vue elle n'avait pas changé.

A l'est — là où l'Hudson s'élargissait pour former le Leyden Zee — les mêmes bateaux se balançaient à l'ancre devant le yacht club. C'était là que la rivière de Bear Creek se déversait dans le fleuve après sa traversée sinueuse de la petite ville. Sur l'autre rive, à Bearclaw Point, se dressait toujours la masse imposante de Rynhook, la forteresse qui avait été le poste de commandement des Van Ryn pendant près de deux siècles.

La fonderie — le centre et la raison d'être de la vieille ville — occupait un triangle de terre entre la rivière et le fleuve. Même de si loin, Mike pouvait voir que ce n'était plus qu'un petit groupe de bâtiments de briques noircies abandonnés — aux fenêtres aveugles, aux cours envahies d'herbes folles, une entreprise morte avant l'heure. Il fut étonné de constater que les immeubles misérables d'en face étaient toujours habités. De la fumée s'élevait de plus d'une cheminée ; les enfants qui jouaient dans le ruisseau démontraient que les ouvriers de la fonderie avaient trouvé le moyen de subsister dans son ombre.

Mike se dit qu'un examen plus attentif révélerait sans doute d'autres effets de la décrépitude industrielle dans la vieille ville elle-même. Là-haut, à Overlook, il était facile de se persuader que dix ans avaient passé comme un songe. Mike croyait encore entendre résonner à son oreille le fracas familier de la fonderie. Il était certain qu'en respirant très fort, il sentirait l'âcre odeur des forges — un aigre relent qui envahissait cette extrémité de New Salem quand le vent soufflait dans cette direction...

En ce temps-là, la fonderie avait été un sombre colosse dont on ne discutait pas la loi. La plupart des maisons sous les ormes avaient été hypothéquées aux Van Ryn. Les voitures de leurs propriétaires, l'avenir de leurs enfants, le bonheur de leurs femmes dépendaient du prix du fer — et du rendement des bâtiments noircis au-delà de Bear Creek. Même le cimetière se trouvait sur une colline offerte par le dernier des seigneurs — du temps que New Salem s'appelait Nieu Leyden, et que Peter Stuyvesant gouvernait la région. Un bel esprit de la ville avait observé une fois que — puisque le bois des seigneurs servait à fabriquer les berceaux des nouveaux-nés aussi bien que les cercueils — toutes les âmes de New Salem appartenaient aux barons de Rynhook.

Du haut de la falaise, l'agglomération et l'usine

que Zeagler avait construites sur les Hauteurs de New Salem étaient dissimulées par un repli des collines — bien au-delà des eaux paisibles du barrage qui avait alimenté la fonderie, autrefois. L'industriel avait demandé à Mike de réfléchir au contraste entre l'ancien et le nouveau : la commune qui s'étendait à ses pieds, figée dans le temps comme un scarabée égyptien dans l'ambre, était une leçon de choses qu'il ne pouvait ignorer plus longtemps... il se dit que tout se concrétisait dans le sombre château sur la pointe — et dans la masse de granit de Gate House dressée à la frontière, entre le domaine des Van Ryn et celui de ses usines sans joie.

Mike luttait encore contre un malaise indéfinissable — que son esprit buté refusait de définir avec précision — quand il regagna sa voiture et se glissa au volant. Il avait la main sur le démarreur quand il entendit le grondement d'un autre moteur sur la route abrupte en contre-bas, et une Porsche rouge décapotable surgit brusquement, comme une fusée, et attaqua le virage dans un grincement de pneus avant de freiner. La voiture avait frôlé la vieille Ford de Mike, assez près pour faire ricocher le gravier sur une aile, mais l'homme au volant et la jeune femme assise à ses côtés étaient trop absorbés par leur conversation pour remarquer sa présence.

Lorsque le bruit du moteur se tut, Mike put entendre leurs voix qui s'élevaient dans une discussion furieuse. Il était trop loin pour comprendre les paroles, mais il avait déjà reconnu Sandra West et Paul Van Ryn.

Il n'était pas facile de classer Sandra. Durant les dix ans d'absence de Mike, elle était devenue une femme, sans rien perdre de la beauté de la jeune fille qu'il avait aimée, les cheveux roux sombres ondulés, la peau transparente d'une vraie rousse...

Il vit que Paul avait à peine changé ; c'était incroyable — et vaguement gênant — qu'un homme de plus de trente ans pût être si impudemment jeune, si beau, si assuré. Pour la première fois, Mike se surprit à étudier son ancien condisciple avec l'œil d'un médecin. A ces yeux-là, le profil de Paul Van Ryn était bien trop fin pour être vraiment beau. Mike devinait, derrière cette assurance désinvolte, une faiblesse fondamentale qu'il ne pouvait définir.

Cette réaction, il fut prompt à le reconnaître, était influencée par sa propre antipathie profonde — mais il avait vu trop souvent ce type d'homme, à la guerre et dans les hôpitaux, pour s'y fier un seul instant. Et il se rappelait, très nettement, comment Paul n'hésitait pas à donner des coups défendus sur le terrain de football, quand il était certain que l'arbitre ne pouvait le voir.

Conscient de ne pas avoir été remarqué, Mike se demanda s'il parviendrait à descendre la côte en roue libre sans mettre son moteur en marche. Il avançait une main vers le levier du frein quand son attention fut attirée par des mouvements violents dans l'autre voiture : une lutte brève qui se termina soudain quand Sandra ouvrit la portière de son côté. Il la vit se dégager de l'étreinte de Paul et se précipiter vers le bord de la falaise.

— *Attends*.

Le cri avait jailli des lèvres de Mike, sans qu'il y songeât ; à peine l'eut-il lancé qu'il comprit la folie de son intervention. Comme un homme prisonnier d'un cauchemar, il vit Paul se retourner dans le siège baquet de la Porsche. Sandra se tenait encore en équilibre au bord de la falaise. Ce qui se passa ensuite fut très confus — une pluie de cailloux, tandis que les talons de la jeune fille délogeaient la terre d'un point d'appui déjà précaire. Et puis, comme un plongeur maladroit, elle disparut dans l'espace.

Mike ne se souvint jamais comment il atteignit

le bord du précipice. Son premier regard en bas lui confirma qu'un vague souvenir avait été précis, qu'une étroite corniche dépassait de la muraille rocheuse, trois ou quatre mètres plus bas. La corniche avait interrompu le plongeon de Sandra, et un petit arbre rabougri l'avait retenue, coinçant son corps — dangereusement — entre le tronc et la falaise. La chute lui avait fait perdre connaissance ; la position insolite de son bras gauche donnait à penser qu'il était cassé et elle saignait d'une blessure à la tête.

La corniche, là où se trouvait Sandra, montait vers l'extrémité de la falaise à un endroit où les racines d'un chêne vert s'accrochaient à la pierre friable. Enfant, Mike était descendu le long de cette corniche à la suite d'un « chiche » ; il se rappelait s'être balancé follement aux branches de ce même arbre qui venait de sauver Sandra. Avec un peu de chance, il pourrait encore effctuer cette descente. Il n'y avait pas d'autre moyen de sauver la jeune fille et pas de temps à perdre. Si elle reprenait ses sens, le moindre mouvement risquait de la précipiter à sa mort, cent mètres plus bas.

— Elle est morte ?

Mike sursauta et se retourna vers la voix ; absorbé par le sauvetage à faire, il avait oublié le conducteur de la voiture de sport. Il vit que Paul Van Ryn était toujours assis à son volant, le corps raide comme celui d'un homme en catalepsie. Les yeux qui croisèrent ceux de Mike ne semblaient pas le reconnaître.

— Un arbre a arrêté sa chute, répondit Mike.

— Vous pouvez la remonter ?

— Je crois — mais il faudra m'aider.

Paul ne bougea pas et son regard morne resta fixe.

— Qu'est-ce que je peux faire ?

— Nous avons besoin d'une sorte de soutien. Il y a une corde dans cette voiture ?

— Non, naturellement.

— Alors nous improviserons.

Tout en parlant, Mike débouclait sa ceinture et ôtait son pantalon. Le conducteur de la Porsche hésitait toujours, les sourcils froncés avec perplexité. Puis, en comprenant l'intention de Mike, il s'approcha enfin du rebord de la falaise, son pantalon de flanelle étroit sur le bras.

— Vous êtes sûr que vous savez ce que vous faites ?

Mike était déjà sur la corniche, et tâtait le terrain au pied du chêne vert. Plus tard, il devait se rappeler la froide insolence de cette question. Mais sur l'instant, il n'eut pas le temps de remarquer des détails ; il boucla les deux ceintures l'une à l'autre et noua le bas des deux jambes du pantalon de flanelle au sien.

— Ça fera l'affaire. Nous en aurons besoin pour la remonter.

— Je vois bien, mais...

— Quand je remonterai, vous me retiendrez avec ça.

— Vous allez descendre?

La voix de Paul était froide — et bizarrement lointaine. Bien qu'il eût compris le projet de Paul, il ne paraissait pas vouloir l'accepter.

— Je vous dis que c'est le seul moyen. Aidez-moi, et nous la sauverons, assura Mike.

La corniche lui paraissait bien plus étroite que dans son souvenir. Il se plaqua contre la falaise, et se glissa prudemment vers la jeune fille. Il avait fait quelques mètres, sur les mains et les genoux, quand il leva les yeux, et vit que Paul n'avait pas bougé de l'ombre du chêne vert.

— Suivez-moi le long de la falaise! Nous allons avoir besoin de la corde.

Paul eut un mouvement d'épaules, et longea la falaise, jusqu'à ce qu'il se trouve au-dessus de l'endroit où gisait Sandra. Là, la corniche s'élargissait un peu et Mike se hasarda à se mettre debout. Il vit que les blessures de Sandra n'étaient probablement pas graves, à part le bras cassé. Sa respiration régulière révélait une commotion sans gravité, dont elle se remettrait vite. Étourdie par sa chute, elle risquait de tout faire échouer, si elle reprenait brusquement connaissance — surtout si son plongeon dans le vide avait été volontaire. Il n'imaginait pas d'endroit plus mal choisi pour maîtriser une suicidée éventuelle.

En se cramponnant d'une main à l'arbuste — et en priant le ciel qu'il supporte ce poids supplémentaire — il glissa un bras sous le corps de la jeune fille. Puis, sans s'attarder à regarder en l'air, il tendit son bras libre vers le bord de la falaise — et l'aide qu'il attendait de Paul Van Ryn.

— Descendez-moi les pantalons, cria-t-il, je ne peux pas bouger sans ça.

Rien n'arriva. Il répéta l'ordre, plus sèchement, sans oser lever les yeux de son fardeau.

— Vite! Il n'y a pas un instant à perdre!

Paul obéit lentement. En sentant le cordage improvisé lui effleurer l'épaule, Mike hasarda un regard vers le haut, et vit que le visage de Paul était toujours un masque sans vie. Cramponné d'une main à une anfractuosité de rocher qu'il avait découverte sous le corps de Sandra, Mike glissa son autre bras dans la boucle des pantalons.

— Prenez bien appui sur vos talons, cria-t-il, et marchez vers l'arbre. Pas à pas, en vous renversant bien en arrière. Tant que vous pourrez. Sinon, nous dégringolerons tous les trois.

Paul inclina la tête, et retomba solidement sur ses talons. Mike put alors se relever avec son fardeau. Pas à pas, ils avancèrent vers le chêne vert. A mi-chemin, Mike s'aperçut qu'il ne pouvait plus porter Sandra d'un seul bras et il cria à Paul de s'arrêter, puis il la jeta sur son épaule, comme un sac.

— Avançons! Nous y sommes presque!

Il entendit au-dessus de lui un léger cri étouffé et devina que Paul se fatiguait. Il y eut une brusque avalanche de cailloux, comme si Paul perdait pied. L'enchevêtrement de racines n'était plus qu'à un pas; Mike tendait la main pour s'y cramponner quand il sentit brusquement mollir la boucle d'étoffe des pantalons. En levant les yeux pour chercher le regard de Paul, il devina que le geste avait été délibéré — que l'esprit de Paul caressait le désir d'en finir, d'achever ce que Sandra West avait commencé. Tant que cette impulsion durerait, Mike savait que sa vie — et celle de la jeune fille — tenait à un fil.

— Tirez, bon Dieu!

Il y eut un nouveau *han* dans les feuilles, une tension vigoureuse qui projeta Mike et Sandra dans le nid de racines. Ensuite, ce fut un jeu de porter tout son poids en avant ce qui fit retomber Sandra sur l'herbe, au sommet de la falaise. Délivré de son fardeau, Mike se sentit si léger qu'il en eut le vertige. Il attendit un instant que cela passe, puis il escalada le rocher.

Paul avait porté Sandra entre les deux voitures. Quand Mike le rejoignit, il la contemplait sans curiosité. Il consacrait toute son attention à dénouer les deux pantalons.

— Ça, c'était un réflexe rapide, dit-il d'une voix si froide qu'il paraissait indifférent. Je suis heureux que ça se soit bien terminé.

Mike le dévisagea brièvement avant de s'agenouiller à côté de la blessée. Il ne pouvait croire que Paul ne l'eût pas reconnu ; il était plus stupéfait encore de ne déceler chez lui aucun signe de tension. Apparemment, dans une brusque convulsion de son esprit, égocentrique, l'autre avait déjà chassé l'incident. Le fait que Mike eût risqué sa vie pour annihiler les suites de sa dispute avait été accepté comme un dû.

— Elle a le bras cassé et une blessure du cuir chevelu, dit Mike. Il peut y avoir d'autres blessures. Il faut que nous la transportions immédiatement dans un hôpital.

— Vous parlez comme un médecin, dit Paul, et une fois de plus ses yeux mornes croisèrent ceux de Mike avec une fixité qui refusait toute communion.

— *Je suis* un médecin.

— Dans ce cas, je suggère que vous vous chargiez du reste. Il y a un siège arrière dans votre voiture. Transportez-la vous-même.

C'était un ordre sans ambages, et Mike se retint de s'en formaliser tandis qu'ils portaient la jeune fille toujours inconsciente sur le siège arrière de la Ford.

Paul ne s'attarda pas une minute de plus. Il se dirigea vers la Porsche, se mit au volant et emballa son moteur. Sous les yeux stupéfaits de Mike — qui refusait encore d'en croire le témoignage — Paul démarra en trombe et quitta Overlook dans un jaillissement de gravier.

2

DEBOUT derrière sa vieille guimbarde, Mike Constant écoutait décroître le rugissement de la voiture de sport sur la route en contrebas. Un gémissement le rappela à ses devoirs. Maintenant qu'il s'était fait au brusque départ de Paul, il était heureux d'être seul avec celle dont il venait de sauver la vie.

Sandra commençait à reprendre lentement conscience quand il se mit en première pour descendre vers la vallée. Il avait déjà repéré la nouvelle route qui reliait New Salem aux Hauteurs, et le chemin de traverse conduisait au sommet d'Indian Hill, où se trouvait l'hôpital. Dix minutes plus tard, il en franchissait le portail.

Sa première impression se confirma quand il observa l'hôpital de plus près, bien qu'il fût encore trop inquiet de Sandra pour prendre note des détails. Les vastes bâtiments paraissaient bien construits, dans un style ultra-moderne aux lignes fonctionnelles. Mais Mike les trouvait froids et sans vie.

Il tourna dans l'allée sablée qu'un écriteau désignait comme l'entrée des ambulances. Il fut surpris de ne pas voir d'infirmier au bureau d'admission, et de trouver les doubles portes de l'hôpital proprement dit fermées et verrouillées de l'intérieur. Il sonna et re-sonna, mais ses coups de sonnette répétés n'amenèrent personne. Mike levait le poing pour frapper lorsque la porte s'entrebâilla comme à regret et une jeune femme, portant l'uniforme et la coiffe d'une école d'infirmières en renom, apparut, absolument furieuse de tout ce bruit. Il coupa court à ses protestations.

— J'ai une urgence dans ma voiture. Si c'est un hôpital ici...

— Certainement, c'est un hôpital. Mais nous ne prenons pas les urgences.

— Qu'est-ce que vous dites?

— Nous ne prenons pas les urgences, à moins qu'un chirurgien s'en occupe. Essayez donc chez le docteur Coxe, à Lower Street.

Le refus était aussi froid qu'assuré; Mike en resta pétrifié. En d'autres circonstances, il eût compris que ses vêtements maculés de sueur et de terre et sa vieille voiture le fissent prendre pour un ouvrier agricole itinérant. Pour le moment, sa seule pensée était qu'une urgence avait été refusée par un hôpital. Tenté de décliner son identité et de faire admettre Sandra de force, il se surprit à réprimer cette impulsion — tout comme il s'était tu devant Paul Van Ryn.

— Que je vous comprenne bien, dit-il. Vous refusez de laisser entrer une blessée inconsciente. Vous ai-je bien entendu?

Il vit que l'infirmière n'était pas une sotte. Elle devait déjà avoir compris qu'il n'était pas le pauvre ouvrier dont il avait l'aspect — et cependant elle restait ferme dans son refus, et barrait la porte.

— Je vous dis qu'il n'y a pas de médecin ici. Dans ces conditions, je vous refuse l'admission. Saurez-vous trouver seul Lower Street? Sinon, j'enverrai un infirmier pour vous accompagner.

— Je trouverai tout seul.

Tournant les talons après un bref signe de tête,

Mike courut à sa voiture. Avant qu'il ait démarré, la porte de l'hôpital avait claqué derrière lui.

***

Une demi-heure plus tard, debout devant la visionneuse du docteur Artemus Coxe, dans sa chambre noire, Mike se défendait encore de porter un jugement hâtif sur l'Hôpital Memorial de New Salem. Il était fort possible qu'aucun médecin qualifié n'ait été présent à son arrivée — les médecins résidents étaient rares dans les petits hôpitaux non enseignants — et dans ce cas, l'infirmière de service pouvait admettre ou refuser de nouveaux patients, à sa discrétion.

Heureusement, dans le cas présent cela n'avait pas eu de conséquences dramatiques. Sandra avait repris connaissance pendant que Mrs Bramwell, l'infirmière du docteur Coxe, la déshabillait, et Mike avait ordonné une piqûre de demerol, certain maintenant que la blessure à la tête était superficielle.

La fracture, révélée par la radio, était simple. Seul le radius était brisé, de façon nette. Quand Mike revint dans la salle de chirurgie désuète, le sédatif avait endormi la blessée et Mrs Bramwell avait nettoyé la terre et le gravier de sa figure, de son bras et de la petite coupure de la tête. Une brève auscultation ne révéla pas d'autre blessure, confirmant ainsi le premier diagnostic de Mike.

— J'ai préparé le plateau de novocaïne, Mike, dit Mrs Bramwell. A propos dois-je vous appeler docteur, à présent?

— Mike si vous voulez bien, Emma. Vous croyez que je devrais attendre le docteur Coxe?

— Il risque d'en avoir pour des heures.

— Me donnez-vous la permission de traiter la patiente en son absence?

— Vous n'avez besoin de la permission de personne pour exercer ici, Mike Constant. N'oubliez pas ; je connais toute votre histoire.

Il se lava soigneusement les mains et enfila les gants stériles que l'infirmière avait préparés. Mrs Bramwell maintint le bras blessé tandis qu'il faisait une suite de piqûres de novocaïne dans la zone de la fracture. Puis il enfonça l'aiguille plus profondément et poursuivit les injections jusqu'à ce que la pointe touche la fracture elle-même.

En attendant que la novocaïne anesthésie localement le bras cassé, Mike referma la blessure du cuir chevelu avec quelques agrafes que l'infirmière lui tendit. Puis, saisissant le bras à deux mains, il réduisit la fracture d'un coup sec. La patiente gémit faiblement — mais le demerol, plus la novocaïne avaient fait leur effet. Elle remua à peine quand les os se remirent en place.

— Le docteur Coxe avait raison, déclara Mrs Bramwell. Vous avez bien choisi votre voie, Mike.

— Pas de pommade, Emma. Le premier interne venu peut réduire une fracture de radius. Le plâtre est prêt ?

— Les bandages sont en train de tremper.

Bien qu'il eût écarté le compliment, Mike se sentit gonflé d'une chaude satisfaction. Pour la première fois de la journée, il comprit qu'il était rentré au bercail.

Après avoir pansé et bandé le bras, Mike forma entre ses mains le plâtre encore malléable, puis il demanda à l'infirmière :

— Vous avez prévenu sa famille ?

— Elle n'a plus que son frère. J'ai téléphoné à Gate House, mais il ne répond pas.

— Est-il assez valide pour aller jusqu'au téléphone ?

— Jason West est même un peu trop valide ces temps-ci...

— C'était un véritable champion de bar, quand

j'étais à Los Angeles, dit Mike. J'espérais qu'il perdrait cette habitude à New Salem. Est-ce vrai qu'il souffre d'une maladie de cœur chronique?

— C'est plus grave que ça. J'appellerais sa maladie le Mal de la Scène. A mon idée, il est rentré chez lui pour bouder, parce qu'on n'écrit plus de rôles pour lui.

Mike n'insista pas. Emma Bramwell était une excellente infirmière — et une redoutable commère. Pour une fois, il soupçonnait que la rumeur dont elle se faisait l'écho était juste. En contemplant la jeune fille endormie qu'ils transportaient dans une chambre particulière, il se demanda si elle la confirmerait. Sandra West, songea-t-il, avait plus d'une cause de souci.

— Vous feriez bien de rappeler Gate House, Emma.

— Ne vous énervez pas, Mike. Jason West apprendra la nouvelle. Nos bruits courent assez vite — de bar en bar.

— Pouvez-vous garder Sandra ici pendant quelques jours?

— Le docteur Coxe sera ravi d'avoir une malade. Nous n'en avons pas beaucoup, depuis que *votre* bel hôpital a ouvert ses portes. Au fait, vous ne m'avez toujours pas dit où vous l'avez trouvée, ni comment. J'ai besoin de renseignements pour nos registres.

— Elle a fait une chute, répondit Mike. Je passais par hasard et je l'ai ramassée. Je ne peux pas vous donner les circonstances parce que je ne les connais pas.

En éludant la question de cette façon, il ne dissimulait pas la vérité. Peut-être n'aurait-il jamais à la révéler.

— Gardez son secret, si vous le jugez bon, déclara Mrs Bramwell. Je le connaîtrai toujours assez tôt.

***

Le docteur Artemus Coxe alluma sa pipe, et se carra confortablement dans l'antique fauteuil au dossier cassé, derrière son bureau. Le vieux médecin était plus lourd que Mike ne se le rappelait, et, avec son crâne d'ivoire poli, il avait l'air d'une poupée chauve et irascible. Le pétillement de son regard n'avait pas changé, tandis qu'il dévisageait son jeune collègue, par-dessus le fouillis familier de rapports de laboratoire, de cas non classés et de factures impayées.

— Je suis content que tu m'aies attendu, Mike. Je vais essayer de répondre à tes questions une par une.

— Ne m'en veuillez pas d'être confus et troublé, docteur.

— Je ne t'en veux pas le moins du monde. Tu as subi un retour au foyer natal quelque peu fracassant — à commencer par Aaron Zeagler.

Mike sourit dans l'épais nuage de fumée.

— J'avoue que comme choc, il me suffisait pour un après-midi. Si j'avais pu, j'aurais remis Sandra et Paul à demain.

— Je suis heureux que tu approuves les mobiles de Zeagler, sinon ses méthodes.

— Il doit bien comprendre qu'il ne pourra pas conquérir New Salem tant que la Duchesse règne à Rynhook.

— Il a fait de son mieux, Mike.

— Est-ce qu'il s'est imaginé que le mariage de sa fille l'aiderait?

— C'est sans doute difficile à digérer, mais au début il l'espérait bien. Il y eut un moment où une alliance entre les deux familles a semblé possible. Je ne suis pas au courant de tous les détails — mais Paul a fait la connaissance d'Anna à New York et l'a épousée après une cour assidue. Pendant quelque temps, Zeagler a été persuadé que Paul se transformerait en prince consort. Et même en héritier présomptif...

— Je suppose qu'il a vite reconnu son erreur.

— L'erreur a été reconnue, de part et d'autre, dit amèrement le docteur Coxe. Marcella Van Ryn a été furieuse quand elle a découvert une bru sur son paillasson — particulièrement une bru de la religion d'Anna. Zeagler a rayé son gendre de ses papiers en le cataloguant parmi les artistes ayant un penchant pour les aventures extra-conjugales. Les choses en sont là.

— Comment appelleriez-vous cela? Une trêve armée?

— Le terme en vaut un autre. Tu ne tarderas pas à voir comment ça marche.

— J'ai promis à Zeagler d'aller rendre visite à la Duchesse. Croyez-vous qu'elle me recevra, quand elle saura que j'ai vu Zeagler avant elle?

— Marcella est avide de savoir comment tu as réussi. Elle me l'a dit elle-même, quand je suis allé la voir la semaine dernière et que je lui appris ton retour prochain. Jusqu'ici, je suis le seul médecin admis à Bearclaw Point. Elle n'a que mépris pour le nouvel hôpital. Dans son idée, c'est un poste de commandement en terrain ennemi.

— Si elle est de vos malades, vous devez avoir diagnostiqué son état?

— Un diagnostic trop général pour être utile, soupira le vieux docteur. Le tableau clinique est assez clair. Artériosclérose, naturellement, avec un léger dérangement du cerveau. A son âge, c'est normal. La véritable pathologie est plus profonde, c'est le mal qui afflige beaucoup de personnes âgées, quand elles ont toujours fait leur loi. Un traitement ne servirait à rien, aussi est-il inutile de la faire enfermer. La pierre d'achoppement de son existence est la peur du changement et le besoin incoercible de garder son fils sous sa coupe.

— Cela convient-il à Paul?

— A merveille. Il connaît ses sautes d'humeur par cœur, et il sait deviner ses caprices à l'avance.

Il profite de ses bons moments pour lui soutirer de l'argent. Quand la confusion mentale s'empare d'elle, il se réfugie à New York, où il court le jupon.

— Et que devient la fille de Zeagler, dans tout ça ?

— Elle reste dans son appartement de la tour, elle vit avec les fantômes des Van Ryn. Depuis pas mal de temps, l'alcool est son recours.

— Je n'imagine pas très bien la femme de Paul.

— Je suis convaincu qu'elle aime son mari, à sa manière.

— Son père sait-il qu'elle boit ?

— Aaron Zeagler est un homme étrange, en ce qui concerne sa fille. Il a beau être un homme de demain, il y a du patriarche en lui. Il est fort possible qu'Anna ait épousé Paul pour servir les intérêts de son père. Je suis certain qu'elle a donné la meilleure façade qu'elle pouvait au mariage, quand elle a choisi de vivre à Rynhook et de refuser la maison que son père leur offrait. Maintenant qu'elle a fait ce choix, il ne la voit plus très souvent.

— Est-ce qu'il passe beaucoup de temps à New Salem ?

— Pas avec des usines qui s'étendent d'ici jusqu'à Tel-Aviv. Sa seconde femme est une femme du monde cosmopolite. La demeure qu'il a fait construire à Mohawk Knoll n'est qu'une de ses six ou sept maisons. Pour l'instant, je dirais qu'il joue un jeu d'attente, avec son gendre, et qu'il maîtrise son humeur. Tu as bien dû voir qu'il est hypertendu.

— J'ai compris en tout cas que la colère est un sentiment qu'il ne peut pas se permettre.

— Bien peu d'entre nous le peuvent, de nos jours. Tu as vu ce que cela a fait à Sandra, à Overlook.

— J'attends de savoir ce que vous pensez de cette explosion, dit Mike. De là où j'étais, cela ressemblait à une tentative de suicide à la suite d'une querelle d'amoureux.

— Mettons les choses ainsi, Mike. Nous savons tous deux depuis combien de temps Sandra se laisse ronger le cœur par Paul. Il se peut que ce soit un traumatisme dont elle ne se guérira jamais.

— J'accepterais ce diagnostic si elle ne connaissait pas si bien Paul. Il est manifeste qu'elle ne se trompe pas sur son compte, pas plus que vous ou moi.

— Quand une femme est amoureuse, elle ne veut voir que le bien de celui qu'elle aime, et ferme les yeux devant le mal. Sandra West est une jeune fille intelligente et sensée ; elle l'a prouvé par sa façon de soigner Jason. Je doute qu'elle ait plus de bon sens que n'importe quelle autre fille, quand on en vient à la grande passion. Et Paul est passé maître dans l'art d'attiser une telle flamme.

— Que s'est-il passé entre eux, depuis mon départ ?

— Elle a fort bien réussi à New York, comme infirmière. Elle aurait pu obtenir un poste important à Saint-Luc, s'il n'était pas revenu à la charge.

— *Après* son mariage ?

— Paul n'est pas homme à se laisser gêner par une épouse. Sandra, hélas, non plus. Elle était une infirmière parfaite à Saint-Luc, tant qu'il restait à Rynhook. Dès qu'il arrive à New York dans sa petite voiture de sport rouge, elle perd la tête.

— Je crois que je n'ai guère envie d'en savoir davantage, docteur, soupira Mike.

— Naturellement, la médaille a deux faces. Le départ de Paul de Rynhook opère de même sur Anna. J'ai vu la chose se produire, à plusieurs reprises. Du jour au lendemain elle redevient une « dame bien », elle laisse la bouteille de côté et s'occupe de la clinique pour enfants que son père lui a donnée, à Bear Creek Crossing. Cela dure jusqu'à ce que son mari en ait assez de courir le guilledou et revienne à son chevalet. Alors Anna se remet à la tâche sans espoir du pardon, elle se remet à l'aimer. Et à boire, parce qu'elle sait que c'est sans espoir.

— Un psychiatre appellerait ce cycle de l'autodestruction.

— Ce n'est pas autre chose, avec les éléments compensateurs que j'ai mentionnés.

— Ainsi, Anna Van Ryn se tue à petit feu. Si j'en crois mes yeux, Sandra a tenté d'en faire autant d'un seul coup. Croyez-vous qu'elle me remerciera de mon intervention?

— Tu peux aller le lui demander toi-même, Mike. Quand je suis arrivé tout à l'heure, Emma m'a dit qu'elle avait repris connaissance.

— L'entrevue ne me sourit guère.

— Je te donne mon opinion pour ce qu'elle vaut. Sandra West n'est pas le genre de fille à se tuer par amour. Elle est bien trop courageuse, quand bien même elle se conduit comme une petite sotte.

— Insinueriez-vous que c'était une comédie?

— Les femmes sont de grandes comédiennes, quand elles ont un dessein précis. Tu as vu le choc qu'a subi Paul. C'était peut-être justement ce qu'elle cherchait à provoquer.

— J'ai subi un choc encore plus grand.

— Tu es toujours amoureux d'elle?

— Je l'aimerai toujours, docteur. C'est mon traumatisme à moi, si nous devons continuer à parler notre jargon.

— Pourquoi revenir à New Salem, si tu es aussi malheureux que tu as l'air de le dire?

— Peut-être parce que j'estimais vous devoir quelque chose, à vous et à la ville. Peut-être parce que je voulais simplement une excuse pour casser la figure à Paul. Pour le moment, je n'ai qu'une hâte, voir l'intérieur d'un hôpital capable de refuser une urgence.

— Ne juge pas l'Hôpital Memorial sur ce qui s'est passé à l'entrée des ambulances.

— Comment puis-je faire autrement?

— Tâche de rester objectif, Mike. Tu y trouveras d'autres choses qui te déplairont. Rien ne cloche à Indian Hill qu'un homme adroit ne puisse corriger, s'il travaille de l'intérieur, et s'il a des amis en cour.

— Je ne suis pas certain d'être cet homme.

— Promets-moi une chose, docteur. Ne prends aucune décision avant demain, et ne te laisse pas emporter par la colère en attendant. Nous aurons une autre conversation quand tu seras prêt. Et ne sois pas trop dur avec Sandra, je t'en prie. Une femme a toujours perdu d'avance, quand elle tombe amoureuse de celui qu'il ne faut pas.

Les volets de la chambre de Sandra étaient fermés contre le soleil de l'après-midi. La jeune fille était étendue dans un lit surélevé, ses cheveux roux formant une auréole d'or sur l'oreiller. Elle paraissait sommeiller lorsque Mike entra, mais ses yeux s'ouvrirent quand il se pencha sur elle, et son regard froid ne contenait aucune étincelle de bienvenue.

— Ainsi, nous nous retrouvons, Mike Constant, dit-elle avec une nuance d'ironie qui le glaça, d'une voix qui ne ressemblait guère à celle de la jeune fille de son souvenir. Il semble que j'aie plus de chance que je ne pensais.

— Nous sommes bien d'accord.

Sa propre voix était plus dure qu'il ne l'avait voulu. Il la trouvait injuste, de le mettre ainsi tout de suite sur la défensive.

— J'ai entendu dire que tu revenais pour améliorer la santé publique. Mais je ne m'attendais guère à ce que tu commences par moi.

Mike réprima la riposte qui lui venait aux lèvres. En vérifiant le plâtre, il adopta son masque professionnel et se prévalut du privilège de silence du médecin pendant un examen. Son attitude était uniquement défensive. Un simple coup d'œil lui avait assuré que les blessures de sa malade guériraient d'elles-mêmes.

— Est-ce que tu te conduis toujours comme un médecin quand tu es en colère? demanda Sandra.

— Cet après-midi, tu avais besoin d'un médecin.

— Alors c'est donc vrai ce que m'a dit Emma Bramwell. Tu m'as sauvé la vie.

— Tu n'as pas besoin de te sentir endettée.

— Je me demande bien pourquoi je le serais, alors que tu m'as pour ainsi dire poussée de la falaise. Le moins que tu pouvais faire était de me ramener.

Sa voix s'était brisée sur la raillerie. Elle couvrit. un instant son visage avec son bras valide, et fut prise de fou rire.

— Tu ne vas pas nier que tu te disputais avec Paul.

— Ce n'était pas une dispute. C'était la grande guerre. Ces batailles sont fréquentes entre nous. Celle de tout à l'heure était pire que d'habitude.

— Je t'ai vu courir vers le bord de la falaise. J'ai naturellement supposé que tu allais sauter...

— Et quand bien même ? De quel droit t'en es-tu mêlé ?

— Du droit qu'a tout être humain d'en sauver un autre.

— Ma vie m'appartient. Selon toi, je l'ai gâchée. Pourquoi n'y mettrais-je pas fin comme il me plaît ?

— Alors tu songeais bien au suicide !

— Absolument pas, Mike Constant. Cette dernière remarque était pour mettre à l'épreuve ton esprit de croisé. A l'avenir, j'espère que tu sauras le freiner, en ce qui me concerne.

Pour la deuxième fois, sa voix fut noyée dans un éclat de rire qu'elle ne chercha pas à réprimer.

— Au fait, dit-elle une fois calmée, comment as-tu fait pour me remonter de la corniche ?

— Nous avons utilisé mon pantalon et celui de Paul, noués ensemble pour faire une sorte de cordage de soutien. Je suis descendu te chercher. Il nous a hissés tous les deux.

Le rire de Sandra reprit, mais avec une résonance changée — et il y avait quelque chose comme de la contrition dans ses yeux.

— Il a dû falloir beaucoup de courage.

— Je n'avais pas le temps d'avoir peur. Pas avant que ce soit passé.

— Qui m'a transportée ici? Paul ou toi?

— Moi. Paul semblait avoir affaire ailleurs. Il n'aurait pu quitter la falaise plus vite.

— Ainsi, il m'a abandonnée une fois de plus, constata Sandra. Maintenant que je me rappelle les mots que j'ai dits, je ne méritais pas autre chose.

— Je ne sais pas si je peux croire ton histoire.

— Regarde mes souliers, si tu as besoin de preuves. Ils sont sur la commode.

Mike se retourna pour examiner les deux escarpins. Il vit qu'un des talons aiguille avait été arraché. Sandra s'était tenue debout à l'extrême bord de la falaise — dangereusement près du précipice, se rappelait-il — quand il avait imprudemment poussé son cri. La chaussure était le témoin muet de l'évidence. Surprise par le cri inattendu, elle avait sursauté et perdu l'équilibre, cassant son talon et plongeant vers le vide.

— Eh bien, docteur Constant? Consens-tu maintenant à reconnaître qu'un croisé peut semer la perturbation, quand il part pour la croisade sans plan de bataille?

— Je t'achèterai des souliers neufs, murmura-t-il sans se retourner, attendant que se calment les battements de son cœur. Je dirai aussi à Emma Bramwell de m'envoyer ta note, puisque c'est moi le responsable.

— J'accepte ta générosité. En ce moment, je suis plutôt à court d'argent.

— Enfin, tu avais bien une raison de courir vers le précipice? Est-ce que tu cherchais à effrayer Paul?

Sandra hésita, puis sa main valide avança sur les draps et pressa les doigts de Mike.

— Pardonne-moi mes taquineries, Mike. Est-ce que le docteur Coxe t'a expliqué pourquoi je suis revenue à New Salem?

— Pour soigner ton frère?

— Jason n'allait pas du tout ces derniers temps. Je l'ai forcé à revenir, pour se remettre d'aplomb. Depuis un mois, nous vivons à Gate House. La semaine dernière, il avait l'air d'aller beaucoup mieux. Il a recommencé à parler des propositions de Broadway. Il a même téléphoné hier à son imprésario pour voir quelles étaient les meilleures. Je me suis permis de croire que j'avais fait tout ce que je pouvais pour lui — et j'ai accordé à Paul le rendez-vous qu'il me demandait.

— Ne me dis pas que c'était ton premier rendez-vous avec Paul depuis son mariage!

— Non, Mike. Ni le premier, ni le dernier.

— Même après ce qui s'est passé à Overlook?

— Mes études achevées, j'ai essayé de m'installer à New York, comme tu le sais certainement. Après le mariage de Paul avec Anna, j'ai fait mon possible pour l'oublier, pour me noyer dans le travail. J'ai même songé à t'écrire.

— Je regrette que tu ne l'aies pas fait, Sandra.

— Cela vaut mieux. Deux mois après son mariage, nous savions tous les deux que c'était un échec.

— *Nous?*

— Il m'a dit qu'il avait besoin de moi, plus que jamais, et je l'ai cru. Je le crois encore, quand bien même nous nous disputons.

— Est-ce que tu continues de t'imaginer qu'il va abandonner sa femme pour t'épouser?

Mike ne fit rien pour étouffer le lourd sarcasme de son ton.

— Je t'en prie, ne crois pas que je suis sans vergogne. Je sais combien il s'est senti impuissant — enchaîné à la Duchesse, sans autre soutien que sa peinture. Depuis des années, je me répète qu'il va rompre la chaîne dorée. Quitter Rynhook et divorcer.

— Tu ne trouves pas que c'est un espoir bien insensé?

— Pas quand il est délivré de sa mère — quand il

peut être lui-même. Cet après-midi, j'étais sûre qu'il aurait la réponse à mes prières.

— Apparemment, il t'a assez méchamment désappointée.

— Il y a un mois à peine — à New York — il disait qu'il n'était pas fait pour être le mari d'une femme riche. Il disait qu'il avait été un imbécile de se laisser gouverner par sa mère si longtemps. Il jurait de les quitter toutes deux et de trouver du travail — pour pouvoir m'épouser.

— Et tu l'as cru?

— Il était sincère sur le moment, Mike. J'en suis sûre. Aujourd'hui, il vient me dire qu'il a eu beau chercher, il n'a pas trouvé d'emploi qui lui convienne. D'ailleurs, comment pourrait-il travailler et continuer à peindre? A Rynhook, il peut faire ce qui lui plaît, du moment qu'il évite de se trouver sur le chemin de la Duchesse...

Mike haussa les épaules. Le ton posé du récit de Sandra l'avait davantage bouleversé que ses aveux.

— En d'autres termes, il préfère ne rien changer à sa vie.

— Jusqu'à ce qu'il se soit découvert, en tant qu'artiste. Il sait manœuvrer sa mère. Anna s'occupe du côté pécuniaire. Pourquoi irait-il échanger un atelier à New Salem contre un bureau à New York? Quand il a dit *ça*, j'ai bondi de sa voiture et j'ai couru vers le bord de la falaise.

— On dirait que j'ai gâché ta plus belle scène, Sandra. Je m'en excuserais, si je pouvais.

— Je l'aime encore, Mike. Je l'aime depuis que j'étais une petite fille avec des nattes. J'ai toujours été convaincue qu'il y avait de l'espoir — pour nous deux — que tout s'arrangerait quand sa peinture serait reconnue. Maintenant, comprends-tu pourquoi j'ai eu recours à une ruse aussi mesquine pour lui faire du mal?

— Il n'a peut-être pas eu aussi mal que tu l'espérais. Il t'aurait laissé sauter, sans lever le petit doigt.

— Même si c'est vrai — et ce n'est pas vrai — je ne veux pas le savoir.

En se retournant pour quitter la chambre, Mike ne s'était jamais senti le cœur aussi lourd. Le visage de Paul Van Ryn flotta devant ses yeux — le regard fixe, les mains molles qui avaient failli tout lâcher... Tant que le mirage diabolique dura, il fut plus réel pour Mike que les battements de son propre cœur, et cependant il n'y avait aucun moyen de partager cette vision avec la jeune fille étendue dans le lit de clinique.

Cet après-midi-là, à Overlook, chancelant au bord de l'éternité, ils avaient été aussi impuissants que deux marionnettes dont la vie dépend du caprice d'un démon... La vision se dissipa et il quitta Sandra sans ajouter un mot. Tout son instinct le poussait à dire la vérité, mais il savait qu'aujourd'hui, en tout cas, la vérité tomberait dans des oreilles sourdes.

3

Le premier aperçu que le chirurgien avait eu de son hôpital avait été trop voilé par la colère pour fournir un souvenir bien net. En franchissant une seconde fois le portail, Mike Constant reconnut que ce qu'il voyait n'était pas déplaisant... la jeune infirmière en uniforme empesé qui poussait une chaise roulante sur le velours d'une pelouse, le bourdonnement d'une tondeuse à moteur lissant une étendue verte déjà aussi unie qu'un billard... L'Hôpital Memorial de New Salem semblerait sans doute trop fonctionnel à l'œil d'un profane, pensa-t-il, mais pour le moment, cette façade aseptique est presque la bienvenue.

Mike gara son antique Ford dans l'espace marqué *pour les médecins seulement*, et remarqua les trois Cadillac et les deux Triumph étincelantes qui s'y trouvaient déjà. Dans le hall — un rectangle aux couleurs pastel et à l'éclairage diffus qui ressemblait au vestibule d'un hôtel de luxe — il découvrit une jolie réceptionniste assise derrière un vaste bureau de verre. Elle sourit et son visage s'illumina quand il eut dit son nom.

— Je suis Alice Jenks, docteur. Nous vous avons attendu toute la journée.

— Le directeur est là ?

— Je crains que le docteur Melcher ne soit au golf. Mais M. Pailey est dans son bureau.

La jeune fille le conduisit vers une alcôve ouvrant sur un mur de verre et les grilles de la caisse. Les bureaux de l'administration étaient baignés dans une lumière de néon et aussi nets que la cabine d'un vaisseau spatial. L'homme jeune aux cheveux clairsemés qui se précipita vers Mike la main tendue faisait partie du décor. A part les lunettes sans monture qui semblaient continuer son front lisse, il avait presque l'air d'un footballeur. Son costume avait une coupe new-yorkaise ; sa poignée de main, ferme sans agressivité, suggérait les disciplines de l'Université.

— Ralph Pailey, docteur Constant, se présenta-t-il. Ravi de vous avoir à bord. Vous n'auriez pu arriver à un moment plus opportun.

Il se tourna vers la grille et fit signe à une jeune fille penchée sur des registres.

— Notez le docteur Constant présent sur le registre quotidien, miss Cole. Notre contrat avec le canton est à présent effectif.

— L'hôpital cantonal ? demanda Mike.

— Nous prenons ses malades, à présent qu'il ferme ses portes. C'est une bénédiction pour la ville, docteur. L'hôpital cantonal tombait en décrépitude. Nous serons un peu plus chers, mais la municipalité a jugé que nos tarifs étaient bien moins onéreux que la construction d'un nouvel hôpital.

Mike examina attentivement Pailey. L'accueil de cet homme semblait sincère. Pourquoi, se demanda Mike, ai-je l'impression de m'adresser à une machine ?

— Vous dites que le contrat est désormais effectif. En quoi cela me concerne-t-il ?

— Une des clauses exigeait la présence d'un chirurgien résident. Nous venons de remplir cette condition, puisque vous serez logé ici. Le transfert des malades a commencé hier, parce que j'ai assuré que vous seriez ici avant la tombée de la nuit. Maintenant, grâce à Dieu, nous pourrons toucher nos premiers dédommagements quotidiens.

— Vous ne pouviez donc pas faire venir un remplaçant en attendant?

— C'est difficile de trouver un résident provisoire dans un établissement comme le nôtre, docteur. D'autant que le Memorial n'est pas encore accrédité par le Conseil Municipal ni la Commission de Santé.

— En trois ans, vous n'avez pas réussi à vous faire accréditer?

— Vous n'imaginez pas les lenteurs de l'administration, dit Pailey avec un peu trop d'assurance. Naturellement, nous avons triomphé des premiers obstacles. Maintenant que vous êtes là pour nous apporter votre prestige, nos ennuis devraient être finis. A vrai dire, le poste que vous allez occuper a été notre unique pierre d'achoppement. Jusqu'à ce que vous acceptiez notre proposition, nous n'avions pu trouver que des médecins étrangers, tous frais émoulus de l'internat. Le docteur Melcher les a tous refusés, à mon grand soulagement.

— Nous avons d'excellents médecins étrangers sur la Côte.

— En Californie, vous avez plus de choix qu'ici. Je vous explique simplement pourquoi ce ne sera pas très commode de vous fournir un assistant pour le moment. Vous aurez vos jours de congé normaux, bien entendu. Nos médecins soignants organiseront un système de roulement, afin que vous ayez autant de loisirs que les autres.

— Je suis habitué au travail, monsieur Pailey. Je comprends que je dois être disponible à toute heure.

— Le docteur Melcher ne devrait pas trop tarder. En attendant, voulez-vous que je vous fasse visiter?

— Si vous n'êtes pas trop occupé.

Pailey se mit à rire, comme si Mike avait fait un bon mot.

— Cela ne me dérange pas du tout. Vous êtes

un personnage important, docteur. Où avez-vous laissé vos bagages ?

— Tout est dans ma voiture.

— Si vous voulez bien me donner les clefs, je les ferai monter chez vous par un infirmier. Ce sera la voiture immatriculée en Californie, je suppose ?

— Avec cent cinquante mille kilomètres au compteur. Il la trouvera facilement.

L'administrateur éclata de rire. Mike trouva le son irritant ; le rire sonnait aussi faux que des applaudissements à la radio.

— Nous commencerons par les bureaux administratifs. Mais vous n'y passerez guère de temps.

Pailey le fit passer derrière la grille. Trois secrétaires y travaillaient, en plus de la première jeune fille, l'une à un bureau, les autres devant des machines comptables.

— J'utilise un matériel ultra-moderne pour la facturation, dit Pailey. Les machines sont chères, mais on s'y retrouve vite quand on classe les fiches des malades.

— Du point de vue médical, ou bien pécuniaire?

Cette fois, la tentative d'humour de Mike passa inaperçue.

— Nous avons très peu d'ennuis de ce dernier côté, docteur. Le mois dernier, le pourcentage des paiements était de quatre-vingt-dix-huit pour cent — et rien n'est oublié. Vous seriez surpris des sommes qu'un hôpital peut perdre si l'on oublie de compter quelque chose.

Du hall, un ascenseur les mena au bloc opératoire du premier étage. Mike remarqua avec approbation qu'il était situé dans le bâtiment central. Le matériel, sans être luxueux ni compliqué, était adéquat. L'infirmier de service à l'un des autoclaves semblait connaître son travail, ainsi que les deux infirmières qui préparaient très rapidement une des deux tables d'opération pour un malade qui attendait sur une civière roulante dans le couloir.

— Notre moyenne est de dix minutes de battement entre deux opérations importantes, déclara fièrement Pailey.

— Dix minutes, c'est excellent.

— Vous serez parfaitement bien assisté ici. Miss Searles est une infirmière-chef remarquable. La voici, d'ailleurs.

Dans la seconde des salles d'opération, Mike se trouva nez à nez avec la jeune infirmière qui lui avait refusé l'admission. Elle était en train d'expliquer à une autre infirmière le maniement d'un élément électro-chirurgical — en l'occurrence le bistouri électrique utilisé pour les opérations du cerveau.

— Le docteur Constant — miss Hubbard, et miss Lee Searles. Lee est l'infirmière-chef de notre service chirurgical. Vous travaillerez ensemble.

Lee Searles portait une coiffe et une surblouse de travail — un vêtement d'une pièce qui semblait avoir été taillé à ses mesures. Mike vit son regard s'aiguiser quand elle croisa le sien — mais elle ne donna aucun signe de l'avoir reconnu.

— Miss Searles m'a accueilli plus tôt dans l'après-midi, dit-il. A l'entrée des ambulances.

— C'est vous qui avez essayé d'amener une urgence ici ?

— Mais parfaitement, monsieur Pailey. Et c'est cette infirmière qui m'a refusé l'admission.

L'attaque avait été instinctive — et Mike le regretta aussitôt. Tandis que son sens de la justice lui revenait, il ne put qu'admirer l'aplomb de miss Searles.

— Je suis certaine que vous comprendrez, monsieur Pailey, dit-elle froidement. Quand le docteur Constant s'est présenté, nous n'avions pas de médecin en service. Malheureusement, il n'a pas jugé bon de se nommer.

— Vous nous avez surpris à un mauvais moment, docteur.

Mike remarqua que Pailey était habile à se tirer d'un mauvais pas.

— Maintenant que vous êtes l'un de nous, nous n'aurons plus ce problème. Vous me pardonnerez, Lee, si nous visitons au galop la salle de convalescence sans vous? Je vois que vous êtes occupée avec miss Hubbard.

Lee Searles n'avait pas quitté Mike des yeux — des yeux attentifs qui ne cillaient pas. Il n'y avait dans son regard ni hostilité ni aménité.

— Quand le docteur Constant voudra, je suis à sa disposition pour le mettre au courant. Nous habitons tous deux l'hôpital. Il pourra choisir son moment.

Mike ne fit aucun commentaire, tandis que son guide l'entraînait rapidement à travers la seconde salle chirurgicale. De là, ils descendirent au laboratoire situé dans le sous-sol pour permettre un accès facile à la morgue. Il n'y avait qu'un seul technicien de service dans une salle qui parut à Mike bien trop petite pour un hôpital de cette importance. Pailey marchait rapidement et passait devant une table d'autopsie qu'un infirmier frottait avec un antiseptique. Mike ne put s'empêcher de sourire en voyant le nez de l'administrateur se froncer de dégoût en reniflant le formol, à l'odeur familière et un peu sinistre.

Au-delà, dans une alcôve vitrée, un homme en longue blouse blanche était assis devant un microscope. Il parlait dans un dictaphone tout en étudiant un prélèvement, et il ne leva pas les yeux avant d'avoir abaissé la manette.

— Docteur Garstein, voici le docteur Constant.

Une vague méfiance dans le ton de Pailey poussa Mike à examiner son collègue avec soin. Garstein lui serra la main, sans quitter son tabouret de laboratoire. C'était un homme maigre et très petit : un appareil était fixé à son soulier gauche, et une paire de béquilles d'aluminium reposaient contre le bureau. La figure qui se leva du microscope était laide, presque simiesque, mais les yeux sombres brillaient d'intelligence.

— Ravi de vous voir en chair et en os, Constant, dit-il. On a pas mal parlé de notre nouvel enfant prodige, par ici. J'espère que vous mériterez votre réputation.

Pailey l'interrompit.

— Je vais vous faire visiter les salles et les chambres, docteur. Ensuite, je vous conduirai chez vous.

— Laissez-le donc respirer, Ralph, grommela le pathologiste. Je lui ferai voir le reste tout à l'heure. Vous pouvez allez reprendre votre duo d'amour avec votre nouvelle machine comptable.

— Si vous n'y voyez pas d'inconvénient, docteur Constant?

— Mais bien sûr que non, voyons, déclara Garstein. Et ne serrez pas les fesses. Je ne lui montrerai pas les squelettes de famille.

— Louis est réputé pour son humour, dit Pailey. Vous vous y habituerez, docteur.

— Un squelette ne serait pas superflu ici, d'ailleurs, reprit le pathologiste. Je suis sûr que certaines de nos infirmières ont fait leur stage dans une clinique vétérinaire.

L'administrateur les quitta — avec plus de hâte, jugea Mike, que ne l'exigeaient les réflexions de Garstein. L'homme au microscope se servit d'une de ses béquilles pour attirer vers la table un autre tabouret.

— Asseyez-vous, Constant. Ne faites pas attention à mes crochets du gauche. Cette mécanique ambulante fait ressortir ce qu'il y a de pire en moi.

Mike sourit en acceptant le siège offert. Il avait aimé d'emblée le pathologiste ; la langue acérée du médecin le changeait agréablement de Pailey.

— Vous pouvez baisser le masque, docteur Garstein, lui dit-il. Je vous ai déjà rencontré, sous une autre forme.

— C'est difficile à croire.

— Pas du tout. Chaque hôpital a son enfant terrible. Je vois que vous vous êtes donné ce rôle ici. Vous ne pouvez pas être aussi mauvais que vous le prétendez.

— C'est là que vous vous trompez. Je suis souvent bien pire — comme beaucoup d'infirmes aigris. Je suis certain que vous avez remarqué mon infirmité, n'est-ce pas ?

— Naturellement. Mais j'ai remarqué aussi que tout allait bien du côté de votre esprit.

— Épargnez-moi le lait de la tendresse humaine, grogna Garstein. Notez que je ronronnerai au début, si vous me passez la main dans le dos. Rappelez-vous seulement que mes griffes sont toujours prêtes, pour peu que vous tourniez le dos. Voir la couleur du sang des autres est une de mes manies.

— Dans mon cas, je veux vous épargner cette peine. Il est rouge, et non bleu. Je suis né Mikhail Constantinos. Mon père a supprimé les quatre dernières lettres quand il a vendu sa petite voiture de quatre saisons pour ouvrir une épicerie.

— Du mauvais côté de Bear Creek, devina Gartsein.

— Forcément.

— Je connais tout de vos origines. En avez-vous honte ?

— Non, docteur. Je suis fier d'être Grec.

Le sourire du docteur Garstein apprit à Mike que son collègue avait apprécié la réponse.

— Cela vous intéressera peut-être de savoir que c'est un peu à cause de moi que vous êtes ici. Pour je ne sais quelle raison, ils m'ont nommé au comité de sélection, quand ils se battaient les flancs pour trouver un chirurgien. Art Coxe et moi sommes de vieux compagnons de boisson. Après qu'il m'a montré vos états de service en Californie, j'ai conseillé au comité de ne pas chercher plus loin.

— Je vous en suis reconnaissant, docteur.

— Répétez-moi ça dans trois mois et je vous

croirai peut-être. Le Memorial est loin d'être un Johns Hopkins, mais vous verrez que vous pouvez y pratiquer de bonne chirurgie. Naturellement, vous devez apprendre à ignorer les animaux en dehors de la salle d'opération, et leurs habitudes.

— Comment êtes-vous venus ici?

— J'aime le travail. Ils me payent bien. Je ne les vole pas, et je m'occupe aussi de la pathologie pour de plus petits hôpitaux de la région. Et je suis utile dans d'autres domaines. Où pourriez-vous trouver un pathologiste qui serve aussi d'anesthésiste? D'autre part, je suis le beau-frère d'Aaron Zeagler — mais ça c'est une autre histoire.

— Ce n'est pas une occurrence inhabituelle.

— A vrai dire, je suis parent par alliance d'Aaron par sa première femme, du temps où il était encore juif orthodoxe.

— Seriez-vous contre les Juifs, docteur Garstein?

— Je suis fier de ma race, tout comme vous êtes fier d'être Grec. Zeagler est un magnifique exemple de notre caste. Un homme très bien qui a vécu sa légende de succès. J'essaye simplement de bien m'intégrer ici. Pailey et Melcher savent que je connais mon boulot — et ils savent aussi que le patron me soutient. C'est pourquoi je peux dire tout ce qui me passe par la tête, sans courir le risque d'être renvoyé.

— Je savais naturellement que c'était Zeagler qui avait construit cet hôpital pour la communauté. Est-ce qu'il siège au conseil d'administration?

Garstein hocha la tête.

— Ce n'est pas le genre d'Aaron. Ceci est une entreprise spéciale, exigeant des talents spéciaux. Il en a laissé l'administration à d'autres.

— Tels que Pailey et le docteur Melcher?

— C'est une méthode adoptée par les constructeurs de lotissements et de villes-champignon. Ils ajoutent un hôpital à leur ensemble, puis ils le louent aux médecins qui habitent là. C'est un attrait de plus pour le client éventuel, des soins médicaux à sa porte. Cela a beaucoup d'importance pour ceux qui choisissent ce genre de vie. Le constructeur déduit l'hôpital de ses impôts. Le groupe de médecins qui le dirige encaisse les bénéfices, et tout le monde est content.

— Les hôpitaux ne font généralement pas de bénéfices.

— Celui-ci oui. Sinon, pourquoi notre mécanique ambulante aurait-elle l'air si satisfaite ? Vous savez sûrement que nous sommes une société par actions ?

— Je savais seulement que vous étiez dirigés par un conseil de médecins. Je ne me suis pas attardé à entrer dans les détails.

— Vous étiez si avide de venir que vous ne vous en êtes pas soucié ?

— C'est la lettre du docteur Coxe qui m'a convaincu. Il me disait que l'on avait besoin de moi à New Salem — alors j'ai décidé de venir un an à l'essai.

— Art Coxe compte sur vous pour changer bien des choses, ici... Et vous n'ignorez sans doute pas qu'Aaron Zeagler attend de vous quelques services d'ordre personnel en dehors de ces murs ?

— Il a également mentionné ses problèmes.

— Lui avez-vous promis de transformer Paul Van Ryn en citoyen normal ? Ou d'arracher ma nièce Anna à la bouteille ? Devez-vous faire du charme à la Duchesse pour la persuader de vendre la fonderie ?

Mike écarta les questions d'un geste négligent. Pensées de cette façon sarcastique, elles faisaient pencher ses demi-promesses à Zeagler du côté du fantastique. Cependant, Mike sentait que Garstein était dans son camp, malgré le bouclier qu'il élevait entre eux.

— Ne me prenez pas pour un docteur miracle, dit-il simplement. Donnez-moi le temps d'accrocher mon chapeau et de me reconnaître.

— Prouvez seulement que vous êtes un médecin, Constant, et je cesserai mes attaques. Vous pourriez être de ces petits arrivistes qui reviennent chez eux pour s'enrichir.

— Si vous le pensiez, seriez-vous si franc avec moi ?

— Vous êtes peut-être authentique. Il y a un moyen de me convaincre.

Le pathologiste changea la plaque de verre sous son microscope et s'écarta.

— Tenez, regardez un peu et dites-moi ce que vous voyez.

— Vous avez de drôles de façons de mettre un postulant à l'épreuve.

— Drôles, mais efficaces. Notez que je ne vous en voudrai pas si vous échouez. Ce n'est pas facile.

Mike examina le spécimen avec soin, en faisant légèrement glisser la plaque pour amener les diverses parties sous le microscope. L'identification n'était pas difficile ; il s'agissait d'une section d'un petit cylindre solide qui ne pouvait être qu'un appendice humain. Il y avait l'ouverture au centre bordée de cellules de muqueuses, la membrane plissée en collines et vallons. L'extérieur du cylindre était souligné par une mince couche péritonale. Entre les deux, la paroi présentait des groupes de cellules sombres caractéristiques, évoquant un éparpillement de petit plomb.

A première vue, le spécimen ressemblait à un exemple de manuel. Mike dut y regarder de très près avant de remarquer qu'une partie de la membrane muqueuse présentait un aspect insolite. Le désordre était localisé sur un secteur infiniment petit, mais suffisait pour donner un diagnostic.

— Allons, docteur Constant! Vous savez sûrement reconnaître un appendice!

Le sourire de Mike s'épanouit en un rire franc.

— Vous savez bougrement bien que ce tissu n'est pas normal. C'est un carcinoïde à son tout début, mais suffisamment caractéristique.

— On a fait du bon travail à Stanford, jugea l'homme de laboratoire. Bien des pathologistes n'y auraient vu que du feu.

— J'ai fait un an de votre première spécialité durant mon internat de chirurgie, et six mois de votre seconde.

Garstein se leva, appuyé sur ses béquilles, et clopina avec une remarquable agilité vers le fond de l'alcôve où il remit une éprouvette à son ratelier. Il avait encore les yeux rétrécis quand il se retourna vers le nouveau chirurgien de l'hôpital, mais la lueur de respect filtrant entre les paupières n'échappa pas à Mike.

— Écoutez-moi bien, docteur. Mais puis-je vous appeler Mike, maintenant que nous avons failli en venir aux mains ?

— Je vous en prie, Louis.

— Vous allez sans doute perdre votre temps ici — même si vous n'êtes qu'un gamin des rues qui tient à prouver qu'il a réussi. Si vos mains sont aussi habiles que votre cerveau, vous gagneriez cinq fois plus en exerçant à votre compte dans une grande ville.

— Pour le moment, cela ne m'intéresse pas de gagner beaucoup d'argent — mais vous allez peut-être juger cela trop antiaméricain ?

— Manifestement, Aaron vous a persuadé que vous pourriez aider les indigènes à comprendre la bonne parole. Et Art Coxe vous a bien fait croire que vous vous amélioreriez ici. Je persiste à croire que vous n'êtes pas l'homme qu'il faut — pour l'une ou l'autre de ces disciplines ingrates.

— Je me ferai moi-même une opinion, si ça ne vous dérange pas.

— Pas du tout. De fait, c'était l'épreuve numéro deux. J'étais certain que vous en sortiriez vainqueur.

Le téléphone sonna sur le bureau. Garstein grogna dans l'appareil, puis il raccrocha avec un rire qui se termina en hennissement.

— Votre nouvelle épreuve vous attend. C'était le bureau directorial. Larry Melcher a terminé sa partie de golf de bonne heure, et il veut vous voir.

Le docteur Larry Melcher n'avait pas encore cinquante ans. C'était un solide athlète bronzé dont les manières professionnelles étaient aussi parfaites que son sourire. Il ouvrit un humidor pour offrir un cigare, en prit un lui-même lorsque Mike refusa, et se servit d'un petit coupe-cigare d'or d'un geste précis.

— Ralph Pailey me dit qu'il n'a pas encore eu l'occasion de vous mettre au courant de notre organisation.

— Pas encore, en effet.

— Vous savez, naturellement, que le Memorial a été loué à une société dont je suis le président. Nous formons un conseil d'administration de huit membres, tous médecins, à l'exception de Ralph Pailey. Nous garantissons les frais de gestion et nous ouvrons nos portes à tous les praticiens qualifiés. Comme nous sommes totalement indépendants, nous pouvons nous développer à notre gré. Notre reprise des malades de l'hôpital cantonal est un exemple. Ralph n'avait besoin que de votre présence pour que le contrat soit validé.

La flatterie était flagrante, mais Mike ne pouvait que l'accepter.

— Je suis certain que vos installations chirurgicales sont parfaites, dit-il.

— Le matériel ne suffit pas. Je suis immensément soulagé d'avoir sous la main un chirurgien hautement qualifié. Sans vous, nous n'aurions jamais admis les malades de l'hôpital cantonal.

— Votre personnel médical actuel n'aurait pas opéré, si besoin était ?

— La plupart d'entre nous sont débordés, docteur Constant. Un certain nombre de praticiens de médecine générale pratiquent la chirurgie, bien entendu ; c'est la règle aujourd'hui, lorsqu'on est loin d'un grand centre urbain. Deux d'entre eux appartiennent à notre groupe.

— En somme, je suis là pour soigner vos malades de l'hôpital cantonal — et pour m'occuper des cas trop compliqués pour vos autres médecins ?

— C'est cela même, docteur. Nous ne vous ennuierons pas avec les petits cas de routine. Vous toucherez des honoraires chaque fois que vous serez appelé en consultation ; Pailey les collectera et les versera à votre compte. Lorsque des malades se présenteront de leur propre chef, vous toucherez ces honoraires à titre privé.

— Tout cela me paraît parfait.

Mike avait essayé de s'exprimer avec enthousiasme, mais il sentait que sa voix était trop sèche pour être convaincante. Il fut soulagé de voir que le directeur, absorbé par son récit, acceptait la réflexion comme elle venait.

— Jusqu'ici, nous n'avons eu qu'à nous féliciter de nos trois ans d'association, dit-il. Bien entendu, le personnel de l'usine Zeagler a été la principale source de nos revenus.

— Vous n'avez pas de malades de la Vieille Ville ?

— Pas autant que nous le voudrions, tant que l'hôpital cantonal était encore ouvert. Vous êtes un enfant de New Salem, docteur. Vous n'ignorez pas combien ces petites communes du bord de l'Hudson répugnent à accepter les nouveaux venus. Désormais, il faudra bien que la Vieille Ville s'adresse à nous, pour conserver la santé. Il n'existe pas d'autre hôpital dans un rayon de cinquante kilomètres, à part la clinique du docteur Coxe, et l'âge de la retraite va bientôt sonner pour lui... Tenez, ajouta Melcher en prenant dans un tiroir de son bureau un document dactylographié, voici un contrat permanent, venant à expiration dans un an à dater d'aujourd'hui.

Il confirmera la lettre d'accord que vous nous avez envoyée de Californie. Lisez-le, et dites-moi s'il vous convient. Êtes-vous monté à vos appartements ?

— Pas encore. J'ai passé un moment avec le docteur Garstein.

L'ombre d'irritation qui passa sur le visage de Melcher fut légère mais indiscutable.

— Louis Garstein est un vrai numéro.

— Je m'en suis aperçu, docteur Melcher.

— Un peu aigri, bien sûr, à cause de son infirmité. Mais un homme capable, aussi bien au laboratoire que dans la salle d'opération. Nous avons énormément de chance de l'avoir, dit Melcher en se levant. Prenez tout votre temps pour vous installer. En principe, vous êtes de service aux urgences cette nuit, mais il y a généralement peu de cas.

L'entrevue était terminée. Elle avait été agréable, instructive — et tout à fait cordiale. Mike n'aurait su dire pourquoi elle le laissait insatisfait. Il tenta de chasser une impression de malaise, tandis qu'il traversait la rotonde pour aller rejoindre l'infirmier qui le conduirait à ses appartements. Un nouvel emploi présente toujours des éléments d'épreuve et d'erreur ; sa spécialité, de par sa nature même, était plus exigeante que beaucoup... Il tendit la main à l'infirmier, dont la franche poigne et le doux accent du Sud lui plurent immédiatement.

— Vous êtes dans l'aile est, docteur Constant. Je crois que l'appartement vous plaira. Je m'appelle Wilson. Mais tout le monde m'appelle Will.

— Vous appartenez au service chirurgical aussi, Will ?

— Je fais ce qu'il y a à faire, docteur.

— Comment vous êtes-vous tant éloigné de la Georgie ?

— La Virginie Occidentale, docteur. Je travaillais à la fonderie, et je suis resté quand elle a fermé.

L'infirmier monta avec lui et lui fit longer un couloir conduisant à un appartement bien conçu — un grand living-room donnant sur une terrasse d'où l'on contemplait tout le panorama de la vallée, une chambre et une salle de bains. Il y avait un poste de télévision encastré et, à la surprise de Mike, un petit bar. On avait monté ses bagages et ses caisses de livres et Mike vit que Wilson avait défait sa valise et accroché ses vêtements dans la penderie.

— Vous partagez la terrasse avec deux dames, docteur. Miss Ford, la surveillante générale de nuit, et miss Lee — je devrais dire miss Searles. Vous ne serez pas tout seul et vous ne vous ennuierez pas.

Mike examina attentivement Wilson pour voir si le propos contenait un sous-entendu, mais ne découvrit rien. Il est encore trop tôt pour les questions directes, se dit-il. Il avait déjà trouvé un allié précieux en la personne de Garstein ; l'infirmier en serait peut-être un autre. Il y a beaucoup d'univers sous le toit d'un hôpital — et peu de ponts pour passer de l'un à l'autre.

— Merci d'avoir rangé mes affaires, Will. A plus tard.

Ce fut seulement lorsque la porte se fut refermée sur l'infirmier que Mike aperçut le billet posé sur son bureau. L'écriture désuète de l'enveloppe lui était encore familière. Il l'avait vue sur des centaines de commandes d'épicerie qu'il avait ramassées sur le perron de la porte de service de Rynhook.

Cher Mike Constantinos

J'apprends votre retour à New Salem. Je vous prie de venir me rendre visite cet après-midi à cinq heures.

Marcella Van Ryn

Mike ne s'était pas attendu à une aussi prompte convocation, mais il n'envisagea pas de la refuser. Moins d'une heure après son arrivée à Indian Hill, il quitta l'hôpital au volant de sa voiture pour descendre la pente abrupte qui menait de la nouvelle route à Bear Creek. De là, le trajet était court jusqu'au pont franchissant le barrage qui avait jadis alimenté la Fonderie Van Ryn.

Déjà de son temps le pont était branlant, lorsqu'il y passait avec sa charrette de livreur. A présent, il sentait les planches craquer sous ses roues, et il se mit au pas pour atteindre l'autre rive. Il prit soin de se garer sur le bas-côté de la route privée qui passait devant les grilles et conduisait à l'ancienne fonderie. Il lui semblait à la fois normal et logique de faire le reste du trajet à pied, afin de mieux examiner le terrain.

Il fut étonné de voir les hautes grilles de fer forgé repeintes à neuf et dépourvues de rouille ; les pelouses étaient bien tondues et les buis jadis célèbres taillés de frais, bien qu'ils eussent perdu leurs formes de dragons, de pagodes et de cavaliers. Derrière cet écran, la demeure à pignons se dressait dans le soleil couchant. Sous cet éclairage, sa masse imposante avait quelque chose de primitif ; le bloc de granit de Gate House — où avaient vécu les régisseurs des Van Ryn — faisait partie de ce sombre tableau, avant-poste d'un univers particulier qui n'obéissait à d'autres lois que la sienne.

Il n'y avait aucun signe de vie, dans l'une ou l'autre demeure, et rien n'avait changé si ce n'était la tour nord du château, maintenant agrémentée d'une verrière d'atelier d'artiste. Une impression d'entrer dans l'histoire par la porte de service persista quand Mike franchit timidement les grilles entrouvertes. Si un hallebardier en armes avait surgi devant lui pour lui en interdire l'accès, Mike aurait fait demi-tour, il le savait, sans oser dire ce qui l'amenait... Malgré le froid qui lui glaçait le cœur, il sourit en se surprenant à suivre machinalement l'allée qui allait à l'entrée de service. Il était grand temps de chasser les souvenirs, et de tourner ses pas vers le grand perron de Rynhook.

Devant la porte, il redressa les épaules avant de soulever le heurtoir de cuivre — un poing fermé surmonté de la devise de la famille : *Nemo me impune lacessit.* « Des générations de seigneurs, songea Mike, ont relevé ce défi. » Peu d'ennemis de la famille s'étaient risqués à attaquer sa puissance retranchée. Ceux qui l'avaient osé l'avaient regretté.

La porte fut promptement ouverte par une femme de chambre noire. Mike la reconnut comme une ancienne fille de cuisine, descendante des esclaves qui avaient fait de Bearclaw Point une halte du Chemin de Fer Clandestin, avant la guerre de Sécession.

— Bonsoir, Nellie.

— Entrez, docteur. Madame est au salon.

Le fils de Spiros Constantinos n'avait jamais fait qu'entrevoir le grand hall du château. Il s'était attendu à un dénuement poussiéreux, et trouvait tout à sa place — le portrait, par Sargent, de Nicholas Van Ryn (mari de la Duchesse et dernier maître de forges) et celui, accroché en pendant, du vieux Peter Van Rynsteyne, le premier seigneur. Dix années n'avaient pas estompé la férocité de leur regard, ni la pénombre funèbre des lieux. Le glissement d'un cafard sur le plancher rompit le silence. Le geste instinctif de Nellie pour l'écraser du pied ne fit que souligner l'impression de vide.

— Comment se porte Mme Van Ryn?

Mike avait baissé la voix, le chuchotement lui semblant convenir à ce silence de tombe.

— Comme toutes les vieilles personnes, elle a ses mauvais jours. Aujourd'hui, ça ne va pas trop mal.

Nellie poussa les hautes portes qui donnaient dans le grand salon de Rynhook — une vaste salle au plafond caissonné, avec une cheminée à hotte et des niches qui avaient jadis abrité des armures. Aujourd'hui, le désert du parquet s'étendait sous les yeux, complètement nu à part un fauteuil Queen

Anne devant un poste de télévision qui marchait, le son coupé. Derrière le poste, une paire de fusils de chasse étaient accrochés au mur. Ils paraissaient aussi anachroniques que la télévision, dans cette pièce qui appartenait à une autre ère, mais Mike savait que Nicholas Van Ryn et sa femme avaient été chasseurs, dans leur jeune temps.

— Entrez, Mike Constantinos, dit la Duchesse de Rynhook, et sa voix n'avait rien perdu des résonances profondes qu'il se rappelait si bien. Je ne comprendrai jamais pourquoi votre père a jugé bon de raccourcir son nom.

— Il disait toujours que personne ne savait l'orthographier à la banque.

— Même petit garçon, vous ne manquiez pas d'audace. Je vois que vous n'avez pas changé.

— Vous non plus, madame.

Marcella Van Ryn éteignit la télévision d'une main noueuse. La dernière fois que Mike avait vu ces doigts, ils avaient scintillé de bagues ; il y avait eu des pendants de diamant aux oreilles de la Duchesse, et un collier de chien d'émeraudes pour cacher les rides de son cou. Aujourd'hui, la nudité de la main parcheminée ajoutait encore un paragraphe à l'histoire de Rynhook.

— A cette heure, dit-elle, cela me calme de voir passer le monde — de loin. C'est pourquoi j'ai acheté cette mécanique ridicule. Naturellement, je ne fais que contempler les gens qu'elle m'apporte. Je ne puis supporter le bruit qu'ils font.

Ses yeux quittèrent l'écran et se tournèrent enfin vers Mike. Pendant quelques instants encore, elle l'examina en silence, comme si elle ne pouvait pas très bien croire à sa présence.

— Je ne vous offre pas de siège, Mike. Si ma mémoire est fidèle, vous ne vous êtes encore jamais assis sous mon toit.

— Jamais, madame.

Sachant que l'affront était voulu, Mike réprima

un mouvement d'humeur. Il était soulagé de s'apercevoir déjà que la châtelaine de Rynhook semblait en pleine possession de ses facultés.

— Je vous ai envoyé ma convocation il y a une heure, dit-elle. Il semble que vous l'ayez promptement reçue.

— Dès mon arrivée, madame.

— C'est donc vrai? Vous êtes le dernier en date des employés de ce Juif de Zeagler? L'homme qui a acheté mes pâturages, quand j'ai dû les vendre au fisc?

— Je travaille pour l'hôpital — et non pour M. Zeagler.

Marcella écarta la rectification d'un geste auguste de sa main.

— Vous rendez-vous compte qu'il vous utilise comme un moyen de forcer la porte de Rynhook? Qu'il espère m'attaquer de l'intérieur? Me persuader de lui vendre ma terre?

— Si vous y consentiez, madame, M. Zeagler aimerait signer un traité de paix. Travailler avec vous pour aider New Salem...

— Les Van Ryn ne peuvent avoir de contacts avec un Zeagler. Jamais, tant que je vivrai, il ne mettra les pieds dans cette maison, ni sur les terres de la fonderie. Il a persuadé mon fils d'épouser sa fille. Cette insulte suffit.

— Vous croyez que le mariage a été organisé?

— J'en suis sûre, Mike. Si sûre que j'ai tout fait pour qu'il soit annulé.

Encore une fois, elle écarta la digression d'un geste impatient.

— Mais je ne vous ai pas fait venir ici pour discuter de nos querelles de famille. Combien de temps allez-vous travailler à l'hôpital?

— Je suis sur le point de signer un contrat d'un an.

— Est-ce que vous êtes revenu dans l'espoir d'épouser Sandra West?

La question paraissait ingénue, mais Mike y répondit prudemment.

— Je ne songe pas au mariage pour le moment.

— Dommage. Vous êtes ce genre d'homme qui devrait avoir une femme et des enfants. Pourquoi ne mettez-vous pas votre fierté dans votre poche et ne la demandez-vous pas en mariage?

— Si je le pouvais, je vous ferais ce plaisir. Malheureusement, Sandra ne veut pas entendre parler de moi.

Mike se demandait si la Duchesse était déjà au courant de l'incident d'Overlook, et il se garda d'en dire davantage.

— Vous êtes ici pour exercer la médecine, alors? Il n'y a pas d'autre raison?

— Aucune, madame. Il y a bien des années, vous m'avez conseillé de tirer le meilleur parti de moi-même. J'ai fait de mon mieux pour suivre ce conseil.

Sous le haut chignon de neige, les yeux de la vieille dame examinaient attentivement Mike; ils paraissaient tantôt perçants tantôt aigus, comme un ciel de mars.

— Je suis heureuse de votre retour, Mike. Même si vous n'épousez pas Sandra. Je puis avoir besoin de votre aide plus tard. Promettez-moi d'accourir aussitôt, si je vous appelle.

— Comme médecin? Ou en qualité d'enfant de la Vieille Ville?

— En qualité d'enfant du pays. Jamais comme employé de ce Zeagler.

— Je vous ai dit que j'étais employé par l'hôpital.

— N'oubliez pas de faire la distinction. Il se peut que je n'aie jamais besoin de vos services — comme je puis vous les demander demain. Je vous attendrai immédiatement quand je vous appellerai.

— Ai-je jamais été en retard avec vos commandes d'épicerie, madame?

— Jamais, Mike. Je suis sûre de pouvoir compter sur vous. En attendant, dites à Zeagler que ma porte reste fermée. Sa fille l'a forcée il y a six ans. J'ai appris à supporter sa présence, tant qu'elle reste en haut. Il ne doit plus y avoir d'intrus. Vous serez reçu, si j'ai besoin de vous. Artemus Coxe également. Je crois que c'est tout ce que j'avais à vous dire.

La main parcheminée se leva pour un congé, avant de tourner le bouton de la télévision. Mike jeta un coup d'œil sur l'écran. La Duchesse de Rynhook regardait un match de base-ball muet qui se déroulait au Yankee Stadium, les lèvres retroussées dans un léger sourire devant un spectacle qui la dépassait.

***

Quand il eut refermé les portes du grand salon, Mike s'arrêta un instant pour mettre de l'ordre dans ses pensées. Déjà, l'entrevue lui paraissait imaginaire. Il se demandait encore pourquoi la Duchesse l'avait fait mander quand il entendit son nom dans la pénombre du vestibule, et vit une silhouette surgir de l'ombre.

— Puis-je vous parler un instant, docteur ?

La jeune femme était grande et blonde ; elle portait une robe de chambre bordeaux et elle vacilla, très légèrement, avant de lui tendre la main.

— J'écoutais aux portes, avoua-t-elle. Je suis Anna Van Ryn.

Il ne s'était pas attendu à faire si facilement la connaissance de la femme de Paul. Il n'avait pas imaginé non plus une femme apparemment si peu affectée par les effets débilitants de la vie à Rynhook. Puis, comme ils avançaient sous la grande imposte en éventail de la porte d'entrée, il s'aperçut qu'Anna Van Ryn était en équilibre (comme tous les buveurs expérimentés) sur l'étroite ligne qui sépare la lucidité de l'ivresse totale. Les joues congestionnées, le regard trop brillant révélaient l'état d'euphorie, ainsi que le sourire, quand elle traversa le hall et ouvrit un panneau de boiserie qui dissimulait une cage d'ascenseur.

— Ma contribution au bien-être de Paul commence ici, dit-elle. Je n'aime pas les escaliers, et lui non plus. Voulez-vous monter boire un verre avec moi, docteur?

— Je dois être à l'hôpital dans une heure.

— Alors, vous avez tout le temps. Ce que vous venez de voir et d'entendre a dû vous laisser bien perplexe. Peut-être pourrais-je vous éclairer un peu.

L'ascenseur était tout juste assez grand pour deux. Anna Van Ryn garda le silence tandis qu'ils montaient vers le dernier étage du château, mais un silence qui n'avait rien de tendu. Quand la porte glissa sur des roulements à billes bien graissées, Anna sortit vivement de la cabine et s'écarta aussitôt pour permettre à Mike d'embrasser du regard le living-room petit mais exquisement meublé. Le contraste entre cela et la nudité hantée du rez-de-chaussée était saisissant.

— Depuis combien de temps *ceci* fait-il partie de Rynhook?

— Depuis que Paul m'a amenée ici, après notre voyage de noces. Mon père a insisté pour nous faire construire un appartement séparé, avant de consentir au mariage. C'est son cadeau, à tous les deux.

Anna lui fit traverser une salle à manger bijou et passer sur une vaste terrasse d'où l'on avait un magnifique panorama de l'Hudson.

— Je croyais que Paul se servait de la tour comme atelier.

— C'est vrai. Ces pièces font partie de l'ancienne aile des domestiques. J'ai fait tout refaire quand j'ai installé l'ascenseur.

Elle s'approcha d'une porte de côté, et tendit l'oreille à la serrure, avec un sourire malicieux.

— Paul est à son chevalet. Et tout va bien, sinon vous l'entendriez jurer comme un soudard.

— Je ne sais trop si je devrais être ici sans être invité.

— Moi je vous ai invité. Je suis ici chez moi, docteur Constant.

Anna s'approcha d'un bar installé dans un coin de la salle à manger, remplit son propre verre sans mesurer et versa du bourbon sur la glace pour Mike. Il se garda d'interroger son hôtesse inattendue tandis qu'elle le conduisait sur la terrasse, s'installait dans un fauteuil de toile et lui en désignait un autre.

— J'ai promis de vous expliquer ce qui se passe en bas, n'est-ce pas ?

— Dites-moi d'abord comment vous avez réussi à faire toutes ces transformations.

— La Duchesse a poussé les hauts cris naturellement, mais mes désirs étaient encore des ordres pour Paul. Pour une fois, il lui a tenu tête et a imposé sa propre volonté.

— Est-ce qu'elle monte ici ?

— Il y a très longtemps qu'elle n'a pas quitté le rez-de-chaussée. Il y a cinq ans, elle s'est fracturé la hanche et le docteur Coxe lui a conseillé de bouger le moins possible. Nellie s'occupe bien d'elle ; elle refuse de me laisser embaucher une infirmière. Quand le panneau de boiserie d'en bas est fermé, elle peut prétendre que je n'existe pas.

— Et Paul ?

— Il va lui rendre visite tous les jours, comme un bon fils et un héritier soumis. Non qu'il y ait grand-chose à part la terre. Son argent est en rente viagère ; et cela suffit à peine à sa subsistance. C'est moi qui paye Nellie, et l'entretien de la maison et des jardins. Je ne puis me permettre de faire plus. La Duchesse ne remarque plus grand-chose — mais quand elle veut bien regarder, rien ne lui échappe.

— Est-ce que vous considérez qu'elle est dans un jour de lucidité, aujourd'hui ?

— C'est vous le médecin, pas moi.

— Elle m'a semblé en pleine possession de ses

facultés. Mais je ne peux pas dire que ses propos étaient très clairs.

— Pourquoi se donnerait-elle la peine de parler clairement? Elle vit dans le passé.

— Aucun esprit ne peut vivre dans le passé et survivre.

— La Duchesse n'y a pas mal réussi jusqu'à présent, avec quelques absences. D'ailleurs, elle a son fils pour la réconforter.

— Comment pouvez-vous supporter de vivre ici, vous?

Anna Van Ryn vida son verre.

— La vie dans la tour n'est pas aussi désagréable qu'il y paraît. Comme vous le voyez, j'ai mon petit réconfort personnel. Je suis certaine que vous avez déjà bien entendu parler de moi. Êtes-vous très déconcerté par ce que vous voyez?

— Franchement, je ne savais pas que Paul avait autant de chance.

— Je ne suis pas sûre que ce soit un compliment, docteur. Mais je veux bien le prendre comme tel. Comment m'appelle-t-on dans la Vieille Ville?

Mike sourit en baissant les yeux dans son verre.

— Vous oubliez que je ne suis arrivé que cet après-midi.

— La femme de l'héritier, qui crache son venin à sa belle-mère? La pauvre petite fille de milliardaire, qui s'imagine que son artiste de mari ne peut rien faire de mal? Ou la faible femme abrutie par l'alcool qui n'a pas le courage de défendre ses droits? Dans toutes ces calomnies, il y a du vrai.

— Je n'accepte pas la dernière.

— Vous y viendrez, si vous restez encore quelque temps à New Salem, assura Anna Van Ryn. Allez me chercher encore un whisky, s'il vous plaît — sans eau...

Elle se renversa dans son fauteuil, les yeux sur le fleuve, tandis que Mike allait au bar. La voix qui le suivait était encore nette — et aussi claire que les pensées de la jeune femme.

— J'ai bien rarement l'occasion de dire ce que je pense. Vous méritez de tout savoir, puisque vous êtes dans le camp de mon père.

— Ne m'y placez pas trop vite, avertit Mike. Jusqu'ici, je ne me suis engagé qu'à une chose — servir l'hôpital pendant un an.

— Vous allez combattre sur tous les fronts dans cette guerre, docteur Constant — et vous serez dans le camp Zeagler. J'aurai au moins appris cela, en écoutant aux portes tout à l'heure.

Anna prit le verre qu'il lui rapportait et fit une grimace en voyant la quantité de whisky qu'il y avait versée.

— Voulez-vous que je prenne les portraits que New Salem brosse de moi, et que je vous explique ce qu'il y a derrière?

— Je vous en prie.

— Tout d'abord, la femme qui hait sa belle-mère. C'est à la fois vrai et faux. J'ai effectivement haï la Duchesse, pour sa façon de traiter Paul. Une fois installée ici, j'ai découvert qu'elle avait eu des raisons. Elle est convaincue qu'un jour il deviendra un grand homme, lorsqu'il aura prouvé son talent. Elle essaye de le protéger du monde, de lui procurer le bon climat convenant à la création.

— Vous voulez parler de son talent de peintre?

— Parfaitement, docteur. Est-ce que vous commencez à comprendre pourquoi elle m'a permis de lui aménager cet atelier de la tour?

— Est-ce que vous partagez sa certitude?

— C'est ce qui m'a maintenue ici — cela et le fait que je l'aime encore. Cela excuse tout. Ses sautes d'humeur. Sa façon de m'abandonner pour aller se distraire ailleurs...

— Sa mère est-elle au courant de ces distractions?

— Il ne quitte jamais Rynhook — sauf lorsqu'elle est dans ce que Nellie appelle ses mauvais jours. A ces moments-là, elle ne se souvient de rien. Paul peut partir à son gré.

— Sans que vous protestiez?

— Il y a longtemps que j'y ai renoncé. Comme sa mère, je suis sûre qu'un jour il sera reconnu. Notre foi est plus importante que le fait qu'il ait cessé de m'aimer — si jamais il m'a aimée.

— Vous lui avez donné six ans de votre vie. Qu'a-t-il accompli jusqu'ici?

— Beaucoup. Vous trouverez une de ses toiles au-dessus de la cheminée.

Anna Van Ryn ne bougea pas pendant que Mike poussait la porte de verre du living-room et baissait un interrupteur pour illuminer le tableau qui y était accroché. A première vue, ce n'était qu'un éclaboussement de couleurs, jetées sur la toile par un outil plus violent que le pinceau. Pour Mike, ce barbouillage n'était que pure abstraction — et cependant, en examinant plus longuement la toile, il dut s'avouer bizarrement ému, le cœur pris par une émotion indéfinissable.

— Qu'est-ce que vous en dites, docteur?

Il se retourna en sursautant, pour voir son hôtesse chancelant sur le seuil de la terrasse. Il tenta d'exprimer son émotion avec des mots, mais cela lui fut malaisé.

— Cela m'émeut, dit-il enfin. Je ne saurais vous dire pourquoi

— Moi non plus. Paul vit dans un autre monde quand il peint. Même s'il me le permettait, je ne pourrais l'y rejoindre. Parfois, lorsque j'ai beaucoup bu, j'ai l'impression que si je le voulais vraiment, je pourrais comprendre ses tableaux. Jusqu'à présent, je n'ai pas encore eu le courage de faire cet effort. J'ai peur.

— De quoi?

— De ce que je découvrirais — si mon mari et moi pouvions communiquer.

— Pardonnez mon insolence, mais comment

pouvez-vous être sûre que cette peinture est de l'art ?

— Je le sens, de toute mon âme. N'est-ce pas suffisant ?

Anna exprimait à merveille ce que Mike ressentait. On pouvait humer et goûter ces violentes taches de couleurs — et Mike savait, au fond de son cœur, que c'était l'odeur et le goût du mal.

— Est-ce qu'il a montré ses œuvres à des experts ?

— Pas encore. Parfois je pense qu'il ne le fera jamais.

— La rumeur publique n'a pas tort quand elle prétend que vous êtes un souffre-douleur.

— N'allez pas croire que c'est pour cela que je bois, docteur Constant. L'alcool n'est qu'une drogue destinée à me faire oublier mon propre échec.

— Par où avez-vous échoué, au juste?

— Tout d'abord, comme actrice. J'ai passé des années à l'Académie — et je me suis effondrée quand j'ai voulu débuter dans un spectacle de Jason West. Vous devez avoir entendu parler de ça, aussi.

— Votre père y a fait allusion.

— Je croyais avoir surmonté ce fiasco quand j'ai épousé Paul. Je me disais qu'au moins j'aiderais un artiste si je ne pouvais pas en être une.

— Là, vous avez sûrement réussi?

— Je lui ai donné un atelier — et j'ai mis une porte entre sa mère et lui. Mais ne croyez pas un seul instant qu'il me veut pour moi-même.

Anna s'était approchée de la balustrade de la terrasse. D'un brusque geste du bras droit, elle lança son verre vide dans l'espace.

— Avez-vous songé au divorce?

— Parfois — quand il me quitte pendant des semaines, et que je devine où il est allé. Puis il revient, il me jure qu'il ne pourra jamais peindre sans moi — et tout recommence.

— Vous venez de dire qu'il ne vous veut pas pour vous-même.

— Comme épouse, non. Comme pare-chocs, comme tampon, c'est autre chose. Il a besoin de moi quand la Duchesse part en guerre.

— Vous ne m'avez toujours pas expliqué pourquoi elle m'avait convoqué.

— Noblesse oblige, cela vous suffit-il?

— La châtelaine de Rynhook, exerçant son droit sur ses sujets? Vous avez peut-être raison.

— Naturellement, vous avez été convoqué pour une raison pratique. Le docteur Coxe se fait vieux. Elle veut avoir un médecin plus jeune sous la main, au cas où elle aurait à supporter une véritable crise ici. Un homme qui accourra au premier signe...

— Qu'appelez-vous au juste une crise?

Anna retourna se servir au bar. Son pas était de moins en moins assuré, mais sa parole n'était absolument pas embarrassée.

— Je ne voudrais pas répondre à cette question, docteur — pour la même raison qui me retient de me perdre dans la peinture de Paul.

— J'ai promis d'aider la Duchesse — si je le puis. Seriez-vous offensée, si je vous offrais le même secours?

— Vous m'avez déjà aidée, dit Anna. Il y a vingt minutes, quand je vous ai vu en bas, vous étiez un étranger. Vous auriez pu être un ennemi, envoyé par mon père pour espionner ma vie conjugale.

— Vous êtes sûre que non, maintenant.

— Oui, Mike. Je vais vous appeler ainsi, puisque je sais que nous allons être des amis.

— Je vous en prie, Anna.

La femme de Paul s'était rapprochée. Il vit que ses yeux s'étaient emplis des larmes faciles qui sont la conséquence fréquente de l'alcool. Quand elle lui posa une main sur l'épaule, il ne put se méprendre sur la signification de son sourire pitoyable. Réprimant l'impulsion qui le poussait à la consoler avec une caresse dangereuse, il la repoussa doucement et se tourna vers l'ascenseur, en murmurant un au revoir.

Quelques secondes plus tard, il se félicita d'avoir maîtrisé un mouvement de compassion naturel. De l'autre côté du living-room, une porte venait de s'ouvrir. Paul Van Ryn se tenait sur le seuil.

L'artiste portait une blouse maculée de peinture et tenait un couteau à palette, brandi comme la baguette d'un chef d'orchestre. Ses sourcils se rejoignaient en un froncement sur lequel Mike devait s'interroger plus tard. L'expression disparut aussitôt, pour faire place à ce sourire hésitant que l'on a devant un visiteur inattendu dont on ne peut se rappeler le nom. Lorsque Paul parla, sa voix fut un modèle de surprise courtoise.

— Pardon, Anna. Je ne savais pas que nous avions une visite.

— Tu reconnais sûrement Mike Constant, voyons.

Si Anna avait compris que son mari jouait la comédie, elle ne le montra pas. La présence soudaine de Paul semblait l'avoir vieillie. Ses épaules se voûtaient, et elle contemplait son verre comme si elle rêvait de s'y noyer.

— Mais bien sûr — le nouveau médecin de l'hôpital. Bienvenue à New Salem.

Paul s'avança, la main tendue. Mike se força à la serrer, en maîtrisant sa colère. Aussi incroyable que cela paraisse, il savait que ce monstrueux égoïste avait effacé de son esprit leur précédente rencontre — ainsi que le triste rôle qu'il avait joué.

— Je ne suis guère un nouveau venu ici...

Paul s'était déjà tourné vers sa femme, avec l'expression d'un homme pris au piège d'une situation qu'il ne peut expliquer logiquement.

— Le docteur Constant a dû te dire que nous étions condisciples à Cornell. Je ne m'attendais guère à ce qu'il me le rappelle. Je suis resté le rien du tout qu'il a quitté il y a dix ans. C'est lui le héros qui revient.

Mike ne put s'empêcher d'admirer l'aplomb de cet homme. Il perçut l'irritation maussade de sa propre voix, quand il se força à répondre sur le même ton :

— Comme on dit dans la Marine, point n'est besoin de forcer sur la pommade.

Paul se mit à rire. C'était un rire mondain, plein d'aisance et de charme, auquel un inconnu se fût laissé prendre.

— Cela veut-il dire que vous acceptez un pauvre artiste comme votre égal ? Même quand il n'a jamais accompli un labeur honnête, comme diraient, je crois, les Philistins ?

Mike pensa qu'il devrait attaquer, s'il voulait épingler ce tempérament de vif-argent. Il était évident qu'Anna avait décidé de ne pas s'en mêler. Elle s'était écartée, et accordait toute son attention au verre qu'elle se versait.

— J'ai rendu visite à Mme Van Ryn, dit paisiblement Mike.

Paul hocha la tête, sans baisser les yeux ni cesser de dévisager Mike.

— C'est ainsi que cela doit se passer à New Salem. Les Van Ryn et les Constantinos appartiennent nettement à la Vieille Ville...

— Pourrais-je vous parler un moment — maintenant que je suis venu jusqu'ici ?

— Mais naturellement.

— Si vous voulez bien m'excuser tous les deux, dit Anna, je vais m'occuper du dîner.

Elle partit, comme si elle fuyait. Quelques secondes plus tard, le fracas d'une casserole qui tombe annonça son arrivée dans la cuisine.

— Ne faites pas attention à elle, dit Paul. Elle joue la comédie — elle fait semblant d'être ivre, surtout quand ce n'est pas vrai. Elle va préparer un excellent dîner et le servir promptement. Puis-je vous persuader de rester avec nous pour le partager ?

— Merci, non, répondit Mike qui parvenait enfin à imiter le ton désinvolte de Paul. Restons-nous ici, ou allons-nous sur la terrasse ?

Le regard de l'artiste se tourna vers la porte de la cuisine.

— La terrasse, je pense.

Il avança, puis s'effaça courtoisement sur le seuil pour laisser passer son visiteur.

— Notez que cela m'est égal que ma femme entende. Il y a peu de choses que je puisse vous dire qu'elle ne sache pas.

Il alla cependant à l'extrémité de la terrasse, se retourna et s'assit sur la balustrade.

— Je vous écoute, Mike.

— Pourquoi avez-vous fait semblant de ne pas me reconnaître ?

— Pour juger de votre réaction. A votre place, j'aurais été fou de rage.

— Vous aviez fait de même à Overlook.

— Là, j'étais quelque peu énervé. Comme vous l'avez vu, il y avait de quoi.

— Sandra m'a raconté quel jeu vous jouez avec elle. Faut-il vraiment que vous persistiez à jouer la comédie ?

Mike marquait le premier point. Il en fut certain quand il vit la lueur sombre dans les yeux de Paul, la crispation de ses mâchoires. L'éclat fut bref. Mais pendant une seconde, l'expression n'avait plus rien d'humain.

— Je ne suis guère étonné que Sandra vous ait choisi comme confident. Vous avez été mis au monde pour servir de mur des lamentations aux femmes. Est-ce que vous étiez en train d'offrir votre épaule à Anna pour pleurer, quand je suis entré ? Ou bien était-ce sa petite crise de six heures du soir ?

La main de Mike se cramponna à la balustrade — pour ne pas écraser cette bouche ironique sous son poing.

— Vous pourriez d'abord répondre à ma question.

— Pour être tout à fait franc, je ne suis pas du tout content de vous savoir à New Salem. Quand je vous ai vu à Overlook, dans votre rôle habituel de

héros, j'ai encore moins apprécié votre présence.
— Vous reconnaîtrez que j'ai sauvé Sandra?
— Assez juste — avec mon aide efficace. Malheureusement, notre outillage de fortune me forçait à vous hisser tous les deux ensemble. Sans cela, je vous aurais laissé tomber sans hésiter. J'espère que Sandra n'est pas trop gravement blessée?
— Fracture du radius, et une blessure légère à la tête. Elle se remettra assez vite de ces blessures-là.
— Mais pas de la blessure au cœur que je lui inflige?
— Essayez donc de répondre vous-même à cette question.
Paul haussa les épaules.
— Quand mon propre bien-être est en jeu, je refuse de me battre avec des histoires de morale. Je vous conseille d'adopter la même philosophie, et de cesser de vous mêler de ce qui ne vous regarde pas.
— Me suis-je mêlé de quoi que ce soit jusqu'ici?
— De la pire manière. Premièrement au bord de la falaise. Deuxièmement, dans le grand salon en bas — où vous n'avez jamais mis les pieds quand vous étiez livreur.
— C'est votre mère qui m'a invité.
— Peu importe vos références. Je vous préviens, dans les termes les plus vifs, de ne plus vous trouver sur mon chemin.
— Sandra croit que vous l'épouserez — si votre femme demande le divorce.
— Naturellement, voyons. Mon alliance avec les Zeagler a interrompu notre liaison, il y a six ans. Cela me semblait le meilleur moyen de manger mon gâteau tout en le conservant aussi.
— Vous avouez alors que vous avez menti?
— Pourquoi me gêner? J'ai, voyez-vous, l'enviable privilège d'avoir à la fois une femme et une maîtresse à mi-temps. L'une et l'autre m'aiment à la folie, et l'une et l'autre acceptent mes mensonges comme parole d'Évangile.

— Votre femme est au courant de Sandra?

— Anna est compréhensive, et soumise. Elle admet qu'un créateur ne peut obéir aux lois du troupeau.

Mike tourna son regard vers le couchant sur l'Hudson. S'il avait regardé une seconde de plus ce sourire placide, il eût été incapable de se maîtriser.

— Même si vous êtes un génie — et cela reste à prouver — vous abusez de vos privilèges.

— Selon votre code — pas le mien. Car je n'ai pas de code — pas de règles, rien ne compte que le moment présent et le désir du moment. Quand je désire mettre une certaine couleur sur la toile, je mélange les tons à ma fantaisie. Quand j'ai besoin d'une femme pour me distraire, je la prends.

— J'entends vous empêcher de prendre Sandra.

— Croyez-moi, Mike, je la laisse en paix ce soir. De fait je promets de l'éviter, jusqu'à ce qu'elle m'appelle.

— Ne soyez pas trop certain qu'elle le fera.

— Elle regrettera notre dispute, bien avant que son bras cassé soit guéri. A ce moment, elle essayera de me téléphoner — c'est toujours sa première manœuvre. Je ne serai pas là pour lui répondre. Ce soir à minuit, je serai à New York.

— Votre mère vous laissera-t-elle partir?

L'ironie de la question ne troubla pas Paul.

— Je connais par cœur l'horaire émotionnel de la Duchesse. Après le choc qu'elle a subi en vous revoyant, il est fatal qu'elle reperde les pédales.

— Je pourrais répéter cette conversation à Sandra.

— Certainement — mais vous ne le ferez pas. En dépit de toutes vos idées romanesques sur les femmes, vous savez bien qu'elle n'écoutera pas.

Il y avait longtemps que Mike avait compris que Paul avait prolongé l'entretien pour son propre amusement. Il ne restait plus qu'un moyen de pratiquer une brèche dans son armure.

— Je suis sûr que vous êtes, vous, trop éloigné

de la réalité pour écouter ce que je dis, déclara Mike et il prit une profonde aspiration avant de poursuivre, en s'efforçant de s'exprimer lentement : Il est néanmoins de mon devoir de vous avertir que vous êtes un grand malade...

— Vraiment, docteur?

— Oui, Paul. Un malade mental qui devrait être enfermé.

Il surprit encore une fois la lueur brûlante dans les yeux de Paul, comme si la porte d'une fournaise s'était ouverte dans son cerveau. Mais quand il eut paré l'attaque d'un haussement d'épaules, l'armure reprit sa place.

— On m'a traité de bien d'autres noms. Votre diagnostic ne m'impressionne pas.

— Tout y est. Cela explique tous vos gestes, depuis votre premier coup bas au football. Cela explique votre façon de vivre dans ce château hanté — et ces tornades de couleur sur la toile. Vous vivez dans l'ombre de la paranoïa, si vous savez ce que ce mot veut dire.

— J'en ai une vague idée, docteur. Comme je vous l'ai dit, on m'a traité de fou dans toutes les langues possibles.

— L'ombre s'accentuera, si vous ne vous soumettez pas à un traitement psychiatrique. Votre maladie a déjà fait le malheur de deux femmes ; je suis persuadé qu'elle a hâté le déclin de votre mère. N'attendez pas d'être détruit à votre tour.

Mike quitta la terrasse sans attendre de réponse. Dans le living-room, il appuya de toutes ses forces sur le bouton de l'ascenseur, jusqu'à ce que le panneau s'ouvre ; c'était sa seule compensation pour la volonté d'airain qui avait retenu ses mains de sauter à la gorge de Paul Van Ryn... Soudain, il se rappela le couteau à palette que Paul avait à la main, mais il s'interdit de se retourner. Quand il entra dans l'ascenseur, son corps était encore crispé, tendu dans l'attente du coup qui n'était pas venu.

Un dernier choc le frappa dans le hall.

Il avait eu le temps, dans l'ascenseur, d'avoir honte de son éclat, de maudire le tempérament trop vif qui lui avait fait oublier le devoir de silence du médecin devant une maladie qu'il ne peut guérir. Le grand hall était sombre. Un instant, Mike fut persuadé que le tas plus sombre affalé sur le seuil du salon n'était que de l'ombre massée, et que les sanglots n'étaient que l'écho du sang qui martelait ses tempes. Mais, en s'approchant, il reconnut la silhouette en pleurs de Marcella Van Ryn.

Avant que Mike ait atteint la porte, Nellie arriva avec un fauteuil roulant. Elle souleva la Duchesse de Rynhook en la prenant sous les aisselles et l'assit dans le fauteuil, aussi négligemment que si elle avait manié une poupée cassée.

— Le docteur Coxe vous a bien dit de ne pas essayer de marcher toute seule, madame, gronda-t-elle. Pourquoi voulez-vous échapper à Nellie quand c'est l'heure de vous coucher ?

Mike retrouva sa voix.

— Elle a besoin de soins ?

— Non, docteur. Dès qu'elle aura pris son médicament, elle dormira comme un bébé.

— *Qui est cet inconnu dans le hall ?*

La poupée tassée dans le fauteuil roulant avait presque hurlé. Mike fit encore un pas en avant, mais Nellie l'écarta d'un geste.

— C'est le docteur Constant, Madame.

— Grotesque. Il n'y a pas de docteur Constant à New Salem. Je le reconnais maintenant. C'est Mike Constantinos, du marché de Lower Street. Il vient livrer l'épicerie. Donnez-lui une pièce.

Mike n'eut pas besoin du geste avertisseur de Nellie pour quitter Rynhook, d'un pas qui était presque une fuite au galop.

4

En roulant sur la grand-route du sud à une allure bien supérieure à la vitesse autorisée, Mike aspirait profondément l'air frais de la nuit — et attendait que se calmât le tumulte de son esprit. Sa raison remonta à un certain niveau quand il vit une station-service buvette, se rappela qu'il n'avait rien mangé depuis plusieurs heures et s'arrêta pour prendre du café et un sandwich. Tout en mangeant, il se dit qu'il eût été plus sage de dîner à l'hôpital et d'y cimenter de nouvelles relations. Mais tant qu'il n'avait pas mis de l'ordre dans les révélations de Rynhook — et qu'il ne s'était pas persuadé que les fantômes belliqueux qu'il y avait vus étaient des créatures de chair et de sang — il ne serait pas d'humeur à rencontrer ses semblables.

Une demi-heure plus tard, en faisant la route en sens inverse, il était déjà plus calme.

Il se disait, amèrement, que Paul Van Ryn était une menace latente — mais Paul partait pour New York à présent que Sandra se trouvait hors d'atteinte et que la Duchesse s'était enfermée dans son univers particulier. Tout déséquilibré qu'il fût — et Mike n'avait pas exagéré les termes de son avertissement

— Paul avait certainement compris et enregistré le diagnostic. Sandra serait en sécurité, avec près de deux cents kilomètres entre eux, et avant le retour de Paul, Mike pourrait trouver un moyen de la protéger.

Le docteur Coxe était sorti lorsque Mike passa à la petite clinique de Lower Street, mais Mrs Bramwell lui assura que Sandra se reposait paisiblement, et dormirait toute la nuit grâce à une ampoule de demerol. Mike traversait le salon de réception quand un visiteur surgit du couloir et se dirigea vers la porte de la rue. La pièce était faiblement éclairée, mais Mike eut une brève impression de débilité, qui contrastait vivement avec la mise très jeune de l'homme, et la canne de jonc qu'il portait. Les épaules voûtées, la démarche mal assurée concouraient à donner à penser qu'il allait s'écrouler. De fait, tandis que Mike le regardait, du seuil du bureau, l'homme chancela et se retint des deux mains au dossier d'un fauteuil pour ne pas tomber.

— Puis-je vous aider, monsieur ?

— Merci, non. Il est trop tard pour m'aider.

La phrase dramatique avait été déclamée ; la canne de jonc se levait, comme une lance de preux, pour tenir Mike à distance mais celui-ci avait déjà été pris à la gorge par un relent d'alcool presque suffocant. *C'est ton jour pour les ivrognes et les démons*, se dit-il — et il repoussa la canne pour aller aider l'homme à s'asseoir dans le fauteuil.

— Reprenez votre souffle, monsieur West.

— Vous me connaissez ?

— J'ai reconnu votre voix tout de suite.

Jason West laissa tomber sa tête léonine sur le macramé jauni du fauteuil. Dans la pénombre, il ressemblait à son propre masque mortuaire, mais Mike n'était pas alarmé. Le frère de Sandra, Mike ne l'ignorait pas, était un comédien qui n'établissait guère de différence entre la scène et la vie quotidienne.

— Je vous suis reconnaissant de m'avoir reconnu,

dit l'acteur. Il est bien réconfortant de découvrir que l'on a encore un public, quand ce ne serait que dans un coin perdu. Avez-vous été surpris de me trouver encore de ce monde parmi les vivants? Vivant, si l'on peut dire. En ce moment, je suis ivre, autant qu'agonisant, afin que la pensée d'un lendemain me soit supportable.

— Puis-je vous raccompagner chez vous?

— Encore une fois, la réponse est non. Au fait, qui êtes-vous?

— Le docteur Mike Constant.

— Celui qui a sauvé la vie de ma sœur. Je sors de sa chambre, où j'ai pu admirer votre art. Heureusement, elle était sous l'emprise d'un fort sédatif et n'a pu remarquer ma présence.

Peu soucieux d'abandonner le frère de Sandra tant qu'il semblait incapable de se lever de son fauteuil, Mike laissa la célèbre voix profonde dérouler ses accents modulés. Il essayait, sans succès, de ne pas écarquiller les yeux. Enfant, du haut du poulailler, il avait admiré ce visage maintenant ravagé. Il avait vu ce profil superbe, vieilli mais encore beau, sur les écrans de cinéma, puis de télévision... C'était une triste malice du temps que cette pauvre silhouette déclamante soit le Jason West dont il se souvenait.

— Vous êtes sûr que vous n'avez pas besoin de mon aide, monsieur?

— Votre aide, docteur Constant? Pourquoi aurais-je besoin d'aide, alors que mon chemin est si parfaitement balisé?

— Je vais appeler Mrs Bramwell...

— Apportez-moi un verre d'eau, s'il vous plaît. J'ai mon remède à moi, et ce n'est pas ce que vous croyez.

Lorsque Mike revint avec un verre d'eau, Jason West attendait, avec un comprimé dans sa paume. Même au bord de l'évanouissement, il réussit à l'avaler avec élégance. Quelques instants plus tard, ses joues avaient repris leurs couleurs, et ses yeux s'étaient ranimés. Il paraissait rajeuni de dix ans.

— Comme vous le voyez, docteur, il existe d'autres remèdes souverains que l'alcool. Ne me demandez pas le nom de celui-ci. Un cardiologue de Hollywood me l'a prescrit alors que j'avais encore les moyens de me faire soigner par des sommités. Et, je vous en prie, ne dites pas à ma sœur que je suis venu à son chevet dans cet état déplorable. Rapportez-lui simplement que j'ai demandé de ses nouvelles, et que votre rapport m'a fait plaisir.

— Je serais heureux de vous ramener à Gate House.

— Inutile. Ma voiture est devant la porte, mon indisposition est passée — et je dois me rendre à un rendez-vous.

— Voulez-vous que je vous suive, pour être sûr que vous arriviez à bon port?

Jason West hocha la tête. C'était un geste de tragédien, superbe et théâtral.

— Vous êtes l'ennemi juré de l'individu que je vais voir, docteur. Le rendez-vous dont je parle est en Samarie.

— J'aimerais que vous le remettiez à ce soir.

— Peut-être le ferai-je, docteur. Je puis même décider de guetter Paul Van Ryn et de lui tirer une balle dans le cœur. Si je le faisais, applaudiriez-vous mon geste? La réponse est non, bien sûr. Votre devoir est de guérir, et non de détruire. Quand bien même cette destruction serait un bienfait pour l'humanité — pour ne rien dire de l'honneur des femmes. Sommes-nous d'accord sur ce point, au moins?

L'acteur s'était levé en posant sa question, la canne dressée à l'horizontale comme l'épée d'un escrimeur. Mike ne put s'empêcher de rire. Quelques minutes plus tôt, il n'aurait jamais cru que Jason West pourrait le mettre de bonne humeur.

— Nous sommes entièrement d'accord, mais il m'est difficile de l'avouer officiellement.

— Que votre conscience soit en repos, alors. Tout heureux que je puisse être du résultat — dans le cas de ce lâche de Rynhook, je manque du courage nécessaire pour le mettre à mort. Tout comme je manque de courage pour vivre. Me permettez-vous de vous souhaiter le bonsoir, et de vous quitter sur ce dernier paradoxe ?

La canne se redressa vivement, décrivit un moulinet et retomba au sol. L'acteur pirouetta gaiement, et disparut dans les ténèbres.

Il était près de huit heures quand Mike gara sa voiture dans l'emplacement réservé aux médecins, à Indian Hill. Melcher et Garstein étaient partis depuis longtemps, et les machines comptables de Pailey étaient enfermées à clef derrière leurs grilles. Avec l'unique lampe allumée au bureau de la réception, et les couloirs plongés dans l'ombre, l'Hôpital Memorial de New Salem était une réplique de l'univers que Mike avait laissé en Californie. Ce soir-là, ce fut pour lui un soulagement d'endosser à nouveau la blouse blanche, de prendre le rapport de la surveillante du soir et de parcourir les notes des techniciens au laboratoire... Lorsqu'il commença sa ronde, Mike savait qu'il n'aurait guère le temps de se sonder l'âme avant le matin.

Il visita d'abord l'étage inférieur, qui était à moitié en sous-sol à cause de la déclivité du terrain. Dans la majorité des hôpitaux, ces locaux auraient été utilisés comme dépendances. Ici, la longue pièce au plafond bas avait été transformée en salle, pour y installer les malades de l'hôpital cantonal nouvellement arrivés. Mike vit que pas un pouce d'espace n'avait été gaspillé. La ventilation était assurée par des ventilateurs de fenêtres et les lits étaient manifestement des surplus de guerre, mais Mike ne pouvait rien reprocher à ces économies. Il avait déjà compris qu'il devrait se résigner à un matériel bien différent de ce qu'il avait connu.

Il remarqua avec approbation l'odeur rassurante de l'antiseptique à l'essence de pin, et passa en revue les lits des malades arrivés dans la journée de l'hôpital cantonal. Aucun cas n'était grave. Les feuilles de rapport lui montrèrent que l'on avait soigné normalement trois cardiaques, deux cas postopératoires de varices, une cage thoracique enfoncée et plusieurs jaunisses. Dans la salle des femmes, il examina une hanche fracturée, qui en était à sa quatrième semaine de repos au lit. Les radios montraient que les os n'avaient pas été replacés par une main bien experte, mais la malade se remettrait et pourrait bientôt être assise dans un fauteuil roulant.

A l'étage au-dessus : chirurgie privée, il fut étonné de trouver que la moitié au moins des malades étaient des cas postopératoires abdominaux. Avant d'avoir terminé sa ronde, il avait découvert dix hystérectomies, six hernies et cinq appendicites. Tous les rapports étaient remarquables par leur laconisme — et presque tous les diagnostics prévoyaient que le malade serait renvoyé chez lui dans un temps record.

Il n'y avait qu'un seul cas que l'on pouvait appeler critique — une gastro-entérostomie pratiquée par un certain docteur Bradford Keate, qui avait fait admettre la malade pour un ulcère du duodénum. En prenant connaissance du bref résumé du chirurgien, Mike nota qu'il lui faudrait interroger le directeur dans la matinée. La procédure suivie par ce docteur Keate avait été abandonnée presque partout...

Dans l'ensemble, le nouveau chirurgien conclut que les soins et les méthodes chirurgicales de l'Hôpital Memorial de New Salem n'étaient pas tellement au-dessous de la moyenne — encore que le personnel fut réduit au minimum. Le plus grave, c'était la brièveté sommaire des rapports des chirurgiens et des médecins. Mike avait examiné une vingtaine de dossiers et le manque de détails l'avait choqué. Mais il était trop fatigué pour lire plus avant, et pour chercher quels étaient les plus grands responsables.

La journée avait été longue, et Mike fut heureux d'éteindre la lumière dans la salle des rapports pour monter dans ses appartements. C'était un soulagement que de se glisser entre des draps frais d'assez bonne heure, en sachant que son entraînement d'interne et de résident lui garantirait un sommeil sans rêves.

Quand le téléphone sonna à son chevet, le cadran lumineux du réveil marquait minuit et quelques minutes.

— Allô, oui?

— Miss Ford, docteur Constant, la surveillante de nuit. Nous venons d'admettre Mrs Van Ryn dans une chambre particulière de la Section Deux. Je crois que vous devriez l'examiner immédiatement.

— La Duchesse?

La question était instinctive, tandis qu'il luttait pour chasser les brumes du sommeil.

— Non, docteur. Mrs *Paul* Van Ryn.

Tout à fait réveillé, Mike se hâta d'endosser les vêtements blancs qu'il avait préparés avant de se coucher. Comme toujours, l'habillage fut rapide et précis. Quand il descendit, Wilson traversait le vestibule en poussant une civière roulante vide.

— Ils l'ont amenée en ambulance, docteur.

— De Rynhook?

— La bonne a téléphoné. Elle est au 24. Ça n'a pas l'air d'aller du tout.

La surveillante de nuit, une grande femme maigre engoncée dans son uniforme blanc, attendait devant la porte de la chambre. L'assurance solide de miss Ford réconforta immédiatement Mike. Tout comme lui, elle avait connu bien de ces veilles.

— Elle souffre beaucoup, docteur — et elle est fortement commotionnée.

Anna Van Ryn était couchée dans le lit blanc, la figure couleur de cendre, la tête lourdement enfoncée dans l'oreiller. Sa respiration était précipitée. Malgré une nette dilatation des pupilles, son haleine sentait à peine l'alcool. Sa seule blessure visible était une grande eschymose sous l'œil gauche.

— Je suis désolée d'avoir été amenée ici, docteur, dit-elle. Ce n'était vraiment pas nécessaire.

— Nous allons nous en assurer.

Elle esquissa un pâle sourire.

— Il s'agit d'un de ces accidents stupides que l'on a du mal à expliquer. Je me suis réveillée il y a environ une heure et je n'ai pu me rendormir. Il n'y avait pas de lumière à la cuisine quand j'y suis allée pour... pour un verre de lait. J'ai trébuché et je suis tombée dans l'escalier de service. Nellie m'a découverte et a téléphoné pour demander une ambulance.

— Où avez-vous mal?

— Juste sous les côtes. J'ai dû heurter violemment quelque chose.

Assisté par miss Ford, Mike prit d'abord la tension de la patiente. Un diagnostic se formait déjà dans son esprit, mais il se conseilla de procéder avec prudence, car Anna ne semblait pas vouloir l'aider.

Le stéthoscope appuyé sur l'artère brachiale de la saignée du coude confirma son soupçon quant à la cause première de la commotion. La pression systolique était de quatre-vingt-huit — un battement faible et saccadé qui révélait une grave perte de sang. Le siège de la douleur et l'absence de tout autre symptôme externe lui apprenait que le sang devait s'écouler d'une artère déchirée, quelque part dans la cavité abdominale.

Sur un signe de tête de Mike, miss Ford rabattit le drap. Il y avait quelques ecchymoses superficielles sur le thorax, mais ce fut d'abord l'abdomen que Mike examina, en remarquant la désynchronisation des muscles avec la respiration, et leur crispation lorsque ses doigts effleuraient la peau. Il y avait une zone de peau décolorée sur la gauche, juste en dessous de la cage thoracique. Mike ne fut pas étonné du léger cri de douleur qu'Anna laissa échapper lorsqu'il y toucha.

Une deuxième auscultation au stéthoscope l'assura du fonctionnement normal des poumons ; le cœur battait régulièrement, mais très vite.

— Est-ce que Paul est parti pour New York? demanda-t-il d'un ton faussement détaché.

— Oui, en voiture au début de la soirée.

Anna ne l'avait pas encore regardé en face. Tout son être semblait absorbé par le besoin de dissimuler la souffrance.

— Votre père s'envole cette nuit pour l'Europe. Y a-t-il un moyen de le prévenir?

— Hélas non. Il est déjà en route.

— Et votre belle-mère? La femme de votre père.

— Ils ont quitté Idlewild ensemble. Est-ce que c'est grave, docteur? J'ai l'impression que ce n'est qu'une simple contusion.

— Il va falloir que j'opère immédiatement. Vous souffrez d'une grave blessure interne, un éclatement de la rate. L'hémorragie doit être stoppée, mais j'ai besoin de votre permission pour opérer, puisque je ne puis joindre Paul, ni vos parents.

— Et si je refuse?

Mike leva les yeux vers miss Ford.

— Le docteur Garstein est l'oncle de la malade, lui dit-il. Voulez-vous lui demander de venir immédiatement, pour une urgence?

Il attendit que l'infirmière eût quitté la pièce pour poursuivre :

— Je crois que vous ne comprenez pas la gravité de la situation. Vous avez un éclatement de la rate, et vous déclinez rapidement. Si nous n'opérons pas, vous allez mourir.

— Et si c'était ce que je veux, docteur?

— Je refuse d'écouter de telles sornettes. Idlewild me donnera le numéro de vol de votre père, et je puis le joindre par radio dans son avion.

— Ne faites pas ça, je vous en supplie. Il a une maladie de cœur. Le choc risque de le tuer.

— Croyez-vous que le choc sera moins grand — si je vous laisse mourir?

Pour la première fois, les yeux d'Anna rencontrèrent les siens. En y lisant une franche terreur, il ne douta plus de ce qui la causait.

— Faites ce que vous voulez, docteur, soupira-t-elle. Vous avez ma permission.

Miss Ford apparut sur le seuil.

— Le docteur Garstein est au téléphone.

Lorsque Mike alla prendre la communication dans le hall, il trouva la voix du pathologiste étrangement détachée. C'était presque comme s'il avait prévu cet appel.

— Vous êtes certain du diagnostic, Mike?

— Absolument. Dans combien de temps pouvez-vous être là?

— Un quart d'heure.

— Où se trouve votre banque du sang?

Il y eut un bref silence au bout du fil, puis :

— Nous n'en avons pas. Généralement, nous faisons appel à des donneurs.

— Nous n'avons pas le temps.

— Il doit y avoir quelques flacons de groupe O, dans le frigo. Nous pourrions l'utiliser.

— Votre nièce a-t-elle déjà été admise ici?

— C'est son troisième accident. Les autres n'étaient pas graves.

— Venez aussi vite que possible. Je vais commencer la transfusion tout de suite.

Miss Ford attendait dans le couloir devant la porte de la chambre lorsque Mike revint du téléphone. Il fut satisfait de voir qu'elle avait déjà placé une autre infirmière au chevet du lit. Cela signifiait qu'elle avait prévu les ordres qu'il allait donner.

— Combien de temps vous faut-il pour préparer l'opération de la rate ? demanda-t-il.

— Une demi-heure, peut-être moins.

— Le docteur Garstein sera arrivé avant. Y a-t-il quelqu'un ici qui puisse m'assister ?

— Miss Searles assiste généralement nos chirurgiens. Elle n'était pas de service ce soir, mais je l'ai entendu rentrer il y a un moment.

— Voulez-vous lui demander de se préparer immédiatement ? Je vais avoir besoin d'une solution de citrate pour une autotransfusion, si besoin était. Et peut-on avoir une aide-infirmière ?

— Il y en a toujours une de service, docteur.

— Je vois que vous êtes bien organisée, miss Ford. Voulez-vous administrer à la patiente une ampoule de demerol, et lui faire une piqûre d'un cent cinquantième d'atropine, s'il vous plaît ?

— Bien, docteur.

— J'aurai besoin d'un flacon de groupe O, du frigo. Nous allons commencer la transfusion dans la salle d'opération.

Une demi-heure plus tard, dans la salle d'opération, Mike achevait de se frotter les mains et les avant-bras, et considérait son domaine d'un œil approbateur.

Il était sans doute vrai que l'Hôpital Memorial, soucieux des bénéfices, prisait fort l'économie ; ce que Mike avait vu jusque-là, dans les salles et les chambres particulières, lui avait révélé que l'hôpital manquait de beaucoup de matériel en usage dans les meilleurs établissements. Mais la salle d'opération était parfaitement équipée, et Mike vit avec satisfaction que le personnel chirurgical semblait tout à fait à la hauteur de la situation.

Lee Searles, déjà habillée et gantée, achevait de disposer les compresses sur la table à pansements recouverte d'un drap stérile. Il la vit préparer les divers instruments, en donnant à mi-voix des ordres à la seconde infirmière qui se tiendrait à ses côtés durant toute l'opération, et lui passerait, au fur et à mesure des besoins, les pinces hémostatiques et les compresses.

Anna Van Ryn était couchée sous la lumière éclatante du scialytique, déjà à moitié endormie par la médication pré-opératoire. La transfusion se passait normalement. Louis Garstein, appuyé sur ses béquilles, se tenait à l'écart de la table d'opération tandis que miss Ford soulevait le côté gauche de la patiente avec des sacs de sable pour faciliter au chirurgien l'accès du champ opératoire. Lorsque tout fut prêt, Garstein commença l'anesthésie. Ses gestes étaient rapides et compétents, tandis qu'il plaçait le masque, manipulait les manettes et gonflait le sac respiratoire.

— Elle ne va pas trop mal, mais j'aimerais que ce soit rapide, dit-il. Il est évident qu'elle a perdu beaucoup de sang.

— J'espère que la transfusion va aider. Il n'y avait qu'un seul flacon de groupe O en stock.

— Miss Ford me l'a dit. Il y a huit jours que j'en réclame, mais Pailey traverse encore une de ses crises d'économie. Nous avons un litre de plasma, et c'est tout.

Le chirurgien et l'anesthésiste échangèrent un regard significatif pendant que Mike enfilait la blouse et les gants que l'aide-infirmière lui présentait. Le sang de groupe O — auquel appartient environ quarante pour cent de la population — pouvait être conservé des semaines sous réfrigération ; il semblait incroyable que l'hôpital n'en possédât pas un stock suffisant, d'autant qu'une banque du sang faisait défaut. Mike ajouta encore une mauvaise note à la liste de plaintes qu'il entendait porter au docteur Melcher dans la matinée.

Lee Searles présenta à Mike une compresse au

bout d'une pince. Il la trempa dans la solution antiseptique écarlate utilisée pour stériliser la peau, et badigeonna la région abdominale gauche de la patiente à petits gestes vifs et précis, appliquant une deuxième couche sur la première.

Lorsqu'il eut délimité le rectangle où il entendait pratiquer l'incision, l'assistante l'aida à disposer les linges stériles, en recouvrant tout le corps à l'exception du champ opératoire. Puis Lee fit rouler la table d'instruments à portée de la main du chirurgien.

— Je crois que nous avons tout ce dont vous aurez besoin, docteur.

— Tout me semble parfait, miss Searles.

L'infirmière accepta le compliment et remercia d'un très léger signe de tête. Il était difficile de juger de ses véritables réactions, puisque l'on ne distinguait que ses yeux et une partie de son front entre son masque et son bonnet blanc. Mike vit qu'elle s'était déjà préparée pour sa première demande, une compresse dans une main gantée, une pince hémostatique dans l'autre.

— Je vais pratiquer une incision en diagonale, murmura-t-il. Scalpel, s'il vous plaît.

L'aide-infirmière déposa l'instrument dans sa paume tendue. Il fut heureux de sa promptitude. Quelles que puissent être les déficiences de l'Hôpital Memorial, et le défaut d'une banque du sang était une des plus graves, son personnel chirurgical semblait admirablement organisé. Il devinait déjà que cette efficience était due à la jeune femme tranquille qui attendait ses ordres, de l'autre côté de la table.

— Quelle est la pression sanguine, Louis ?

— Stabilisée à cent.

D'une main experte, Mike pratiqua l'incision, écarta les chairs, plaça les pinces et à chaque coup de bistouri, Lee Searles était là, avec une compresse pour éponger le sang.

— C'est bien la rate, dit Mike. Je l'aurai dans

une minute, j'espère. Comment se comporte la patiente, Louis ?

— Pas mal. Un tiers de la transfusion reste à faire.

— Tâchez de recueillir le plus de sang possible quand je pénétrerai. Nous risquons d'en avoir besoin plus tard pour une autotransfusion.

Pendant un moment, le silence ne fut rompu que par les brèves demandes du chirurgien. Chaque fois, l'instrument réclamé arrivait dans sa main comme par magie. Enfin, l'ablation de la rate fut complétée...

— Nous sommes prêts à refermer, Garstein.

L'anesthésiste ne répondit pas. Surpris, Mike s'arracha une seconde à la contemplation attentive de l'ouverture pour lever rapidement les yeux vers Garstein, qu'un écran blanc séparait du champ stérile. Les branches du stéthoscope aux oreilles, Garstein glissait une main sur la poitrine d'Anna, sous le drap. Point n'était besoin de paroles pour que Mike comprît que l'autre venait de placer le disque métallique de son instrument sur le cœur de l'opérée.

Soupçonnant ce qui se passait, le chirurgien insinua une main dans la cavité abdominale, et tâta l'endroit où l'aorte et la veine cave inférieure passent devant la colonne vertébrale.

Les pulsations de l'artère avaient cessé. Le cœur ne battait plus.

L'arrêt du cœur, c'est le cauchemar du chirurgien. L'ablation de la rate s'était déroulée sans anicroche. Quelques secondes plus tôt, absolument rien ne pouvait laisser prévoir que le système circulatoire allait réagir de cette façon, et causer un arrêt du cœur. Ce n'était cependant pas un cas extraordinaire. Mike avait déjà eu à faire face à des crises semblables à la fin d'une opération. Mais c'était la première fois où la malade était sous son entière et unique responsabilité — et il ne disposait pas des ressources d'un grand centre médical.

Il entendait derrière l'écran Garstein qui manipulait le sac respiratoire, procédé de respiration artificielle efficace qui accroît le flux d'oxygène pur dans les poumons quand le cœur bat. Mais cet élément vital devenait inutile, puisqu'il ne pouvait parvenir au cerveau si la circulation sanguine ne se faisait plus. En quelques minutes, le cerveau privé d'oxygène risquait d'être endommagé au-delà de tout espoir.

— Lâchez tout et allez me chercher un régulateur cardiaque, miss Searles. Le docteur Garstein placera les électrodes.

Le régulateur cardiaque était un instrument dont l'utilisation s'était généralisée durant l'internat de Mike ; ce n'était rien autre qu'une machine à électrochoc destinée à combattre l'arrêt du cœur. Placé sur la paroi thoracique de la victime, l'instrument administre des secousses électriques rythmées qui stimulent le cœur, et le forcent à adopter une cadence aussi proche que possible du battement normal. Mike avait trop souvent vu fonctionner la machine miracle pour douter de sa valeur. Des méthodes désuètes exigeaient du chirurgien qu'il ouvrît le torse précipitamment pour masser le cœur à la main, et à vue. Le régulateur, qui pouvait être branché en une seconde, faisait table rase de mesures aussi draconiennes. La plupart des grands hôpitaux étaient équipés de l'instrument, et Mike avait donné l'ordre machinalement.

Cependant, alors qu'il s'affairait à tamponner des compresses autour de l'ouverture pour maintenir les organes en place, il fut soudain conscient du silence qui venait de tomber, et il leva la tête assez vite pour surprendre la brusque dilatation des pupilles de Lee Searles. C'était le premier signe d'émotion qu'elle laissait paraître en sa présence — en dehors de son éclat de colère à l'entrée des ambulances.

— Nous n'avons pas de régulateur, Mike, répondit Garstein. Pailey a refusé d'en faire la dépense.

— Dans ce cas, nous aurons recours à l'adrénaline. Miss Searles vous aidera à faire la piqûre, pendant que je masserai le cœur à travers le diaphragme.

Sans perdre de temps en récriminations, Mike fit le tour de la table pour prendre la place de l'infirmière. Elle avait déjà couru à la galerie des instruments, pour préparer une longue aiguille fine destinée à pénétrer le cœur. Placé à droite de la table, le chirurgien put facilement insinuer sa main dans l'incision et remonter à tâtons, jusqu'à ce que ses doigts rencontrent le diaphragme, cette coupole de muscle qui forme une paroi flexible séparant les cavités abdominales et thoraciques.

Luttant contre la montre, l'anesthésiste badigeonnait le torse avec la solution antiseptique, et plongeait hardiment l'aiguille, jusqu'à ce que la teinte rouge montant dans la seringue lui apprenne qu'il avait pénétré la paroi cardiaque, et atteint la cavité emplie de sang.

— Préservez-en la moitié, Louis, conseilla Mike. Et tâchez de faire l'injection directement dans le muscle cardiaque. Ce sera plus efficace.

Garstein inclina la tête et retira un peu l'aiguille, jusqu'à ce que le sang ne remonte plus dans la seringue. Puis il injecta le reste de l'adrénaline dans le muscle.

— Changez de gants, miss Searles, dit Mike. Je vais avoir besoin de votre aide, si je dois pratiquer une incision du thorax.

Comme il parlait, il sentit un léger frémissement sous ses doigts, et comprit que le cœur arrêté, sous la double stimulation de l'adrénaline et du massage, tentait faiblement de reprendre ses fonctions. Automatiquement, Mike leva les yeux vers la pendule ; il l'avait consultée dès qu'il avait touché l'aorte, car le temps était le facteur capital dans ce cas. Si cette stimulation échouait il ne lui resterait plus qu'à ouvrir, pour un massage direct du cœur.

— Moins de deux minutes, fit Garstein. Je crois qu'elle revient.

— Oui, moi aussi.

Mike avait senti une deuxième contraction, puis une troisième, de plus en plus fortes.

— Vous massez toujours?

— Oui, jusqu'à ce que nous puissions être sûrs.

Les battements se précisaient, et le sac respiratoire se gonflait et se dégonflait, révélant que la respiration avait repris. Cependant, il était encore trop tôt pour chanter victoire...

— Elle revient, déclara l'anesthésiste. Je sens le pouls, maintenant.

Mike attendit que la trotteuse de la pendule ait effectué une révolution entière, puis il retira sa main et reprit sa place, tandis que Lee Searles revenait, vêtue d'une nouvelle blouse et regantée. Avec son aide experte, il referma le péritoine, et commença de suturer le muscle incisé.

Il savait qu'il pouvait compter sur Garstein pour surveiller la patiente pendant qu'il refermerait la plaie. La conduite de l'infirmière dans un cas difficile avait confirmé son impression première. Quel que fût le défaut d'équipement de l'hôpital, il avait une équipe chirurgicale de tout premier ordre.

— Comment va-t-elle?

— Elle est complètement revenue. La pression est remontée à cent, et le pouls se régularise. Nous avons franchi le cap, Mike.

Le dernier point de suture était fait, moins de quarante-cinq minutes après le premier coup de bistouri. Mike fixa le pansement, arracha ses gants et recula pour ôter sa blouse. Il y avait longtemps qu'il ne s'était senti si las — ni si heureux d'avoir choisi cette voie.

— Vous pouvez jeter le sang, miss Searles. Nous

n'allons pas risquer une réaction à la transfusion en la pratiquant.

— Bien, docteur.

Maintenant que la crise était passée, Mike voyait que l'infirmière avait remis son masque impassible. Il la dissimulait aussi totalement que le masque chirurgical qu'elle venait d'enlever.

— Si elle a besoin de sang, je lui en donnerai moi-même, ajouta-t-il.

— Je suis à votre disposition comme donneur, moi aussi, docteur.

Mike approuva d'un signe de tête.

— Mais je crois qu'elle n'aura pas besoin de nous.

— Moi non plus, jugea Garstein.

— Je n'ai plus qu'un mot à dire. Cela a été dur, mais ça s'est bien terminé. Je voudrais vous remercier tous, et vous féliciter.

Le compliment arracha un très léger sourire à Lee Searles, mais elle ne donna aucun autre signe de plaisir tandis qu'elle transférait la patiente à la civière roulante que Will venait d'amener à la porte de la salle d'opération. Mike s'avança pour l'aider, vit que l'on n'avait pas besoin de lui et s'écarta, tandis qu'Anna Van Ryn était transportée dans sa chambre. Dans le couloir, il s'aperçut que Louis Garstein l'avait suivi.

— Passez par la chambre des rapports, Mike, voulez-vous? Je crois bien que vous trouverez un appel transatlantique qui vous attend.

— Pour moi?

— Pourquoi pas? J'ai un beau-frère nommé Zeagler, vous savez.

— Anna m'a dit qu'il était en vol.

— Il l'était, il y a deux heures. Il est retenu à l'escale de Madrid par le mauvais temps.

— Que dois-je lui dire, au juste?

— Donnez-lui les meilleures nouvelles qu'il puisse désirer — qu'Anna a survécu à une nouvelle chute.

Sur le seuil de la salle, Mike hésita un instant. Les causes de la blessure d'Anna étaient complexes — et il était heureux que Garstein n'eût pas insisté. Zeagler méritait tout de même un rapport complet sur l'opération elle-même.

— Je vais lui parler, s'il est encore à Madrid.

La téléphoniste transatlantique de New York attendait, prête à relier New Salem à l'Espagne. Quelques secondes plus tard, la voix profonde de Zeagler résonna dans l'appareil. Il écouta attentivement le récit de Mike, l'admission d'urgence de sa fille, l'opération qui lui avait sauvé la vie et le dernier diagnostic favorable.

— Je ne pourrai jamais vous remercier, docteur, répondit l'industriel avec ferveur.

Sa voix était tout enrouée d'émotion, mais elle n'était pas surexcitée comme Mike l'avait craint.

— L'opération était simple, dit-il. Notre grande chance a été de pouvoir intervenir à temps.

— Je reprends l'avion cette nuit même, si vous avez besoin de moi. Je ne peux pas joindre ma femme. Elle est déjà partie pour l'Égypte.

— Il est parfaitement inutile de changer vos plans. Après dix jours chez nous, votre fille sera complètement remise et il n'y paraîtra plus.

— Elle sera peut-être même mieux qu'avant. Ce n'est pas la première fois qu'elle fait une chute après avoir bu. Où est son mari?

— Paul est à New York, répondit prudemment Mike. Je le préviendrai demain, dès que nous saurons où le joindre.

Il y eut un bref silence au bout du fil. Mike, qui s'attendait à une explosion de colère, fut surpris par le ton calme et mesuré de Zeagler quand il reprit :

— Vous dites qu'Anna restera dix jours à l'hôpital?

— A peu près. Peut-être un peu plus longtemps.

— Ne la laissez pas partir, tant que vous n'aurez pas eu de mes nouvelles — et ne la laissez pas toucher une goutte d'alcool. En dix jours, j'aurai le temps de préparer un plan d'action.

— Y a-t-il autre chose que je puisse faire en attendant ?

— Vous avez déjà fait plus que votre devoir, docteur. Votre travail de ce soir mérite des honoraires spéciaux. Voulez-vous me fixer votre chiffre ?

— Les urgences font partie de mon travail quotidien, monsieur Zeagler.

— J'y tiens.

— Alors transigeons sur un don de mille dollars — pour du matériel indispensable.

— Quel matériel ?

— Un régulateur cardiaque et un défibrillateur. Ce soir j'aurais eu grand besoin du premier. Il est fatal que nous aurons besoin du second un jour ou l'autre.

— J'envoie la somme à Pailey par câble. Vous êtes sûr que mille dollars suffiront ?

— Amplement, monsieur.

— Vous ne voulez pas un autre chèque pour vous-même ?

— Je préfère une salle d'opération bien équipée.

— Vous êtes un homme curieux, docteur Constant — et un chirurgien comme on en voit peu.

— Il se trouve que j'aime mon travail, autant que vous aimez le vôtre, monsieur Zeagler. Au fait, je n'ai eu aucun succès en dehors de l'hôpital, bien que je me sois entretenu avec les personnes que vous m'aviez citées.

— Nous en reparlerons quand nous nous reverrons. Il se peut que j'aie alors des renseignements qui vous intéresseront.

Après avoir raccroché, Mike resta un moment assis au bureau, pour réfléchir aux choses qu'il n'avait pas dites. Il était heureux que Garstein ait demandé la communication, et surpris du calme de Zeagler en apprenant la nouvelle. Il était inutile, naturellement, de s'interroger sur la dernière réflexion énigmatique de l'industriel. Zeagler agirait comme il l'entendait, et discuterait du résultat de ses actes plus tard.

En retournant dans l'aile privée, Mike trouva miss Ford au chevet d'Anna.

— Le docteur Garstein est rentré chez lui, docteur. Il a dit qu'il vous verrait demain matin.

— Je vais la veiller un moment, si vous avez du travail.

— Nous avons entamé un flacon de glucose. Une infirmière spéciale va arriver.

— Avez-vous le dossier d'admission de Mrs Van Ryn sous la main ?

— Sur la table de chevet, docteur.

Après le départ de la surveillante de nuit, Mike examina la patiente et trouva son état satisfaisant. Anna était encore sous l'effet de l'anesthésie, mais sa pression sanguine était montée avec régularité, et le pouls s'était ralenti, indiquant que la circulation revenait rapidement à l'état normal.

Lorsqu'il eut ajouté ses propres commentaires à la feuille quotidienne, Mike fut prêt à examiner le dossier d'Anna. Comme il s'y attendait, il était succinct, mais les notes laconiques le renseignèrent assez... Il y avait eu deux précédentes admissions ; une fois pour une fracture du crâne supposée qui n'avait été qu'une fausse alerte ; l'autre pour de « multiples contusions » dont la nature exacte n'était pas spécifiée. Les deux admissions avaient été signées par le docteur Bradford Keate ; les deux blessures étaient consignées comme les suites d'une chute.

La troisième admission figurait à présent sur la feuille du chevet du lit, et Mike étudia avec soin l'ensemble du cas. Aussi hâtives que fussent les premières notes, elles formaient un tout fort précis. Le docteur Keate avait été trop timoré pour oser suggérer qu'Anna Van Ryn avait été prise de boisson quand elle était tombée, mais l'allusion était nette. Apparemment, il n'avait pas cherché à savoir si les chutes et les blessures avaient été les suites normales d'un excès de boisson.

Mike écrivit à son tour :

L'alcool ne peut être entièrement écarté comme facteur déterminant. Il est regrettable qu'aucune analyse n'ait été effectuée lors de ses deux premières admissions pour déterminer la présence ou l'absence d'alcool. Bien qu'il soit exact que les personnes en état d'ivresse soient fréquemment sujettes à des chutes, il est rare qu'elles se blessent grièvement, grâce à la relaxation du corps.

Ses propres notes écartaient l'alcool comme cause des blessures de la malade. Elle n'était pas ivre quand l'ambulance était allée la chercher...

Mike se redressa en sursaut dans son fauteuil, et secoua la tête. Il s'aperçut qu'il s'était endormi sur le dossier. Dans le lit, Anna s'agitait faiblement. Il sentit qu'elle parlait depuis quelques instants, dans son lourd sommeil drogué. C'était le son de sa voix qui avait réveillé Mike.

— *Non, Paul, ne fais pas ça!*

Le chirurgien se pencha sur la forme endormie. La figure d'Anna, délivrée de toute tension par l'anesthésie, ne révélait rien des pensées tourbillonnantes de son subconscient.

— *Paul, je t'en supplie... Non, je n'en peux plus.*

L'infirmière spéciale attendait sur le seuil lorsque Mike quitta la chambre, et depuis longtemps les marmonnements d'Anna s'étaient tus. Revenu dans la chambre des rapports, Mike prit la feuille quotidienne pour y ajouter une dernière note. Il mit beaucoup de temps à trouver les mots justes. Quand ils lui vinrent enfin à l'esprit, il les écrivit dans une sorte d'engourdissement qui ne devait rien à sa fatigue.

Mrs Van Ryn a été admise pour la troisième fois à

l'hôpital pour des blessures qu'elle attribue à des chutes. Les explications de la patiente me semblent en contradiction avec les résultats de l'examen clinique. Une enquête de police s'impose, afin de déterminer les causes réelles de ces blessures.

5

LE téléphone sonnait depuis un moment quand Mike se réveilla d'un des plus profonds sommeils qu'il n'eût jamais connus. Le chaud soleil de printemps filtrant entre les lattes du store lui apprit que la matinée était déjà avancée.

— Ici miss Sturdevant, docteur. Je vous réveille ?

— Je crains bien que oui.

— Je suis la secrétaire du docteur Melcher. Pouvez-vous venir à son bureau immédiatement ?

Bien qu'il ne fût pas encore bien éveillé, le chirurgien décela la tension de la voix.

— Nous avons eu une urgence cette nuit. Il me faut le temps de m'habiller.

— Je sais, docteur.

Mike entendit un vague murmure — la secrétaire s'adressait probablement au directeur — puis la voix reprit :

— Si cela ne vous dérange pas trop, le docteur Melcher va monter chez vous.

Mike était levé quand il entendit un grattement discret à sa porte. Larry Melcher avait l'air aussi frais que la journée de printemps. Il portait une veste blanche de laboratoire, et tenait un dossier à la main.

— J'aurais dû vous laisser dormir, docteur Constant. Le rapport de ce matin m'apprend que le docteur Garstein et vous avez veillé très tard.

— Je ne me suis couché qu'à quatre heures.

— Votre première opération pour le Memorial a été brillante.

— Nous avons sauvé une vie. Il n'était pas nécessaire d'être brillant.

— Je me suis entretenu avec Louis ; il m'a tout raconté.

— Je ne crois pas que le docteur Garstein soit au courant de tout, encore que je sois persuadé qu'il nourrit quelques soupçons. Après tout, c'est le troisième rapport d'accident de la patiente.

— Auriez-vous à vous plaindre de nos rapports d'admission ?

— Je m'en plains vivement, docteur Melcher. De fait, j'avais l'intention de vous faire part de toutes mes découvertes au sujet de Mrs Van Ryn, avant d'en informer la police.

Le directeur ouvrit le dossier qu'il apportait. C'était l'exposé du cas que Mike avait laissé au chevet d'Anna.

— Comme vous le voyez, je vous ai fait gagner du temps. Lee — miss Searles — a trouvé ce rapport ce matin en faisant sa ronde. Elle me l'a apporté immédiatement. Naturellement, cela ne doit pas aller plus loin.

— Manifestement, la patiente ne voulait rien dire. Les blessures de cette nuit résultaient de coups violents. Les précédentes aussi, j'imagine. Est-ce l'habitude de cet hôpital de faire le silence sur ce genre de choses ?

Pour la première fois, Mike voyait Melcher perdre son assurance. Pendant un instant, il eut presque pitié du directeur de l'hôpital.

— Je suis sûr qu'Anna n'a pas autorisé ces notes.

— Bien sûr que non. Tout comme elle a gardé le silence les autres fois, quand son mari l'avait battue.

— La patiente est une alcoolique, protesta Melcher. Elle est déjà tombée d'autres fois. Votre propre note mentionne qu'elle a fait une chute dans l'escalier de service après s'être pris les pieds dans sa robe de chambre.

— Je rapportais le récit de la patiente. Je n'y crois pas. Du temps que j'étais interne à l'hôpital de San Francisco, j'ai admis une dizaine de cas semblables — provenant des taudis de beatniks de North Beach, aussi bien que des beaux quartiers de Nob Hill. La situation sociale ne protège pas de ce syndrome, docteur Melcher. Parfois, je pense même que les prétendues classes supérieures y sont plus facilement sujettes.

— Vous parlez d'un syndrome...

— Les manuels parlent du syndrome de l'enfant martyr. Mais parfois la victime est un vieux parent débile, ou une épouse.

La réaction de Larry Melcher suffit à confirmer la première estimation que Mike avait faite de son caractère. Melcher était certainement un bon médecin, et un médecin intègre. Par malheur — en qualité de président d'une société gérant un hôpital, — il devait également assumer un rôle de médiateur. Devant un problème insolite, son exclamation d'incrédulité avait été instinctive.

— Je sais que le syndrome de l'enfant martyr est un symptôme admis, dit-il enfin. Je reconnais qu'il existe, à tous les échelons de notre société...

— Mais vous refusez d'admettre qu'Anna Van Ryn est une femme martyre? Et que son mari la bat très certainement?

— Avez-vous le droit de porter ce jugement?

— Tous les renseignements figurent dans ce dossier, rétorqua Mike. Quand elle a été admise hier soir, Anna était trop effrayée, et trop fière, pour nous dire la vérité. Pourquoi Paul était-il absent les deux autres fois, lorsque le docteur Keate l'a admise? Pourquoi est-il parti pour New York juste avant la troisième admission? Et pourquoi Anna était-elle désespérée au point d'avoir failli refuser l'opération?

— Rien de cela ne constitue une preuve formelle, docteur Constant.

— Comment expliquez-vous sa terreur, vous?

— Elle était grièvement blessée — elle était très naturellement commotionnée.

— Il n'y a rien de naturel dans sa terreur. La prochaine fois, elle risque d'être tuée. Notre devoir nous ordonne de rapporter son état à la police.

— Je ne puis croire cela de Van Ryn.

— Je comprends votre répugnance. Diffamer un Van Ryn, dans cette ville, est impensable. Mais ils sont néanmoins soumis à la loi, et passibles de la justice s'ils l'ont transgressée.

— Il se peut que ce soit quelqu'un d'autre que Paul.

— C'est possible, naturellement. Mais fort peu probable. Mieux vaut laisser la police en juger.

— Insinuerez-vous que le mari d'Anna est aliéné?

— La famille est la plus ancienne de la région — et il y a eu beaucoup de consanguinité. La Duchesse a toujours été excentrique. Paul est le dernier de la lignée. Aliéné n'est pas un mot trop fort pour qualifier sa conduite, récemment. J'en ai déjà assez vu pour exiger que des précautions élémentaires soient prises.

— Exiger est un bien grand mot, docteur.

— Voulez-vous prévenir la police, ou bien dois-je m'en charger?

— Le rapport sur le cas d'Anna appartient à nos archives. Tant que nous n'avons pas d'autres preuves, je refuse de le communiquer. Le moins que nous puissions faire serait d'attendre l'avis d'Aaron Zeagler.

Ce fut au tour de Mike d'hésiter, en se rappelant la communication transatlantique de Zeagler et la promesse qu'il avait faite de prendre des mesures.

— Croyez-vous qu'il soupçonne Paul?

— Il est certain que ces deux-là ne s'aiment guère. Peut-être exigera-t-il un divorce. Cela satisfera-t-il votre sens de la justice?

— Un criminel en puissance resterait malgré tout en liberté. Paul Van Ryn devrait être soigné sans plus attendre.

— Docteur Constant, vous n'êtes pas psychiatre, ni moi non plus. Ce que l'on doit faire du mari d'Anna demeure une question d'opinion.

— Une enquête de police pourrait en faire une question de fait.

— Vous ne pouvez en être sûr, d'après ce que nous savons jusqu'ici. Anna est en sécurité, tant qu'elle est ici. En attendant, Zeagler trouvera bien le moyen de s'occuper de sa fille. L'hôpital est à lui ; s'il voulait, il pourrait le fermer et dissoudre la société. Nous devons connaître ses intentions avant d'agir.

— En d'autres termes, vous supprimerez la preuve en espérant que tout ira bien?

— Disons que j'aimerais éviter que le nom des Van Ryn figure dans les journaux à scandale, et attendre une solution pacifique aux problèmes conjugaux d'Anna. Voulez-vous que nous en restions là, ajouta Melcher en refermant le dossier, et que nous oubliions cette conversation?

— Cela vous ennuierait-il que j'en parle au docteur Garstein?

— Pas du tout. Louis est le beau-frère de Zeagler. Je sais quel conseil il vous donnera. Il est allé à Albany, mais il reviendra dans la journée. Will l'a conduit là-bas ce matin, pour y acheter un régulateur et un défibrillateur.

La nouvelle stupéfia Mike. Au téléphone, Zeagler lui avait promis un chèque ; il ne l'attendait pas si tôt.

— L'agent de Zeagler en Suisse nous a viré l'argent par câble, expliqua Melcher. La somme était là ce matin quand Ralph a ouvert son bureau.

Je suis heureux que vous ayez fait cette commande. Il ne faut plus que nous risquions d'être pris de court.

— Je vous remercie de votre coopération, docteur Melcher.

— Larry s'il vous plaît, Mike.

— Croyez-moi, Larry, je n'ai nulle envie de tout chambarder dès mon premier jour...

Mike sentait que sa voix était trop sèche, en face de la sincère cordialité de l'autre, mais il ne pouvait laisser passer l'occasion de dire ce qu'il avait à dire.

— Il se peut que nous n'ayons jamais besoin d'un régulateur, tout comme il peut nous en falloir un demain. Je préfère opérer en toute tranquillité d'esprit.

— Personne ne peut vous reprocher votre dévouement à votre vocation, assura Melcher en souriant. Tout ce que vous avez noté là, ajouta-t-il en agitant le dossier, est peut-être parole d'Évangile. Nous ne risquons rien en adoptant une attitude d'attente...

— Et en essayant de rédiger un peu plus clairement les autres dossiers ?

— Nos médecins auraient-ils négligé leurs rapports ?

— Je le crains bien. Ces rapports sont à peine suffisants, docteur Melcher. D'après ce que j'ai cru comprendre, votre souci majeur est de faire accréditer cet hôpital par la Commission de la Santé Publique. Nous aurons besoin de faire un effort sérieux de ce côté, si nous voulons passer l'examen.

— Vous touchez un point sensible. Je ne nie pas qu'il soit capital.

— Il y a un autre point tout aussi important, puisque nous en sommes à éplucher les rapports. Si la tendance actuelle continue, j'ai peur que la Commission ne découvre bien trop d'hystérectomies sur vos listes d'admission. Et je suis certain que Louis Garstein est un pathologiste trop intègre pour citer des tumeurs malignes ou fibreuses quand ce n'est pas le cas. Un examen approfondi de certains de ces cas risque d'être très gênant pour vos chirurgiens.

— C'est tout?

— J'ai remarqué une gastro-entérectomie dans la salle des hommes. Il n'y a pas de quoi en faire un drame, mais les ulcères du duodénum sont traités tout autrement, de nos jours.

— Je vois que votre premier tour de service n'a rien négligé, Mike.

— Est-ce, oui ou non, la raison pour laquelle je suis ici?

— Oui, bien sûr. Si nous devons améliorer nos méthodes, je vois qu'il nous faudra vous donner carte blanche.

Le directeur de l'hôpital tendit sa main et ajouta :

— A dater d'aujourd'hui, nous formons un comité de réforme de deux membres. J'espère bien qu'à la prochaine réunion du conseil d'administration, vous ne mâcherez pas vos mots.

Quand le directeur fut parti, Mike fit sa toilette et s'habilla sans se presser. Une partie de son esprit lui disait que Melcher avait été sincère. Une autre, plus cynique, ne pouvait s'empêcher de se demander si lui, Mike, n'avait pas été la victime du plus beau lancer de poudre aux yeux de l'histoire de la médecine hospitalière.

Mike découvrit en déjeunant que l'ordinaire du personnel était excellent, le café était fort et brûlant, les œufs au bacon parfaitement à point. A tout autre moment, il eût sans doute regretté que tant de soin fût réservé au personnel médical et non étendu aux malades. Mais il avait beaucoup trop faim pour réfléchir à ce contraste, et il s'inquiétait beaucoup trop des suites de sa conversation avec Melcher.

Il en était à sa seconde tasse de café quand Ralph

Pailey arriva en coup de vent, alla se servir du café et vint s'asseoir à côté de lui.

— J'ai des reproches à vous faire, docteur Constant. Cela vous ennuie-t-il de parler affaires en déjeunant ?

Mike repoussa son assiette. Un sommeil interrompu n'avait pas modifié son impression première de l'administrateur.

— Vous avez la parole, monsieur Pailey.

— Le père de Mrs Van Ryn a déjà câblé de l'argent pour l'opération que vous avez pratiquée cette nuit.

— Comme il me l'avait promis au téléphone.

— Mille dollars — avec une condition. Louis Garstein a déjà tiré dessus, et il a emporté l'argent à Albany.

— Je le sais aussi.

— Vous auriez dû me laisser rédiger la note, docteur Constant.

— Ce n'est pas une note, répliqua Mike avec un peu d'irritation. L'argent est un don fait à mon service.

— Permettez-moi de ne pas vous suivre. La patiente a été admise en urgence. Elle aurait reçu la facture plus tard, nonobstant le fait qu'elle soit la fille du propriétaire de l'hôpital. Maintenant que le chèque est arrivé, il m'est difficile d'envoyer une facture.

— Pourquoi le feriez-vous? Je trouve que nous avons été amplement récompensés.

— Récompensés!

L'administrateur avait viré au rouge brique ; derrière ses lunettes sans monture ses yeux semblaient vouloir sortir des orbites.

— Récompensés! Selon les termes de votre contrat, les malades qui viennent chez nous sont soignés par vous, sans honoraires supplémentaires. Ma fonction est d'envoyer la facture, ce n'est pas la vôtre.

— Je n'ai jamais dit le contraire.

— Mais enfin, vous ne comprenez donc pas?

Après ce que vous avez fait pour Anna, j'aurais pu soutirer cinq mille dollars à son père. Qu'est-ce que je dis, cinq mille ? Dix mille dollars, si j'avais su m'y prendre et...

Pailey s'interrompit brusquement quand Mike éclata de rire.

— J'ai dit quelque chose de drôle ?

— C'est de moi que je ris, pas de vous. Depuis l'instant où j'ai fait votre connaissance, vous m'avez rendu perplexe. Maintenant, je sais pourquoi. Vous avez l'air d'un homme, mais vous êtes un robot, avec des dollars en argent qui circulent dans vos veines. Vous ne sauriez me faire davantage pitié, dans votre affliction. Surtout quand vous essayez de vous occuper d'êtres humains.

— Je n'ai que faire de votre pitié, glapit Pailey. Ce qui m'intéresse, c'est que nos services soient justement rétribués...

— Vous venez de dire à l'instant que mille dollars, c'était un prix trop bas pour la vie d'une femme. C'était tout ce qu'il nous fallait hier soir pour sauver la malade de cette nuit.

— Que voulez-vous dire ?

— Nous étions dangereusement à court de sang en stock, monsieur Pailey. Le docteur Garstein me dit que c'est parce que vous avez repoussé sa requête d'un renouvellement de stock. Nous aurions pu perdre la patiente, s'il lui avait fallu une seconde transfusion. Deuxièmement, son cœur s'est arrêté de battre sur la table d'opération. Avec un matériel moderne, nous aurions pu le ranimer aussitôt, mais ce matériel-là nous faisait défaut aussi. Supposez qu'Anna Van Ryn soit morte — et que Zeagler ou son mari nous fassent un procès ? Imaginez-vous les suites ?

— Nous sommes assurés.

— C'est tout ce qu'une mort inutile vous fait, Pailey ? Je vois que vous portez une alliance. Avez-vous des enfants ?

— Deux garçons et une fille.

— Supposez qu'un de vos enfants ait été sur la table d'opération, et qu'il soit mort? Est-ce que l'assurance vous suffirait?

— Voilà une question bien directe.

— Directe ou non, vous y avez répondu. Je dois beaucoup à cette ville. La nuit dernière, j'ai remboursé un peu de ma dette. Manifestement, c'est le genre d'obligation qui ne vous intéresse pas du tout.

— Nous avons chacun notre travail, docteur. Le mien est de protéger les intérêts de ceux qui vous ont embauché.

— Êtes-vous de ceux-là?

L'administrateur avait repris son assurance, et son calme. Avant de répondre, il se redressa fièrement sur sa chaise. Mike réprima un sourire. Pailey était de ces gens qui peuvent se pavaner même quand ils sont assis.

— J'ai assuré toute l'organisation de la société de l'Hôpital Memorial. J'ai été payé en actions — j'ai un droit de vote.

— Pourquoi êtes-vous entré dans l'administration hospitalière? Est-ce que vous ne vous seriez pas enrichi plus vite à Wall Street, à la bourse?

— A l'époque, j'étais agent immobilier au service des intérêts de Zeagler. Quand il a tracé les plans de son usine de New Salem, il a inclus un hôpital dans le projet d'habitation.

— Je croyais que l'idée vous revenait.

— Le côté médical faisait partie des plans de Zeagler. Je me suis occupé des détails — et j'ai organisé le groupe de médecins qui a signé le bail.

— Saviez-vous que le docteur Coxe voulait construire un hôpital bénévole, en se servant des bâtiments de l'hôpital cantonal comme base?

— Il y a des années que le plan traîne, déclara Pailey d'un ton méprisant. La Vieille Ville n'a jamais eu les moyens de le mettre à exécution. Une fois que j'ai eu trouvé les médecins qui convenaient, notre affaire a été adoptée en un mois.

— En société.

— Pourquoi pas, si nous servons la commune?

— Il y a trois ans que vous êtes ouverts. Si votre idéal est de servir, comment se fait-il que vous n'ayez pas encore été accrédités?

— Nous fournissons de bien meilleurs soins que l'hôpital cantonal n'en a jamais donné.

— Ce n'est pas du tout ce que je veux dire. Avez-vous jamais comparé vos soins avec ceux des cliniques et des hôpitaux bénévoles de cet État?

— Nos problèmes sont particuliers. Vous ne pouvez pas nous mesurer avec le même étalon.

— Je doute que vous ayez d'autre étalon que le bénéfice.

— Il me semble que cela ne vous concerne pas, docteur. Notre établissement est bien dirigé. Nos malades sont satisfaits.

— Le seraient-ils, s'ils comparaient le Memorial avec d'autres établissements hospitaliers qui ne sont pas dirigés en vue de gagner de l'argent?

Pailey commençait à transpirer, et sa figure se congestionnait.

— Je vous mets au défi de trouver la plus petite irrégularité dans mes livres. Nous avons été accrédités par le Conseil Hospitalier de l'État...

— Mais pas par la Commission de la Santé Publique.

— C'est pourquoi vous êtes ici, Constant, et pourquoi vous touchez un gros salaire. S'il y a quelque chose que vous vouliez que nous fassions, dites-le. Nous accéderons à votre requête, si elle est raisonnable.

Mike reposa sa tasse.

— Faisons un marché. Administrez les affaires de cet établissement à votre guise. Mais ne me dites pas ce qu'il me faut et ce qu'il ne me faut pas pour pratiquer la chirurgie.

— Très bien. A l'avenir, je m'occuperai de toutes les factures des malades. Nous vous donnerons un cabinet pour vos consultations privées. Quand vous vous serez fait une clientèle. Ces honoraires-là seront versés à votre compte, et soyez assuré que je m'occuperai de faire rentrer votre argent. Pourrai-je être plus juste?

— Non, sans doute, soupira Mike. Voulez-vous que nous en restions là?

— Avec joie, si nous nous comprenons bien.

— Certainement. Je remplirai mon contrat d'un an, et vous, vous resterez avec vos registres et vos machines comptables, et le personnel médical qui joue le jeu. Je crois que cela ira, maintenant que nous avons éclairci l'atmosphère. Après tout, vous avez de bonnes raisons de me donner carte blanche. Si vous n'êtes pas accrédité, Zeagler ne renouvellera probablement pas votre bail quand il viendra à expiration.

— Je reconnais que cette menace existe, dit l'administrateur d'un ton raide. Dès le premier jour, nous avons dû compter avec cela.

— Vous voulez être approuvés par la Commission. Je ferai de mon mieux pour que vous le soyez. Je vous demande simplement de ne pas me mettre de bâtons dans les roues. Je ne me laisse pas faire aisément.

Quand Louis Garstein revint d'Albany avec son matériel de salle d'opération, Mike avait terminé sa ronde et maîtrisé sa colère. Il trouva le pathologiste dans l'annexe chirurgicale, couvant du regard les précieux instruments qu'un infirmier venait de monter.

— Comment va Anna, Mike?

— Je viens de sa chambre. Elle se remet très bien.

Garstein prit un des électrodes, au bout des fils bien enroulés du régulateur, et le soupesa dans sa main, avec autant de tendresse que si la petite plaque de métal avait été une pépite d'or.

— Curieux, n'est-ce pas, qu'il nous ait fallu risquer de perdre une malade pour faire entrer cette merveille dans la boutique? Au fait, j'espère que vous ne m'en voudrez pas d'avoir utilisé un peu de notre pactole pour l'anesthésie? Nous avions besoin de tubes intratrachéiques et d'un laryngoscope.

— L'argent était là pour ça, Louis.

— J'imagine que Pailey vous a sonné les cloches pour avoir accepté le présent sans le consulter?

— Il a essayé.

— A en juger par votre sourire satisfait, je suppose que vous avez crié plus fort que lui.

— Je n'ai pas eu de mérite à ça. C'était facile, une fois que je me suis aperçu qu'il tremblait de peur. Il est sur la corde raide, ici. Si les choses avaient mal tourné pour Anna, il aurait coulé sans laisser de traces.

— Je suis heureux que vous l'ayez remis à sa place. Ne vous laissez surtout pas faire, avec lui. Il est capable de vous rendre fou furieux.

Garstein abaissa le couvercle du régulateur et rangea soigneusement l'appareil dans un cabinet vitré.

Le pathologiste et le chirurgien sortirent dans le vaste couloir séparant les deux salles d'opération. Un des chirurgiens de service, un homme trapu dont les cheveux gris en brosse faisaient penser à un général de la *Wehrmacht*, s'apprêtait à pratiquer l'ablation d'une hernie.

— Ça, c'est Bradford Keate, dit Garstein. Tenez-vous à carreau avec lui aussi. C'est le genre de type qui frappe d'abord et qui discute après.

Mike se souvenait que Keate était le médecin qui avait soigné Anna lors de ses deux précédentes admissions, et qui n'avait pas voulu mettre en doute son histoire de chute. Il s'arrêta devant le carré vitré de la salle, et attendit que le chirurgien eût pratiqué sa première incision ; il vit que le coup de bistouri avait été sûr et rapide, et il s'éloigna, un peu honteux d'avoir cédé à la tentation de le juger.

— Dans l'ensemble, Louis, la journée a été rude pour moi. Melcher l'a commencée, quand j'ai voulu porter le dossier d'Anna à la police.

— J'avais peur que vous soupçonniez quelque chose, Mike.

— C'est une pratique normale, quand un chirurgien a des doutes sur les causes d'un accident.

— Pas dans notre ville. Vous devriez le savoir mieux que moi.

— Même les Van Ryn ne sont pas au-dessus de la loi.

— Nous savons tous les deux que Paul a battu sa femme presque à mort, puis qu'il a filé à New York. Je suis certain que Larry Melcher s'en doute, mais les idées de ce genre ne trouvent pas de place dans son petit esprit ordonné. Où en êtes-vous resté avec lui ?

— Rien ne sera fait tant qu'Anna sera hospitalisée. Zeagler agira ensuite comme bon lui semblera.

— Vous ne lui avez pas fait part de vos soupçons, j'espère ?

— Bien sûr que non. Il a mentionné les autres accidents — et il a dit qu'il avait des projets pour elle quand il reviendrait. Croyez-vous qu'il soupçonne Paul de la battre ?

— Non, Mike. Anna et son père ne sont pas si intimes. Jamais elle ne se confierait à lui, et il est trop occupé à bâtir son empire pour poser des questions. Malgré tout, il a une profonde affection pour elle, à sa façon tyrannique. S'il pouvait tracer un plan pour son bonheur comme un bleu d'architecte, il le ferait passer avant tout.

— Il doit bien comprendre que ce mariage est un

échec, et qu'Anna ne reste à Rynhook que par fierté...

— Et aussi parce qu'elle se figure que son *schlemil* de mari est un artiste. Je suis sûr qu'Aaron briserait ce mariage demain, s'il en connaissait le moyen.

— Il serait donc plus sage, à votre avis, de lui cacher les faits?

— Absolument. Avec sa tension, la vérité risque de le tuer. Larry Melcher n'était pas simplement timoré, quand il a refusé de porter le dossier d'Anna à la connaissance de la police.

— Nous ne pouvons pas rester éternellement sur la branche, tout de même, prévint Mike.

— Nous le pouvons pendant dix jours. Il se peut qu'Aaron revienne d'Israël avec des révélations — un miracle, en ce qui concerne cette ville. Peut-être achètera-t-il Paul, pour sauver Anna du désastre. Ça s'est déjà vu.

— On n'achète pas un Van Ryn, Louis.

— Même pas quand c'est un lâche et un pleutre?

— Je ne crois pas que Paul soit l'un ou l'autre. C'est tout simplement un mégalomane dément qu'il faudrait enfermer.

— Jamais vous n'y réussirez. La Duchesse le défendrait. Et Anna aussi, la malheureuse. Allons, dit Garstein en prenant le bras de Mike pour diriger leurs pas vers la salle à manger du personnel, chassez ce problème de votre esprit, et venez dîner avec moi. Nous ne pouvons rien faire de plus, tant qu'Aaron ne nous aura pas donné signe de vie.

— Si cela ne vous fait rien, je vais aller en ville. Pouvez-vous me remplacer éventuellement pendant quelques heures?

— Certainement, à condition que vous soyez de retour avant onze heures. Vous allez rendre visite à votre malade dans la Vieille Ville?

— Si le docteur Coxe ne l'a pas encore renvoyée chez elle, oui.

***

A Lower Street, Mike gara sa voiture devant l'entrée de côté de la clinique du docteur Coxe, et y pénétra par la porte des urgences, un raccourci qui lui permettait d'accéder à la chambre de Sandra sans passer par Mrs Bramwell. La porte était entrouverte ; avant qu'il ait le temps de frapper, il entendit la voix de la jeune fille qui parlait avec irritation, et il recula en comprenant qu'elle était au téléphone. Honteux d'écouter aux portes, il s'attarda un instant dans le couloir, puis il continua son chemin, avec un haussement d'épaules de désespoir. L'objectif de la rage de Sandra était un employé d'hôtel de New York. Mike en avait entendu assez pour savoir qu'elle essayait de joindre Paul Van Ryn en ville — et qu'elle persistait à refuser de croire l'employé qui lui répétait avec une insistance patiente que Paul avait quitté l'hôtel définitivement.

Avant de tourner au coin du couloir, Mike entendit encore Sandra qui raccrochait brutalement. Il pensa qu'il serait fou de l'affronter alors qu'elle était dans un tel état d'esprit... Quelques instants plus tard, il était assis dans le bureau du docteur Coxe, et il examinait les radios du bras de sa patiente.

— Une très jolie réduction, déclara le vieux médecin. Dans six mois, cet os sera comme neuf.

— J'aimerais pouvoir en dire autant de la malade.

— Sandra est toujours aussi déprimée, et qui peut l'en blâmer ?

— Elle est apparemment assez bien pour téléphoner.

— Je ne pouvais guère m'y opposer. Elle a l'intention de reprendre sa carrière d'infirmière à plein temps dès que son frère sera parti. Il est normal qu'elle ait besoin de garder le contact.

— Tant professionnel que privé, ajouta Mike. Je comprends très bien.

Le docteur Coxe lui jeta un regard aigu mais abandonna le sujet.

— Comment s'est passé ta journée à Indian Hill ?

— Bousculée. En fait, j'ai été trop occupé pour penser.

— Par moments, Mike, c'est salutaire. Toute la ville ne parle que de l'adresse avec laquelle tu as sauvé la fille du propriétaire.

Le docteur Coxe tira paisiblement sur sa pipe pendant que Mike lui décrivait l'opération, et les méthodes empiriques qui avaient sauvé la malade *in extremis*. Les questions pertinentes de son mentor avaient apaisé ses nerfs. Lorsqu'il en vint à l'agitation de Melcher, à sa dispute avec Pailey et aux réactions de Garstein, il s'aperçut qu'il avait retrouvé tout son calme.

— Le baptême du feu, ce n'est pas un terme trop fort, dit-il. Je crois que j'ai surmonté l'épreuve. Mais franchement, docteur, j'en suis resté tout étourdi.

— Cela n'a rien d'étonnant. Hier, je t'avais prévenu que l'Hôpital Memorial de New Salem ne te satisferait qu'à moitié. J'ai été bien au-dessous de la vérité, je suppose.

— Oui et non. Il y a certaines choses qui me plaisent beaucoup. Mon personnel chirurgical est de premier ordre. Et je suis certain que Larry Melcher est un bon médecin sous ses dehors mondains. En tout cas, ce n'est pas un opportuniste comme Pailey.

— Pailey est un exemple extrême de sa race. Le principal défaut de Larry, jusqu'ici, a été de s'incliner devant l'administration. Après hier soir, il écoutera tes suggestions, et agira en conséquence.

— Il m'a pratiquement interdit d'accuser Paul. Je persiste à penser que nous aurions dû l'épingler.

— Il est parfois plus sage d'avancer avec prudence, dans ces cas douteux.

— Qu'est-ce qu'il y a de douteux dans le cas d'un homme qui bat sa femme ? Vous laisseriez faire, à ma place ?

— Non, si je pensais que la police peut aider... Tu dis que Paul est paranoïaque. Ayant observé Rynhook pendant des années — y compris la conduite de la Duchesse — je suis d'accord avec toi. Mais est-ce que le chef de la police Warton le serait, tant qu'il n'y a pas de parents pour signer les papiers d'internement, alors qu'Anna elle-même jure qu'il s'agit de simples accidents ? Tu ne pourras même pas convaincre un psychiatre, une fois que Paul sera sur ses gardes.

Mike ne répondit pas, frappé par la logique des paroles du vieux médecin. Durant son internat, il avait eu l'occasion d'observer bien des malades mentaux. Il avait vu des fous furieux, des schizophrènes qui changeaient d'humeur comme des caméléons, des catatoniques enfermés dans un silence monolithique qui repoussait tout contact avec l'extérieur. C'étaient là les formes extrêmes du déséquilibre. La paranoïa était un terme général désignant une maladie mentale aux multiples symptômes. Elle est difficile à diagnostiquer correctement, même dans les meilleures conditions possibles. Si le malade est au courant des intentions du médecin — cela devient impossible car il est capable de se dissimuler derrière un masque de lucidité qu'il assume à son gré.

— Regarde la réalité en face, Mike, reprit le docteur Coxe. Louis a raison. Tu as dix jours de répit avec Anna. Son père réussira peut-être à la persuader de quitter Rynhook, ou de consentir au divorce.

— Et Sandra ? Supposez que Paul s'attaque à elle ?

— Paul est peut-être un psychopathe ; il nous reste à prouver qu'il est un monstre. Cette forme de maladie mentale frappe la cible la plus proche, c'est bien connu — une mère, une femme, un enfant. Si les parents disent la vérité, il est facile de faire intervenir la police et la camisole de force. Mais tu serais surpris du nombre de victimes qui gardent le silence — par peur, par amour, ou les deux. Si ces mêmes poings se mettent à frapper en dehors de la maison, alors là c'est une autre paire de manches.

— Ce qui veut dire que Sandra se défendrait?

— Je ne crois pas qu'elle se soumettrait aussi docilement qu'Anna. Si tu veux, je lui raconterai toute l'histoire pendant qu'elle est ici — et je lui conseillerai fermement de rompre totalement avec Paul.

— Elle ne vous croira pas, docteur.

— Très juste. Ce qui veut dire que la situation demeure inchangée. Elle doit se délivrer de Paul toute seule, à sa façon. Toi et moi n'y pouvons rien — tant qu'elle n'aura pas ouvert les yeux à son sujet.

— Vous pouvez les maintenir à l'écart l'un de l'autre, tant qu'elle est sous votre toit.

— Paul Van Ryn ne risque pas de se montrer ici, assura le docteur Coxe. S'il venait, je le jetterais dehors moi-même. Pour autant que nous sachions, il est possible que Sandra fasse de même. Son intention de se remettre au travail me paraît de bon augure.

— Vous avez peut-être raison.

Mike avait tout fait pour dissimuler son désespoir. Ce n'était pas le moment de raconter qu'il avait écouté aux portes, ni de parler de la voix angoissée de Sandra quand elle n'avait pas réussi à joindre Paul au téléphone.

— Oublie donc un problème que tu ne peux résoudre, conseilla le vieux médecin. Travaille plutôt à celui qui est à ta portée. Est-ce que tu comptes rester au Memorial, après ce que tu y as vu?

— J'ai l'intention d'essayer.

— J'espérais que tu me répondrais ça, Mike. Tu as déjà eu le temps de te faire une idée générale des défauts de l'hôpital et de ses qualités. Tu sais que Larry Melcher est le cerveau de l'entreprise, la dynamo qui la fait marcher. Tu as tout à fait raison de penser qu'il est bon médecin. Il est hautement qualifié en médecine interne. Johns Hopkins et

Columbia... Louis Garstein est un remarquable pathologiste et un anesthésiste hors pair — une combinaison que l'on trouve bien rarement. Maintenant que tu as rejoins l'équipe, vous formez un front solide. Bien sûr, il y a Pailey. En Californie, tu as travaillé dans des établissements qui étaient des institutions fonctionnant au niveau le plus élevé. Dans ces hôpitaux-là, la solvabilité d'un malade n'influe en rien sur les soins qu'il reçoit. C'est toujours un choc pour un jeune médecin d'apprendre qu'en dehors des grands hôpitaux modèles subventionnés par les Universités, il y en a peu, même parmi les meilleures, qui fonctionnent entièrement selon de tels principes désintéressés.

— Quel est le grand responsable? Un public ignorant ou notre époque de facilité?

— Les deux, sans doute. La plupart des travailleurs normalement payés ont à leur disposition une pléthore de médecins, de services hospitaliers, de dispensaires. Lorsqu'un malade a besoin de soins particuliers, son médecin de famille l'envoie dans un grand hôpital d'État où les plus grands professeurs se penchent sur son cas. Quant au médecin de famille, il touche ses honoraires sans avoir à lever le petit doigt ni prendre de responsabilités. L'hôpital gagne de l'argent avec une consultation qui ne nécessite pas de soins prolongés. A la longue, naturellement, c'est le malade qui paye, quand les assurances sont obligées de relever leurs tarifs.

— En somme, vous entendez par là que le serment d'Hippocrate a été foulé aux pieds?

— Ce n'est pas une question de mauvaise médecine. A vrai dire, Mike, la combine du diagnostic et devenue une question économique. Si l'on oublie le coût, on constate que des malades assurés bénéficient d'un meilleur travail de laboratoire qu'ils n'auraient ailleurs. Naturellement, ce genre de bienfaits ne s'étend pas aux petits hôpitaux. Pailey n'aurait pas les moyens de payer le personnel nécessaire, et d'accorder en même temps aux collègues de Melcher vingt pour cent sur les bénéfices.

— Je commence à comprendre pourquoi le Memorial n'accepte pas les urgences.

— Parfaitement. Nous savons tous deux qu'un accidenté peut souvent mobiliser un lit pendant des semaines. Il y a aussi la question du paiement, quand on admet un malade sans savoir s'il est solvable.

— Pailey n'aura-t-il donc pas ce problème avec les malades de l'hôpital cantonal?

— Eh non, le contribuable paiera. Ce groupe médical-ci a de hautes relations. Ils se sont assurés qu'il existait un fonds de garantie pour les indigents et les blessés sur la voie publique, avant de signer le contrat.

— Et la place disponible? Surtout avec les accidentés et les incurables?

— Si tu as visité les sous-sols, tu as remarqué qu'il y a bien assez de lits, et qu'ils sont convenables, quand bien même ils proviennent de surplus militaires.

— Si tout cela est vrai, docteur, pourquoi m'avoir mis ce travail sur le dos?

— Parce que je te considère comme un bagarreur, Mike. Si l'état des choses empire, tu demanderas l'arbitrage de Zeagler. Si je ne suis qu'un annonceur de catastrophe, toi, tu es celui qui peut arranger les choses — suffisamment en tout cas pour faire accréditer l'hôpital.

— Je ne peux pas grand-chose tout seul.

— Je t'aiderais volontiers, mais je suis *personna non grata* au Memorial, pour d'excellentes raisons. Ils n'ont pas oublié le rôle que j'ai joué à la mairie, quand ils se battaient pour empêcher la construction d'un nouvel hôpital cantonal.

— Qui me soutiendra — en cas de vraie bagarre?

— Garstein sera de ton côté. Et aussi Larry Melcher une fois qu'il aura compris.

— Et les autres membres du personnel médical?

Le vieux médecin considéra le fourneau de sa pipe, en fronçant les sourcils.

— Je n'ai rien contre la moitié d'entre eux. Ce sont des piliers de New Salem, mais il y a aussi ceux qui ne veulent surtout pas d'histoires. En cas de conflit, ils se rangent du côté de l'artillerie lourde. Le reste, c'est un ramassis de marchands de soupe, comme on en trouve dans toutes les professions. Surtout les chirurgiens.

— Pourquoi vous en prenez-vous à ma spécialité?

— Tu comprendras vite pourquoi, quand tu auras examiné leurs agissements. Ils sont responsables de la moitié des hysterectomies inutiles pratiquées dans les hôpitaux commerciaux. Ils font les appendicites, les ovariotomies, les reins flottants. Étudie bien ces diagnostics, à chaque fois. Ils seront révélateurs.

— Y a-t-il un coupable particulier que je puisse épier?

— Le chef de file est un nommé Bradford Keate. C'est un charpentier compétent, qui adore disséquer le corps humain pour voir comment ça marche, même quand les pièces détachées qu'il ôte sont parfaitement saines.

— Je l'ai vu au travail cet après-midi.

— Il a la main experte, Mike, et il est dangereux. Évite-le chaque fois que tu le pourras. Son esprit s'est fermé à la logique il y a vingt ans, quand il a reçu son diplôme.

— J'ai déjà rencontré ce type d'hommes. Mais si cela doit aider à la cause, je veux bien me colleter avec lui.

— Si tu montes sur le ring, prends des gants plombés et n'aie pas peur d'avoir recours à tous les coups défendus que tu connais. A sa façon de bouledogue, Keate résume à lui seul tout ce que je viens de te dire. C'et le genre de toubib qui prend sa retraite à cinquante-cinq ans, avec un demi-million de dollars en bons exonérés d'impôts — achetés avec des honoraires de la main à la main qui n'ont jamais figuré sur sa feuille de déclaration. Cela, parce qu'il accepte deux fois plus de malades que le chirurgien moyen — et qu'il les expédie deux fois plus vite.

— Il n'y a personne qui lutte contre ce véritable rackett ?

— Toi et moi, nous débutons à New Salem. Il y a beaucoup de médecins comme nous, tu sais, qui en ont assez de voir notre profession se transformer en petit commerce. Et bien des commissions de santé à l'échelon des États. Si le Memorial devait être construit aujourd'hui, je pourrais sans doute réunir assez de documents pour bloquer la licence d'exploitation.

— Et vous me demandez quand même d'y travailler ?

— Oui, Mike, si tu estimes que le combat vaut d'être mené. Tu pourras peut-être améliorer le laboratoire et les soins. Tu réussiras peut-être même à chasser les Keate. Si tu y arrives, je serai le premier à crier bravo.

— C'est ironique que ce soit à un gamin de Lower Street que l'on confie le soin de rendre respectable un hôpital de New Salem.

— Il est encore temps de te retirer.

— Plus maintenant, dit Mike. J'ai signé un contrat d'un an, tout de suite après ma conversation avec Melcher.

— Pourquoi à ce moment-là ?

— C'est difficile à dire, docteur. J'ai peut-être eu pitié de lui, et j'ai voulu l'aider. Je me suis peut-être dit qu'il était un homme, en dépit de ses façons patelines. Et d'abord, qui a jamais vu un Grec flancher avant la bataille ? Auriez-vous oublié Salamine et les Thermopyles ?

***

En quittant la petite clinique, Mike évita soigneusement de longer le couloir qui passait devant la chambre de Sandra. Retardant délibérément son retour à Indian Hill, il se dirigea vers le nord et roula jusqu'à la côte abrupte de Division Road, une artère commerçante qui descendait vers l'Hudson et les taudis de Lower Street.

Il y avait un bar, à mi-chemin du fleuve, et il gara sa voiture le long du trottoir, juste après sa porte. En temps ordinaire, il eût repoussé une tentation pareille, bien qu'il ne fût pas de garde à l'hôpital; noyer ses soucis dans la boisson lui avait toujours paru illogique, car l'alcool ne pouvait au contraire que les aggraver. Ce soir-là, accablé par la tâche que lui avait assignée le docteur Coxe, et par le désespoir qui s'emparait de son esprit chaque fois qu'il pensait à Sandra, il sentait qu'il avait besoin d'une détente.

Derrière les portes de verre dépoli, la salle était plongée dans la pénombre. En s'asseyant sur le premier tabouret de bar, Mike crut être le seul client, le seul occupant, à part le barman trapu installé à la caisse, le nez plongé dans un journal de courses.

— Bourbon, s'il vous plaît. Un double bourbon avec de la glace, sans eau.

Quand on lui servit son verre, il le vida d'un trait et sentit la chaleur bienfaisante se répandre dans tout son être. Il savait que le bien-être artificiel ne durerait pas — mais il était quand même heureux de s'être arrêté là, pour délivrer un instant son esprit.

— Le docteur Constant, si je ne me trompe pas?

La voix bien modulée provenait d'une table du fond. Avant même que l'homme se fût levé dans l'ombre, Mike avait reconnu Jason West — sa canne, son verre à moitié vide et son sourire de tragédien. Ce soir-là, l'acteur portait un costume admirablement réussi. Il avait un gardénia à la boutonnière; ses cheveux gris avaient été coupés et luisaient de pommade. Chose étrange, cette élégance le faisait paraître encore plus navrant, bien qu'il parût assez gai.

— Voulez-vous vous joindre à moi, cher monsieur?

— Avec joie, docteur, bien que votre présence ici me surprenne, je l'avoue. Je crains que mon ami Stevenson ne l'approuve pas. Je ne parle pas d'Adlaï, bien sûr, mais de l'auteur de l'*Ile au Trésor*. Vous connaissez certainement l'hommage qu'il a rendu à votre profession?

— Hélas! je crains d'en être resté à Long John Silver.

Jason West leva théâtralement un bras.

— Au cours de notre très brève rencontre d'hier, votre attitude m'a plu. Maintenant que je vous ai vu à l'œuvre, ou pour être précis, que j'ai appris ce que vous avez fait par des personnes dignes de foi, je suis doublement admiratif.

— Je ne comprends pas très bien ce que vous voulez dire.

Jason West tourna son regard vers le bar, vit que Barney se déplaçait pour servir un nouveau client, et se pencha plus près de Mike.

— J'ai une immense dette de reconnaissance envers vous, docteur Constant.

— Appelez-moi donc Mike.

— Merci, Mike, d'avoir sauvé une personne qui m'est très chère. Une perle entre les femmes, plus riche que toute sa tribu. Comme le vil Indien du Barde, j'ai jeté ce trésor, alors qu'il aurait encore pu être à moi. Ce fut la plus grande folie de ma vie.

— Anna Van Ryn?...

— De qui voulez-vous que je parle? La nuit dernière, vous l'avez sauvée avec votre bistouri guérisseur. J'ai tout appris par ma sœur, qui le tenait de son infirmière.

— Je suis chirurgien, monsieur West. Je ne mérite pas de louanges particulières pour avoir fait mon métier.

Le compliment avait fait rougir Mike, de plaisir, mais ce plaisir était surtout causé, non, par la flatterie, mais par le fait que Sandra avait entendu parler de l'affaire et l'avait répétée.

— Je suis néanmoins votre débiteur, insista l'acteur. Si Anna était morte cette nuit, je n'aurais jamais pu supporter cette perte.

Le visage de l'acteur était un masque de douleur ; pour la première fois, Mike devina l'être qui se dissimulait derrière les poses théâtrales, les citations et la mélancolie. Ce fut pour lui une révélation. Le secret de l'art de Jason West résidait dans l'homme lui-même, dans son besoin d'aimer et d'être aimé en retour. C'était un sentiment qu'il avait toujours partagé avec son public, en lui faisant oublier la vie quotidienne, en le haussant au-dessus de lui-même, en le forçant à vivre dans un monde meilleur jusqu'au baisser du rideau... Avait-il donc partagé ce sentiment avec Anna Zeagler, avant que, dans sa folie, elle change ce nom pour celui d'Anna Van Ryn ?

— Je savais que vous aviez joué avec Anna, murmura Mike en prononçant les premières paroles qui lui venaient à l'esprit, car découvrir le véritable Jason West le stupéfiait et l'empêchait de penser clairement. Je n'avais jamais imaginé que vous aviez été amis en dehors de la scène.

— C'est une histoire banale, Mike. Le père d'Anna ne s'était pas opposé à ce qu'elle fasse du théâtre. Il a commandité la pièce dans laquelle nous avons joué ensemble. Malheureusement, la pièce n'eut aucun succès, et Anna en conclut que ses dons n'étaient pas à la hauteur de son amour du théâtre. Son talent était évident, pourtant. Malgré tout, elle était prête à me sauver de moi-même. Si j'avais accepté ce cadeau inestimable, je ne serais pas une loque à quarante-sept ans. Naturellement, j'ai eu peur que son père me prenne pour un coureur de dot. Et puis aussi, j'avais déjà fait quatre mariages malheureux et j'avais peur d'échouer encore une fois. Le jour où le rideau se baissa pour la dernière fois sur notre spectacle, j'ai accepté une offre de Hollywood et j'ai quitté Anna.

— Vos chemins ont dû se croiser de nouveau à New Salem.

— J'ai pris soin de l'éviter. Ce n'était pas difficile. Parfois, je la voyais de loin — des fenêtres de Gate House — quand elle se promenait dans le parc. Elle quitte rarement Rynhook, quand son mari est là.

— N'est-ce pas pour elle que vous êtes revenu?

— La question est indiscrète, Mike. Vous n'avez pas le droit de la poser. Et j'ai encore moins le droit d'y répondre.

— J'ai la réponse, à présent. Le fait que vous soyez ici, avec un simple mur de propriété entre elle et vous, prouve assez que vous avez envie de vivre.

— Est-ce qu'on ne vous a jamais appris à l'internat à ne jamais faire de diagnostic hâtif? Il me semble que je me rappelle cela, d'un rôle dans un film que j'ai tourné.

— Vous avez avoué que vous aimiez autre chose que vous-même — quand ce ne serait qu'un espoir perdu. Tant qu'il y a une chance, si minime soit-elle, d'être réunis de nouveau, tant que vous conservez une ombre d'espoir qu'Anna vous aime encore, vous vous cramponnerez à la vie. Cette histoire d'autodestruction est un écran derrière lequel vous vous cachez — une excuse pour vous apitoyer sur vous-même.

— Même pour un médecin, vous abusez de vos privilèges.

— Ce que j'ai dit est vrai, monsieur West.

— Appelez-moi Jay, je vous en prie. Tous mes amis m'appellent ainsi. Mes ennemis aussi, d'ailleurs. En ce moment, je ne sais trop dans quelle catégorie vous faire entrer.

— Pourquoi? Parce que j'ai dit que n'importe

quelle vie vaut d'être vécue — même ce qui reste de la vôtre ?

— Je ne me serais jamais douté que les médecins pouvaient être aussi romanesques. A dire vrai, ce n'est que par une ironie du sort, un hasard, qu'Anna et moi sommes tous deux à New Salem.

— Je ne le crois pas, Jay.

— Les faits sont là. Je suis à Gate House parce que je n'ai rien d'autre vers quoi me tourner. Il y a dix semaines, je me suis effondré dans Hollywood Boulevard. Depuis plus d'un an je suis, comme on dit au théâtre, libre. Comme je n'avais pas d'argent, j'ai été transporté à l'hôpital municipal, et j'y suis resté jusqu'à ce que ma sœur vienne à mon secours. Une salle commune d'hôpital n'est pas un endroit bien agréable pour mourir.

— Ainsi, nous en revenons à la mort ?

— Je vous ai dit la vérité, Mike. Je suis un homme au bout de son rouleau. Bien entendu, j'ai essayé de le cacher à Sandra ; je lui ai même parlé de retourner sur la scène. Ce n'est pas difficile de l'abuser, quand ses pensées sont retenues ailleurs.

— A New York — auprès de Paul Van Ryn.

— Votre perspicacité vous fait honneur. Elle ne cesse d'essayer de le joindre au téléphone. Elle adore cet innommable vaurien — hélas! A chacune des trahisons de Paul, l'amour de Sandra semble décupler. Si c'est humainement possible, elle fera tout pour le voler à Anna.

— Il n'y a donc aucun moyen de l'arrêter ?

— Une balle entre les deux yeux de Paul arrangerait tout. Je l'y mettrais, si mes mains s'arrêtaient de trembler. Je crains qu'il n'y ait pas d'autre moyen d'arrêter la marche du destin.

— Sandra reviendra peut-être à la raison avec le temps.

— Ça, mon cher Mike, c'est l'illusion la plus follement romanesque de toutes. J'ai trente ans de dilettantisme amoureux derrière moi pour le prouver.

— Vous n'avez pas aimé Anna en dilettante.

— Très juste. Elle a été l'unique amour de ma vie. C'est pourquoi je n'ai pas l'intention d'être témoin oculaire de sa misère actuelle. La folie de ma sœur me suffit comme fardeau.

Jason West vida son verre et glissa du tabouret de bar. Il vacilla légèrement, et assura son équilibre en mettant le pied sur la barre de cuivre.

— Je vous dis adieu — après vous avoir dévoilé les recoins de mon cœur. Je crains que ce n'ait été un aperçu bien décevant.

— Pas pour moi, Jay. Je sais au moins qu'il y a de l'espoir pour vous, maintenant.

— Erreur, Mike. Il n'y a qu'un remède à ma longue maladie. Par conséquent, il est temps que je me mette aux travaux d'aiguille.

— Encore une citation à la clef?

— Comment avez-vous deviné? Je dois maintenant m'appliquer à *coudre à la fois, avec un double fil, un linceul ainsi qu'une chemise.* Le vers est de Thomas Hood, un poète anglais mineur. Sa signification me paraît évidente.

Le pas mal assuré, l'acteur sortit du bar, en saluant Barney d'un moulinet de sa canne au moment de franchir le seuil. Mike vida son propre verre et posa un billet sur la caisse enregistreuse.

— Est-ce qu'il boit comme ça tous les soirs?

— M. West n'est pas ivre, docteur. Ça fait plus d'une heure qu'il sirote le même verre. Ne vous laissez pas impressionner par sa démarche vacillante. C'est son cœur malade qui veut ça, pas le whisky.

— Je ferais mieux de le suivre jusque chez lui, alors.

— Il lui est déjà arrivé de partir comme ça, et il est bien arrivé. Mais il y aura un jour où il n'arrivera pas.

La voiture de Jason, une antique Cadillac, héritage de ses jours de gloire, venait de démarrer ; elle était à mi-chemin de Lower Street avant que Mike ait pu mettre sa propre voiture en marche pour le suivre.

De loin, il lui semblait que l'acteur conduisait normalement. Ce ne fut que lorsqu'il le vit brûler un feu rouge, que Mike s'alarma. Il fut obligé de passer aussi, pour ne pas perdre la Cadillac de vue.

Une centaine de mètres plus loin, la rue émergeait de l'ombre des immeubles misérables pour suivre la rivière. Droit devant, il y avait le pont de Bearclaw Point, avec le déversoir du barrage au-delà de ses piles. Jason fonçait sur son objectif à une vitesse insensée ; Mike poussa un cri d'avertissement futile quand la Cadillac vira brusquement au moment d'atteindre le pont.

Tout en freinant désespérément, Mike était persuadé que la Cadillac allait enfoncer la barrière qui séparait Lower Street du lac artificiel. Mais elle s'arrêta brusquement, les deux roues avant dans le fossé qui bordait la route.

L'avertisseur de la Cadillac s'était mis à glapir avant que la voiture s'arrête. Le bruit persistait (et plusieurs voisins furieux étaient sortis sur le pas de leur porte) quand Mike vint stopper près de la voiture accidentée. Quand un homme traversa la rue avec une torche électrique à la main, pour voir ce qui se passait, le faisceau de lumière révéla Jason affalé sur le volant, la tête et les épaules pesant sur l'anneau métallique de l'avertisseur.

Une dizaine de curieux s'étaient rassemblés avant que Mike descende de sa Ford. Il joua des coudes pour traverser le groupe.

— C'est ce poivrot de Gate House...

— Encore ?

— C'est vrai que c'est Jason West ?

— Le seul et unique. Qui pourrait croire que ce type était une grande vedette de cinéma ?

— Si, c'est bien lui. Je l'ai vu la semaine dernière à la télé, dans un vieux film.

Mike éleva la voix pour couvrir le murmure.

— Tenez cette torche droite, s'il vous plaît. Je vais le soulever du klaxon.

— Feriez mieux de pas y toucher, mon vieux. Vous risquez d'avoir des ennuis — tripoter un poivrot avant que la police rapplique.

— Je suis médecin. Nous n'avons pas besoin de la police.

Lorsque Mike eut soulevé Jason, il s'aperçut que le moteur tournait encore. Apparemment, l'acteur avait senti qu'il perdait le contrôle de sa voiture à temps pour freiner brutalement. Ses lèvres étaient bleues, et la lenteur de son pouls surprit Mike.

— Je vais le transporter à l'hôpital. Quelqu'un pourrait-il conduire cette voiture, pendant que je le soutiens ?

L'homme à la torche électrique se glissa au volant de la Cadillac, et des mains bénévoles poussèrent la voiture du fossé sur la chaussée. Un autre voisin suivit, au volant de la Ford. L'entrée des ambulances de l'Hôpital Memorial n'était qu'à cinq minutes de là. Cette fois, Mike n'eut pas à attendre après avoir sonné, et Wilson accourut avec une civière roulante.

Un quart d'heure après son attaque, l'acteur avait été déshabillé dans une chambre particulière par les soins de Mike et de Wilson, revêtu d'une chemise de nuit d'hôpital et le masque d'un inhalateur d'oxygène portatif était appliqué sur sa figure. La cyanose ne faisait maintenant plus de doute. Mêmes les lobes des oreilles étaient bleus.

— Il a l'air bien mal en point, docteur, murmura Wilson. Vous croyez que vous le tirerez de là ?

— Nous avons une chance. Allez me chercher le régulateur cardiaque. Sur l'étagère du haut dans la réserve de la chirurgie.

Pendant qu'ils s'occupaient du malade, miss Ford était entrée dans la chambre. Sur un signe de tête de Mike, elle prit en charge l'inhalateur, permettant à Mike de dénuder le torse du malade pour ausculter le cœur. Il fut étonné de le trouver presque normal quant à la taille. Le stéthoscope lui apprit que les battements étaient de moitié au-dessous de la normale, mais qu'il n'y avait pas de souffle inquiétant. Quand le régulateur arriva, Mike était prêt à placer les deux électrodes directement au-dessus du cœur malade.

— Branchez le courant, Will. Dieu soit loué que nous ayons reçu cet appareil aujourd'hui!

L'effet fut saisissant. Stimulé par les trois légers électrochocs courant dans le muscle cardiaque, le pouls de l'acteur redevint normal. Moins de cinq minutes après l'application des électrodes, il était régulier sous les doigts du chirurgien, et la teinte bleue commençait à s'estomper sur les lèvres et les lobes des oreilles.

— Que s'est-il passé, docteur ? demanda miss Ford.

— On dirait une attaque Stoke-Adams par arrêt du cœur. Il a perdu connaissance au volant quand ça l'a pris. Le cœur ne battait plus assez vite pour fournir du sang au cerveau.

— Dans combien de temps reviendra-t-il à lui?

— Pas avant plusieurs heures, à en juger par sa réaction actuelle. Il a bu un verre ou deux ce soir. J'espère que ça le fera dormir, même avec le régulateur en marche.

— Je vais mettre quelqu'un à son chevet, au cas où il se réveillerait avant le matin.

— Dès qu'il reprendra connaissance, prévenez-moi. J'arrêterai le courant, et nous verrons si le cœur peut conserver le même rythme sans l'appareil. L'avez-vous déjà admis ici?

— Pas que je sache.

— C'est un cas médical, mais il est inutile d'ennuyer le docteur Melcher ce soir. Il l'examinera demain, et on fera un électrocardiogramme. Nous saurons alors ce qui ne va pas.

***

Le jour pointait quand Mike retourna au chevet de l'acteur. Jason West commençait à revenir à lui, après une nuit paisible. Pendant que le chirurgien lui prenait sa tension, il ouvrit de grands yeux étonnés et ensommeillés.

— Ainsi, les hommes en blanc sont revenus à la charge. A moins, bien entendu, que vous ne soyez un archange qui m'accueille dans un monde meilleur.

— Vous êtes à l'Hôpital Memorial de New Salem, Jay, répondit Mike. Apparemment, vous avez décidé de continuer à vivre. Je suis heureux que ma prédiction se réalise.

— Vous m'avez repêché dans la mare?

— Vous vous êtes arrêté dans un fossé de Lower Street.

L'acteur haussa les épaules. Il y avait de l'élégance dans ce geste, en dépit de la grossière chemise d'hôpital, et du lit surélevé.

— Faites-moi confiance pour louper ma grande scène, Mike.

— Alors vous saviez ce qui se passait?

— Bien sûr. Si on vous a aidé, au pont, vous devez savoir que ce n'est pas la première fois que je m'arrête là. Hier soir, c'était plus réussi que d'habitude.

— Avez-vous décidé de vous suicider, et vous êtes-vous évanoui après?

— Il semble que ce soit le souhait qui déclenche l'attaque, docteur.

— C'est évident. Et c'est une preuve de plus de la justesse de mon diagnostic. Vous voulez vivre.

— Vous ne croyez pas que j'ai essayé d'enfoncer la barrière?

— Rien ne saurait être plus facile que d'enfoncer cette barrière de planches pourries, rétorqua sévèrement Mike. Votre subconscient a tout simplement refusé de jouer votre grande scène finale.

— Vous avez donc fouillé mon subconscient, et jugé que je crains plus encore la mort que la vie. Avez-vous aussi diagnostiqué ma maladie physique?

— Vous avez eu une syncope. Une des affections cardiaques les plus communes.

L'acteur leva les yeux au ciel.

— Après avoir remporté deux Oscars, je refuse de reconnaître que je souffre d'une maladie commune!

— Avec un traitement approprié, vous n'aurez plus besoin d'en souffrir.

— Quel traitement y a-t-il donc pour la thrombose coronaire — avec infarctus?

— Si vous êtes capable de décrire votre maladie avec autant de précision, c'est que vous avez déjà été soigné.

— En effet, et fort bien, après ma première crise, alors que j'avais encore les moyens de consulter des spécialistes. Le docteur Branch, de Beverly Hills, m'a tout expliqué. J'avais le moral trop bas pour l'écouter.

— C'est assez simple, dit Mike. Une partie du muscle cardiaque est privée de sang, et dégénère. Avec le temps, il est remplacé par une cicatrice fibreuse.

— Ma cicatrice est petite, à en croire le docteur Branch. Je n'ai jamais beaucoup souffert, et il y a eu peu de symptômes coronaires. Apparemment, le plus difficile est de localiser ma bête noire.

La tête de l'acteur reposait sur l'oreiller ; il avait l'air parfaitement détaché, comme s'il discutait de la maladie de quelqu'un d'autre.

— Je suppose que votre infarctus est consécutif à une coronarite, ce que l'on appelle communément infarctus du myocarde.

— Ça me paraît assez formidable.

— C'est le centre nerveux du cœur. Les fibres agissent comme des câbles téléphoniques. Quatre-vingts fois par minute en moyenne, ils transmettent un message au reste du cœur, d'une sorte de standard placé dans son segment supérieur — ce que l'on appelle cardiorégulateur, ordonnant au muscle de se contracter. Chacun de vos battements de cœur prend naissance ici. Détendez-vous, nous allons voir si tout refonctionne bien.

Tout en parlant, Mike avait dégagé les électrodes du régulateur. Il repoussa l'appareil, et posa son stéthoscope sur la poitrine de Jason. Le cœur battait un peu plus rapidement que la veille au soir, mais avec les exigences réduites au minimum, la couleur du malade était bonne et il n'avait pas l'air de se sentir mal. Seuls un électrocardiogramme, d'autres examens et des analyses détermineraient l'étendue des dégâts — et le moyen d'y remédier.

— Ce jargon est tout à fait impressionnant, dit l'acteur. Est-ce que le bidule posé sur mon estomac m'a permis de passer la nuit?

— Ce n'était qu'une sécurité supplémentaire dont on n'a plus eu besoin, dès que vous avez été remis. Pour le moment, votre cœur marche aussi régulièrement qu'un chronomètre suisse, si l'on peut imaginer un chronomètre suisse qui va trop lentement. Heureusement, vous avez un second cardiorégulateur dans la partie inférieure du cœur. Il détermine le rythme, quand l'impulsion donnée d'en haut ne peut franchir la cicatrice.

— La doublure, si j'ai bien compris, est parfois un peu paresseuse — d'où mes syncopes?

— C'est exactement ça. Heureusement, nous avons un moyen d'empêcher que cela se reproduise.

— Sûrement pas par la chirurgie?

— La chirurgie en elle-même est très simple. Il suffit de placer deux électrodes dans le muscle cardiaque.

— Vous appelez ça simple?

— Dans cette opération, c'est le mécanisme qui guérit, et non l'homme au bistouri. Après avoir placé les électrodes, nous les relions à un dispositif qui engendre des pulsations de courant électrique, une version en miniature du régulateur que nous avons utilisé cette nuit. Vous le porterez comme vous porteriez un appareil acoustique, seulement il sera placé sous le thorax au lieu d'être dans l'oreille. Une fois branché, l'appareil force le muscle cardiaque à se contracter à la cadence normale, même si votre propre système régulateur tombe en panne. Au lieu de vous évanouir, comme hier soir, vous continuerez d'aller et de venir normalement.

— On dirait un miracle, Mike. On peut le mettre en marche et l'arrêter?

— Ils ont dû vous en parler à Hollywood. Il y a plusieurs années, à Stanford, j'ai fait des études expérimentales avec ce genre de régulateur, le « pacemaker », fonctionnant sur pile électrique. A présent, la méthode est bien comprise.

— On a mentionné quelque chose de ce genre. J'ai refusé d'écouter.

— Pourquoi? Déjà, vous aviez envie de mourir?

— Je savais que je n'étais plus que la moitié d'un homme, répondit Jason West. Quelques fils électriques sous ma peau feraient monter le pourcentage à trois quarts. Ce n'est quand même pas suffisant.

— Hier soir au barrage, cette moitié d'homme a arraché votre corps à la mort. Avec un pacemaker à votre service, rien ne s'opposerait à ce que vous vous remettiez à jouer.

— On ne m'offre plus de premiers rôles.

— Il y a d'autres bons rôles. Je suis certain que vous recevriez des propositions, si vos amis savaient que vous pouvez les accepter.

— Bien sûr, on me proposerait des contrats. Mais comment accepter un nouveau rôle, sachant pertinemment que je ferais faux bond à mon producteur?

— Pas avec une pile incorporée qui vous ferait tourner rond.

— Est-ce que je pourrais me saouler quand je voudrais — et faire l'amour?

— Pas comme à trente ans, certes. Mais à part ça, vous mèneriez une vie normale.

Jason West ferma les yeux, et hocha lentement la

tête. En l'observant, du pied du lit, Mike vit que l'acteur savourait le suspense qu'il créait — tout comme la veille il avait savouré son flirt avec l'éternité.

— Et si je vous disais que je ne suis pas l'homme des demi-mesures, docteur Constant ? Qu'avec moi c'est tout ou rien.

— Je vous traiterais de fieffé imbécile. Personne ne peut imposer ses propres conditions à son existence.

— Je l'ai fait — jusqu'à ce que mon cœur flanche.

— Et vous refusez encore le compromis ?

— Une nouvelle citation va vous faire comprendre mon point de vue.

— Est-ce que vous vous exprimez toujours par des citations ?

— Dans mon métier, c'est une maladie professionnelle. Celle-ci est vraiment obscure. Un poème appelé *Laissez-moi vivre mes Années*, par un gars nommé Neihardt. Il contient des nuances qui ne peuvent séduire qu'un acteur.

Les yeux toujours fermés, West leva une main, et récita lentement, d'un ton dramatique, en faisant porter l'emphase sur chaque mot :

Laissez-moi vivre mes années dans la chaleur du sang
Laissez-moi m'enivrer du vin du rêve
Que je ne vois pas la maison de mon âme, faite de boue,
Tomber en poussière — tabernacle vide.

Et faites que lorsque j'affronterai l'horrible Chose
Ma chanson claironne dans la grisaille du Peut-être.
Ah, que je sois une corde à violon harmonieuse
Qui déchiffre la Mélodie-Maîtresse — et puis casse !

L'acteur rouvrit les yeux, et sourit.

— C. Q. F. D., docteur. Quand un homme a touché aux étoiles, on ne peut guère lui demander de redescendre marcher sur la terre.

— A votre aise, Jay. Comme je vous l'ai dit, nous ne pouvons même pas savoir si l'expérience réussira, tant que nous ne l'avons pas tentée.

— Pourrais-je avoir une piqûre pour dormir? Ou bien craignez-vous que j'en prenne l'habitude?

— Vous avez été un alcoolique raté, dit Mike en souriant. Je ne peux pas dire que le rôle d'homme fatal soit un de vos meilleurs — et vous avez fait ce que l'on appelle je crois un bide, au théâtre, dans votre rôle de suicidé. Je vous envoie miss Ford avec la seringue.

***

Les coqs chantaient sur les Hauteurs de New Salem lorsque Mike s'assit dans la chambre des rapports pour rédiger le « cas » Jason West, non pas pour les fiches de l'hôpital, mais afin de mieux évaluer ses propres pensées.

C'était un travail qu'il pouvait sans doute remettre à plus tard, mais il savait qu'il ne dormirait pas tant que ses conclusions ne seraient pas en ordre. Utilisant une espèce de sténo personnelle qu'il avait mise au point à l'Université, il remplit une page sans s'arrêter un instant pour réfléchir. Lorsqu'il relut ses notes, il sentit ses nerfs se détendre. L'acteur lui-même, songea-t-il, n'aurait pu s'exprimer dans un style plus fleuri.

La nuit dernière, un autre enfant prodigue a été admis au bercail. Le plus spectaculaire jusqu'à présent — le grand acteur autrefois célèbre, Jason West.

Sa maladie de cœur, tout en étant grave, n'est pas, et de très loin, aussi dangereuse que celle de son âme blessée qui refuse de se résigner aux atteintes de l'âge, et au déclin de sa gloire cinématographique. Aussi s'entête-t-il à jouer Hamlet pour un public unique — lui-même. Il veut être le mortel maudit par les dieux, qui se pose encore et toujours l'éternelle question : To be or not to be, *vaut-il mieux être ou ne pas être?*

Hier soir, au barrage Van Ryn, Jason a joué une fois de plus sa scène du suicide — un numéro bien répété qui l'entraîne jusqu'à l'extrême bord, mais pas au-delà.

Un jour ou l'autre naturellement, sa comédie risque de tourner mal. Hier soir, la syncope, et la cyanose qui en résulta, ont bien failli le tuer. Au mieux, sans de prompts secours, le cerveau aurait été irrémédiablement endommagé.

Ce contact avec la mort marquera-t-il un tournant décisif? Il serait présomptueux de répondre par l'affirmative. Je conserve l'espoir qu'il envisagera l'opération et la pose du pacemaker que j'ai conseillé. Un homme de son grand talent n'a pas lieu de quitter la scène quand il n'en est plus la vedette.

Mike reprit sa plume. Le portrait de Jason West qu'il venait de tracer à main levée était la projection d'un vœu, et se rapportait peu à l'épave couchée dans la chambre voisine... De nouveau, Mike remplit une page de sténo, sans perdre la peine de choisir ses mots.

Et la prodigue qui demeure aux soins de son médecin, in loco parentis?

Le frère de Sandra West, de son propre aveu, est revenu dans ses foyers pour y rendre l'âme. Sandra elle-même est revenue à New Salem — son agressivité intacte — pour y vivre en dehors des codes convenus. Hier soir, j'ai fait l'amère découverte qu'une femme possédée (le terme a une signification particulière que seul un psychiatre expert pourrait expliquer) ne reculera devant rien pour acquérir l'objet de ses désirs.

Quant à Anna Van Ryn, sa patience, jusqu'ici, a été infinie.

Je ne puis chasser la conviction qu'elle aussi, elle retournera vers Paul s'il l'appelle. Comme Sandra, elle a les yeux grands ouverts sur sa perversité. Cependant elle continue de croire à l'image qu'elle a créée — celle du génie méconnu qui a encore besoin d'elle...

La plume se souleva du papier. tandis que Mike

étouffait un bâillement. Les exigences d'un corps las sont parfois plus salutaires que les divagations d'un esprit trop imaginatif. Tout fascinant que fut le rêve de changer le destin d'un homme, Mike évitait difficilement cette collision avec la vérité.

Qu'avait-il fait, jusqu'à présent, pour sauver Jason West de sa partie de « cache-cache » avec la mort? Pourrait-il à l'instant du choix, empêcher Sandra de céder à Paul Van Ryn? Les mains liées par les mœurs de fer de New Salem, pourrait-il épargner à Anna le prochain assaut des poings de Paul — alors qu'Anna elle-même semblait presque demander ce châtiment?

Il restait une ligne au bas de la deuxième page. Il y traça deux phrases, et les contempla longuement avant de déchirer les deux feuillets en petits morceaux qu'il jeta dans la corbeille à papiers de miss Ford.

Aaron Zeagler — pour qui c'est une seconde nature que de jouer au Bon Dieu — a promis d'agir à son retour. Comment t'y prendrais-tu, toi, pour arrêter Paul, si tu possédais les pouvoirs de Zeagler?

Le docteur Artemus Coxe avait un jour exprimé le regret de ne pas avoir étranglé le dernier des Van Ryn à sa naissance. La solution était séduisante. Mike Constant avait besoin de faire un effort de volonté pour chasser de son esprit ce rêve malfaisant.

Il savait que la promesse de Zeagler n'avait pas été donné en l'air ; il ne pouvait guère espérer une solution si directe... « Voilà que tu te remets à penser comme lui, se gourmanda-t-il. Tu as perdu assez de temps ; recommence à travailler. »

En bâillant, il prit une nouvelle feuille de papier et commença à rédiger les notes cliniques sur le cas de Jason West, que le docteur Melcher lirait dans la matinée.

6

LES lignes jetées sur le papier à l'aube avaient servi aussi à sonder l'âme de Mike. Dans la quinzaine qui suivit, il se félicita d'avoir détruit ces divagations. Il avait craint de nouvelles alertes et incursions, mais il avait eu la joie de voir que la situation demeurait stationnaire — grâce à l'absence persistante de Paul, et au fait que ses trois malades, absorbés par leurs soins respectifs, parussent satisfaits d'un statu quo empirique.

Le lendemain de l'admission d'Anna à l'hôpital, Paul avait fait envoyer des roses, de Washington, ainsi qu'un télégramme exprimant son chagrin pour son accident et son plaisir d'apprendre la convalescence. Le télégramme disait qu'il donnerait plus tard les résultats de son mystérieux voyage, mais n'expliquait pas quelles raisons l'avaient amené dans la capitale.

Les progrès postopératoires d'Anna avaient été satisfaisants bien que la malade demeurât relativement prostrée. Pour Jason West, le diagnostic restait réservé — en attendant une étude plus approfondie de son électrocardiogramme (qui révélait un net blocage du cœur par suite d'une lésion coronaire) et sa réaction à plusieurs remèdes que le docteur Melcher désirait essayer. L'acteur avait accepté avec soumission la nouvelle qu'il devait rester plusieurs jours au lit, mais cette résignation apparente n'abusait pas Mike. Il savait que Jason attendait son heure. Les questions soulevées le soir de la syncope demeuraient sans réponse.

Sandra était venue voir son frère le lendemain de son admission, le bras maintenu par une légère attelle de matière plastique que le docteur Coxe avait moulée, sur les conseils de Mike, pour remplacer le plâtre encombrant. Son aisance avait été parfaite quand elle avait remercié Mike d'avoir sauvé la vie de Jason. Il était difficile de croire que c'était la même jeune fille qui lui avait répondu sans honte lorsqu'il l'avait interrogée sur ses projets d'avenir — et plus difficile encore de se rappeler sa fureur au téléphone, quand elle n'était pas parvenue à joindre Paul.

Mike ne put s'empêcher de se demander si elle avait réussi à lui parler, finalement, ou s'il y avait une autre raison, plus saine, à la sérénité de Sandra. C'était encourageant de noter qu'elle s'était faite inscrire sur le registre de l'hôpital comme infirmière diplômée qui serait disponible dès que son bras serait complètement guéri... Cela, après tout, était du domaine de Mike. Il l'interrogerait en toute sécurité, même si les questions frôlaient la lisière du terrain interdit.

— Est-ce que cela signifie que tu comptes rester à New Salem pour le moment ?

— Il le faut bien — pour Jason. Je n'ai plus le choix, maintenant que tu m'as dit ce qu'il avait réellement.

— Je dois avouer qu'il serait soigné aussi efficacement à New York.

— La grande ville n'est pas un endroit pour lui, dans son état d'esprit actuel.

— Et s'il consent à la pose du pacemaker ?

— Tu crois?

— Il sait ce qui l'attend, Sandra. Une demi-invalidité, ou un retour à la scène, sur des bases limitées.

— Jason est encore loin de reconnaître qu'il y a des limites à son avenir.

— Malheureusement, je ne puis prendre de décision pour lui.

Pour la première fois, Sandra sourit.

— Merci de lui avoir fait comprendre l'alternative. J'imagine que tu lui as administré le traitement Mike Constant habituel — avec un tour de vis supplémentaire.

Pendant presque toute cette quinzaine, la routine de l'hôpital occupa trop Mike pour qu'il s'abandonne à l'introspection. Melcher (Mike en était sûr) avait averti les médecins de la nécessité d'améliorer la procédure, et à part le fait que les rapports sur les cas ne montraient guère de progrès, le chirurgien résident n'avait pas trouvé de sujets de plaintes valables.

Vers le milieu de la première semaine, lorsque le directeur annonça une réunion dans la salle à manger de l'hôpital, Mike s'y rendit à contrecœur. Les révélations de la première nuit restaient menaçantes, mais il eût préféré détenir davantage de preuves flagrantes pour en discuter.

Ralph Pailey, secrétaire du conseil d'administration, arriva à l'heure précise avec ses registres. Une douzaine de médecins environ étaient assis autour de plusieurs tables rapprochées, dans la salle à manger, et Melcher présidait. Il y avait là Louis Garstein, et la plupart des membres de la société. Bradford Keate s'était d'abord excusé — puis il était arrivé au dernier moment, la mine défiante, la moustache en bataille.

Après que Melcher eut fait les présentations,

Mike songea qu'il ne connaissait pas encore assez bien ces hommes pour se permettre de critiquer tout de go leurs méthodes. En se levant pour prendre la parole, il comprit qu'il valait mieux suggérer qu'ordonner. Malgré tout, l'occasion d'insister sur les réformes indispensables était trop précieuse pour qu'il la laissât passer.

— Lorsque votre société m'a prié de venir ici occuper le poste de chirurgien résident, dit-il, j'ai pensé que vous accepteriez des critiques constructives, basées sur ma propre expérience dans les hôpitaux universitaires de Californie. De fait, étant donné que le but immédiat du docteur Melcher est de faire approuver cet établissement par la Commission de la Santé Publique, j'ai supposé que ce serait là ma principale fonction.

— Vous ne vous êtes pas trompé, docteur Constant, dit le directeur.

Les rires qui firent le tour de la table n'étaient pas précisément une approbation sans réserves, mais ils contribuèrent un peu à briser la glace.

— Je réclame votre indulgence si mes remarques vous semblent didactiques, reprit Mike. Je constate l'évidence si je vous dis que votre équipement et vos installations — comparés à un hôpital universitaire — sont plutôt rudimentaires. Cela ne veut pas dire qu'ils ne sont pas à la hauteur d'une situation moyenne, mais j'estime que nous devons être prêts à l'inhabituel. Le hasard a voulu que j'aie eu à faire justement face à une crise lors de la première opération qu'il m'a été donné de pratiquer ici — une ablation de la rate d'urgence, sur la personne de la propre fille du propriétaire de l'hôpital.

Keate intervint soudain, d'une voix forte bien assortie au personnage.

— Considérez-vous l'ablation de la rate comme une opération dangereuse, docteur ?

— En aucune façon. Le premier chirurgien venu devrait être capable de la réussir. Je voulais parler de l'équipement et non de la technique. Dans cette opération particulière, le temps est un facteur essentiel. La vie du malade peut dépendre d'un stock de sang suffisant — qui nous faisait justement défaut.

— J'ai déjà remédié à cela, déclara Pailey. La banque de sang la plus proche consent à nous fournir du groupe O en stock qui n'a pas plus de cinq jours. Les flacons inutilisés seront changés toutes les semaines. J'en profite pour faire observer aux membres du conseil que ma commande a doublé notre budget pour le sang.

— Et doublé aussi notre stock, rétorqua Mike.

— Ne faites pas cette tête-là, Pailey, lança Melcher. Vous trouverez bien le moyen de faire payer cette dépense aux malades.

L'administrateur rougit, mais Mike vit qu'il n'était pas insensible à ce qu'il prenait comme un compliment.

— Je relève le défi, Larry. Ce n'est qu'une question de perforation supplémentaire sur une carte IBM, dit-il, puis il ajouta en adressant à Mike une brève grimace qui se voulait sourire : Excusez-moi, docteur. Je ne voulais pas interrompre votre réquisitoire.

— Ce premier soir, la véritable urgence a été un arrêt du cœur, reprit Mike. Je reconnais que peu d'hôpitaux de l'importance de celui-ci auraient été équipés d'un régulateur ou d'un défibrillateur. Par bonheur, nous avons acquis ces deux appareils le lendemain même, grâce à la générosité de notre propriétaire. Le hasard a voulu que nous ayons justement besoin immédiatement du régulateur — pour un cas de syncope par blocage du cœur.

— Quand allez-vous en avoir encore besoin, docteur ? demanda Louis Garstein. Jamais deux sans trois.

— Lorsque je pratiquerai l'opération en vue de poser un pacemaker à Jason West, s'il m'y autorise.

La voix de Keate s'éleva, de l'autre côté de la table.

— Quelle technique envisagez-vous ?

— Le régulateur est employé pous stimuler le cœur grâce à des électrodes, pendant l'opération proprement dite. Le but de cette opération est d'implanter des électrodes dans le muscle cardiaque. Le circuit est ensuite complété avec un pacemaker miniature — une réplique portative du régulateur que nous possédons maintenant, et que l'on fixe à la paroi thoracique du malade.

— Est-ce que ce n'est pas de la chirurgie bien draconnienne, pour le Memorial de New Salem ?

— J'ai pratiqué cette opération une dizaine de fois sur la Côte.

— Vous avez donc complété notre matériel, ainsi que notre stock de sang. Est-ce que la liste de nos péchés s'arrête là ?

— Le défaut le plus grave de cet établissement, docteur Keate, ne réside pas dans le matériel mais dans les rapports. Je vous dis franchement qu'il faudra améliorer considérablement votre système de fiches pour espérer un jour être accrédités.

— Un docteur très occupé n'a pas de temps à perdre en paperasserie, décréta le chirurgien colosse.

Son regard fit le tour de la table, et nota quelques hochements de tête approbateurs.

— C'est pourtant essentiel, si vous voulez bien y réfléchir. Avec des exposés clairs et complets, et un hôpital travaillant à plein rendement, tous les médecins de New Salem auront une chance de progresser dans leur profession. Nos chirurgiens pourront briguer l'admission à l'Académie Américaine de Chirurgie. Nos médecins pourront caresser l'espoir d'appartenir à l'Académie de Médecine Générale. La médecine évolue très rapidement, messieurs. Aucun praticien ne doit se permettre de se laisser simplement porter par le courant. S'il ne fait pas force de rames, il sera vite distancé. Et le meilleur point de départ est notre chambre des rapports.

En entendant ces vérités premières, Keate fronçait de plus en plus les sourcils. Lorsque Mike se tut, il assena son poing sur la table.

— Est-ce que vous allez supporter cela sans rien dire, Larry ?

— Je pense que ces critiques auraient dû être formulées depuis longtemps, Brad, répondit le directeur. Les inspecteurs de la Commission de la Santé Publique sont venus nous voir il y a exactement dix mois. Après avoir visité notre chambre des rapports, ils ont complètement renoncé à accréditer notre hôpital.

— Enfin quoi, bon Dieu, Larry, je ne peux pas m'occuper à la fois de ce genre d'écritures et de tous mes malades.

Encore une fois, le murmure qui courut autour de la table fit comprendre à Mike que Keate venait de marquer un point.

— Je crois que ce serait possible, docteur Keate, si l'hôpital fournissait quelques raccourcis. M. Pailey s'est montré raisonnable en ce qui concerne la banque du sang. Peut-être consentira-t-il à acheter des dictaphones, et à prendre une secrétaire supplémentaire pour dactylographier les rapports. Il est facile aujourd'hui de dicter à une machine par téléphone, et vous pourrez le faire de votre propre cabinet avant d'envoyer le malade à l'hôpital. Cela vous permettrait d'avoir une copie carbone pour vos propres dossiers, et nous aurions enfin des rapports que nous ne craindrions pas de présenter à une inspection.

— Et comment paierais-je ces suppléments ? s'enquit Pailey.

— Tout en dictant, le praticien ajoutera les détails exigés par les assurances — dans le cas des malades assurés, qui représentent probablement quatre-vingt-dix pour cent de la clientèle. Votre service ici rendra alors ce service aux médecins, et gagnera les honoraires consentis par la plupart des sociétés.

— J'avoue que je paierais volontiers pour être débarrassé de cette corvée, déclara un des médecins de médecine générale. Sans parler des discussions autour des procédés du diagnostic.

— Un dernier désagrément, messieurs, dit Mike. Votre établissement est en ce moment beaucoup trop surpeuplé.

— Insinuez-vous que nous devrions refuser des malades ?

— Pas quand cela s'impose. Je propose que les études de diagnostic soient faites à vos cabinets, chaque fois que ce sera possible. Vous préférez en ce moment envoyer tout de suite le malade à l'hôpital, où son assurance paie.

— C'est notre droit, puisque nous sommes membres de la société, rétorqua Keate.

— Pas si un habitant de New Salem meurt — faute d'avoir trouvé un lit ici.

— Votre opinion, Larry ?

Au profond étonnement de Mike, ce fut Pailey qui répondit, en coupant la parole au directeur.

— Le docteur Constant a raison, Brad. Nous avons beaucoup d'admissions d'une nuit, simplement pour un diagnostic. Et à la cadence à laquelle on fait des radios, depuis quelque temps, j'ai dû prendre un nouveau technicien. Je veux que ces lits soient libérés pour les appendicites de cinq jours. Ça, ça rapporte. De plus, nous avons reçu des plaintes de la compagnie d'assurances de Zeagler Électronique ; ces admissions pour diagnostic commencent à leur coûter trop cher. Supposez qu'ils adressent leur prochaine plainte au grand patron ? Vous voulez que Zeagler s'imagine que nous avons une mine d'or, ici ?

— N'est-ce pas le cas ? demanda Keate, et il prit part à l'éclat de rire qui s'éleva autour de la table.

— Nous aurons tué la poule aux œufs d'or, si jamais Zeagler ne renouvelle pas notre bail.

Melcher prit calmement en main les rênes de l'autorité.

— Je propose d'oublier pour l'instant le Veau d'Or et d'en revenir à Hippocrate. Nous devons tous réfléchir avec soin aux suggestions du docteur Constant, surtout en ce qui concerne les rapports. Pour ma part, je lui suis reconnaissant de les avoir faites. S'il n'y a plus de questions, la séance est levée, messieurs. Attaquons les rafraîchissements.

Autour des tasses de café, Mike n'eut aucun mal à faire plus ample connaissance avec les médecins de la société. Il était encore trop tôt pour se demander si ses remarques porteraient des fruits, mais il ne pouvait s'empêcher de sentir que leur logique les avait piqués au vif. Il ne s'étonna pas lorsque Bradford Keate prit congé tout de suite, sous prétexte qu'il ne pouvait faire attendre ses malades plus longtemps. Il était manifeste que le plus grand coupable de l'Hôpital Memorial de New Salem était maintenant un ennemi en puissance. Dans son cas, au moins Mike était certain que son plaidoyer en faveur d'une réforme était tombé en terrain stérile.

Le cinquième jour de sa convalescence, Anna Van Ryn fut installée dans un fauteuil roulant, sur les ordres de Mike. Ce même après-midi, il la trouva assise dans un rayon de soleil près de la fenêtre ouverte. Elle avait été une malade mélancolique et docile — et sa résignation avait inquiété le chirurgien plus encore que son refus de se confier, lors de ses visites. Ce jour-là, il n'y avait pas à se tromper sur sa toute nouvelle vivacité. Sa façon de relever brusquement la tête à son arrivée, les couleurs de ses joues, toute son attitude, évoquaient la captive libérée, encore hésitante sur le seuil de sa prison mais consciente de sa liberté.

— Quelque chose me dit, à vous voir, que je vais avoir à supporter une discussion franche, dit-elle. Ne pourrait-on la retarder, jusqu'à ce que je me sente plus forte ?

— Je pense que vous êtes maintenant assez forte pour entendre la vérité.

— La vérité est un bien grand mot, docteur. Seriez-vous son unique gardien ?

— La vérité numéro un est évidente. Vous avez décidé que la guérison vaut la peine d'être tentée.

— Je consens à en faire l'essai, grâce à vous.

— N'importe quel chirurgien aurait pu vous sauver du coup que vous avez reçu. Vous ne me devez pas de remerciements pour ça.

— Je ne pensais pas à votre opération. Et c'était une chute, pas un coup.

— Il est temps de reconnaître les faits, Anna, d'avouer ce qui est réellement arrivé. Vous avez eu cinq jours pour y penser.

— Je suis tombée dans l'escalier de service. Est-ce que cela ne suffisait pas pour endommager la rate ?

— Il y a des moyens plus efficaces. En Extrême-Orient, où la malaria est fréquente, la rate est souvent gonflée. Les assassins professionnels peuvent tuer leur victime d'un seul coup de poing, infligé juste en dessous de la cage thoracique. L'hémorragie interne cause la mort. L'assaillant ne laisse aucune marque, à part une légère ecchymose qui passe généralement inaperçue.

— Est-ce que vous insinuez que j'ai été attaquée par un tueur chinois ?

— Il y a longtemps que je connais Paul. Il a été champion de boxe universitaire poids moyen à Cornell. Son habileté de boxeur lui a beaucoup servi en football, quand l'arbitre avait la tête tournée.

— Nous sommes à New Salem. Et je n'ai jamais eu la malaria.

— Vous ne pouvez pas continuer à le protéger éternellement.

— Ce que vous racontez n'est qu'une hypothèse, Mike. Je ne puis l'accepter.

— Vos trois admissions à l'hôpital me donnent raison.

— Ces blessures ont été provoquées par des chutes.

— Dois-je m'adresser à la Duchesse — et recommander un traitement psychiatrique pour son fils ?

Anna ne fit pas mine de céder. Il ne s'y attendait pas.

— Vous aurez encore moins de chance avec elle. Nous sommes toutes les deux d'accord pour penser que la peinture de Paul est toute sa vie. Nous nous opposerons formellement à toute entrave au développement de son art.

— Mon conseil n'en demeure pas moins valable. Avez-vous une idée de la raison de son voyage à Washington ?

— Ce n'est qu'une supposition, mais je crois qu'on lui a proposé une commande. Il a un ami là-bas, qui appartient plus ou moins au gouvernement.

— Ne trouvez-vous pas bizarre qu'il vous quitte *toujours*, tout de suite après ces prétendus accidents ?

— Ne m'obligez pas à vous prier de vous mêler de vos affaires, Mike.

— Je ne vous écouterais pas, alors ne perdez pas votre temps. Je suis un médecin d'autrefois, Anna. Quand je sauve la vie d'un malade, j'entends aller jusqu'au bout.

— Croyez-moi, j'apprécie votre souci. Mais je refuse d'accepter votre opinion de mon mari, et je le soutiendrai tant qu'il aura besoin de moi. Il m'est arrivé une fois de faire défaut à l'homme qui m'aimait. Je ne veux pas que cela se reproduise.

Mike hocha la tête.

— La logique féminine aura toujours raison de moi. Rien de ce que j'ai étudié en médecine ne m'y a préparé.

Anna se mit à rire. C'était le son le plus joyeux

qu'il lui ait jamais entendu émettre.

— N'essayez pas, alors. Dites-moi seulement quand je pourrai quitter l'hôpital.

— Dans huit jours, si tout va bien.

— Je prends des dispositions en vue d'agrandir la Clinique Zeagler. Et nous allons rouvrir le théâtre d'enfants que j'ai fait construire dans l'annexe. Je me suis donné du mal, mais je crois que les deux entreprises vont bien marcher désormais.

La surveillante de jour venait d'informer Mike qu'Anna avait téléphoné à Sandra West ce matin-là. Ensuite, elle avait passé une demi-heure à l'étage inférieur, en conversation avec le frère de Sandra. Mike comprenait maintenant le but de ce coup de téléphone, et la visite au malade. Anna Van Ryn, semblait-il, était un de ces êtres rares dont le véritable bonheur est d'aider les autres. Maintenant que l'ombre de son mari était écartée, elle avait recommencé à se donner, aussi librement que le soleil donne sa lumière.

— J'ai demandé à Sandra de se charger des malades, quand elle ne sera pas retenue par les siens, poursuivit Anna. Elle m'a promis de réorganiser la clinique, et de former deux infirmières stagiaires pour la remplacer. Cela lui donnera beaucoup de travail, jusqu'à ce que son bras soit guéri.

— Et vous avez aussi trouvé du travail pour son frère?

— Jason m'a promis de faire répéter les enfants, pour une représentation de *Peter Pan*. Ne trouvez-vous pas que j'ai passé une matinée utile?

— C'est pour cela que vous m'avez remercié tout à l'heure?

— Bien sûr, Mike. Depuis son retour à Gate House, Jason m'évitait. Le trouver cloué sur un lit d'hôpital, c'était une chance inespérée, et j'ai sauté sur l'occasion.

— Cela va certainement faire jaser, quand Sandra débutera à la clinique.

Anna rougit, mais son regard ne se déroba pas.

— Vous voudriez donc que je me conduise en femme jalouse, uniquement parce que Sandra a connu Paul autrefois, et qu'elle l'a aimé ?

— Vous savez certainement qu'elle l'aime encore.

— Alors son amour sera un lien entre nous. Ou bien est-ce trop compliqué pour l'entendement d'un homme ?

— Tout ce que je comprends, c'est que vous êtes une femme unique, Anna. Comment avez-vous pu persuader Jason de s'occuper du théâtre enfantin ?

— Pourquoi n'allez-vous pas le lui demander vous-même ? Sa réponse vous intéressera.

Mike trouva l'acteur soulevé sur ses oreillers, un livre ouvert sur ses genoux, sous la lumière d'une lampe de chevet. Trois jours de repos au lit avaient fait merveille, en lissant les plis de souffrance sur son front, et en réduisant les poches sous ses yeux à de légers cernes. Les lunettes qu'il portait, et son air pénétré, lui donnaient presque l'allure d'un professeur.

— Ne prenez pas cet air effaré, Mike, dit Jason. Vous me trouvez en train de parcourir les œuvres de Sir James Barrie. Cela ne veut pas dire que j'ai perdu la raison.

— La visite d'Anna ce matin vous a-t-elle surpris ?

— Enchanté, vous voulez dire. Depuis deux jours, j'essayais de rassembler assez de courage pour monter la voir, dès que vos médecins me le permettraient.

— Il paraît qu'elle vous a offert du travail ?

— Un galop d'essai. J'ai toujours rêvé de faire de la mise en scène. Nous appellerons cela mon premier examen. Si j'échoue, mes pairs n'auront pas besoin de le savoir. Si je réussis, nous dirons que c'est un présage.

— Avez-vous déjà travaillé avec des enfants ?

— Chose curieuse, oui. Au cours d'art dramatique, aux vieux studios Paramount. Et une autre fois, dans un centre municipal de Pasadena, où j'habitais avec ma troisième femme. Mes jeunes disciples m'appelaient oncle Jay, et me respectaient, une fois qu'ils avaient compris qu'il fallait m'obéir. La plupart des enfants sont des mimes innés, vous savez, quand on sait les prendre. Ils adorent tous jouer la comédie.

— Je suis heureux que cette idée vous plaise.

— C'est un bouche-trou, Mike... pendant que je soupèse l'alternative dont nous avons discuté. Je puis encore refuser, si vous m'interdisez cette fatigue.

— Une fois que vous aurez quitté l'hôpital, vous ferez ce que bon vous semble. Mais vous dureriez bien plus longtemps, si vous reconnaissiez que votre cœur a besoin d'un secours artificiel.

— Pour l'instant, j'ai l'intention de me contenter de mon équipement naturel.

— Vous êtes fou de compter aveuglément sur la chance, Jay.

— Peut-être ai-je toujours été un fou. Un fou de fortune, comme on est soldat de fortune...

— Une dernière question. Comment Anna a-t-elle réussi à vous convaincre?

— Je vous ai dit que je l'avais aimée, lors de notre brève idylle sur la scène. Je l'aime encore — bien que je l'aie trouvée ravagée par son déplorable mariage. Ce matin, elle m'a charmé au-delà de tout ce que l'on peut imaginer. Si elle m'avait demandé de sauter par la fenêtre et de m'envoler, j'aurais obéi avec joie.

— Et si *Peter Pan* est un échec?

— *Peter Pan* est une pièce qui ne peut faire fiasco. Pas avec une main professionnelle à la barre.

— Le théâtre d'Anna fait partie de la clinique Zeagler. Il se trouve sur un terrain récupéré, de l'autre côté de la rivière, en face des taudis de l'ancienne fonderie. La plupart des enfants appartiennent à des familles de chômeurs. Croyez-vous pouvoir faire des acteurs, avec ce matériau-là?

— Les enfants sont les mêmes partout, Mike. Des sauvages intacts, qui ont besoin d'un but et d'un guide. Je reconnais que ceux-ci seront un peu plus sauvages que d'autres, mais je suis de taille à les prendre en mains.

— Vous avez visité la clinique?

— Seulement l'aile du théâtre. Sandra m'y a emmené alors qu'il était en construction. Zeagler n'a reculé devant aucune dépense ; bien des salles de Broadway ne sont pas aussi bien équipées. Vous n'ignorez certainement pas qu'il a donné ces deux bâtiments à Anna comme antidote contre son mari.

— Je le comprends aisément.

— Anna s'est familiarisée avec l'assistante sociale en choisissant la difficulté — dans un centre de jeunesse de New York. Depuis qu'elle a épousé Paul, elle n'a plus qu'une raison d'être : modeler son argile démoniaque pour lui donner forme humaine.

— Je viens de passer une demi-heure à tenter de la persuader que c'était impossible.

— Et elle n'en a rien cru, j'en suis sûr — parce que vous avez fait appel à la logique. Mon cher, il faut avoir été marié plusieurs fois pour seulement commencer à comprendre un petit peu les femmes. Anna restera à Rynhook, tant qu'elle estimera que l'on a besoin d'elle. Mais il est bon de savoir qu'elle peut s'évader quand elle veut, simplement en traversant Bear Creek et en refermant sur elle la porte de la clinique. Mon boulot sera de la convaincre que c'est là qu'elle se réalisera pleinement. Elle en tirera beaucoup plus de satisfaction que dans le prétendu art de Paul.

— C'est une rude tâche pour vous.

— Pas plus rude que la vôtre. Vous, vous aimeriez persuader Sandra de renoncer à lui, de se faire une nouvelle vie, de préférence avec vous. Entre la clinique et le théâtre, nous avons une chance de réussir tous les deux, à condition de savoir nous résigner à aller lentement.

— Je n'ai pas encore eu le temps de visiter les bâtiments. Est-ce bien aménagé?

— C'est ce que Zeagler a fait de mieux, alors que cet hôpital-ci était encore en construction. Je suppose que c'était pour apaiser sa conscience, alors qu'il était forcé de refuser de l'embauche à de vieux ouvriers de la fonderie qui n'avaient pas les qualités dont il avait besoin. Le théâtre a été ajouté ensuite, quand les Hauteurs de New Salem ont commencé à utiliser le centre de loisirs ainsi que les familles de la Vieille Ville. Avant de partir, Zeagler a signé un chèque pour des agrandissements, à la discrétion d'Anna. Une partie de cet argent servira aux décors et aux costumes de *Peter Pan.*

— Il me semble que vous vous êtes dit beaucoup de choses.

— C'est surtout Anna qui a parlé. Ce qu'elle a surtout accompli, c'est de me convaincre que je n'étais pas le raté absolu que je parais. Et je suis certain que notre petite conversation lui a rappelé des temps plus heureux, quand sa vie n'était pas compliquée par un mari psychopathe, et par le besoin de boire après la nuit tombée.

— Quelle que soit la thérapeutique, elle a été salutaire pour vous deux.

— J'espère avoir aidé Anna. Je sais qu'elle m'a aidé, en me rappelant que les vieux acteurs, contrairement aux vieux soldats, ne disparaissent pas dans le néant. Pas tant qu'il y aura un théâtre sur le pas de leur porte.

Dix minutes plus tard, quand il passa au laboratoire, Mike était encore empli d'une sensation d'accomplissement qu'il avait eu soin de dissimuler au comédien. Point n'était besoin d'être réticent en répétant l'essentiel de leur conversation à Louis Garstein.

— C'en est assez pour croire aux miracles, Louis.

— Il n'y a rien de miraculeux là-dedans, répliqua le pathologiste. J'appellerais cela un parfait exemple de la chimie humaine au travail.

— Les êtres ne se dépouillent pas de leurs complexes aussi facilement qu'un serpent de sa peau d'hiver.

— Si, parfois — quand ils veulent réellement changer. La chaleur et le printemps y sont généralement pour quelque chose. Ou bien l'occasion de prendre un nouveau départ?

— J'ai encore du mal à croire ce que j'ai entendu, Louis.

— Vous avez constaté la chose de vous-même, aujourd'hui, dans deux chambres d'hôpital. Anna s'est persuadée qu'elle pouvait aider une étoile déchue à renaître. Votre ami Jason a estimé qu'il est indispensable à la réussite de la clinique d'Anna. Même avec l'ombre de Paul entre eux, c'est un premier pas sur la route du retour — pour tous les deux.

— Pourquoi Paul a-t-il disparu?

— A vue de nez, je dirais que mon beau-frère n'y est pas étranger. Ce n'est qu'une hypothèse, alors n'allez pas le répéter.

— Zeagler est encore à Tel-Aviv.

— Aaron a le bras long, et il pourrait agir même s'il était dans la lune. Paul est le problème numéro un, ici à New Salem. Anna a déjà renoncé à sa bouteille, quand il n'était pas là. Il est même possible que Sandra remette ses propres projets à plus tard, en ce qui le concerne. A votre place, je consacrerais un peu de mes loisirs à la clinique Zeagler pour voir comment vont les choses. Melcher sera ravi. Quand elle marchera à plein rendement, la clinique le délivrera des malades indigents.

Mike hocha la tête. Il n'avait pas oublié la froide politesse de Sandra dans le couloir de l'hôpital.

— Elle sait où me trouver, si elle a besoin d'aide. Anna aussi. Je suis tombé sur un problème, ici même, qui m'intéresse davantage. Une espèce d'épidémie d'hépatite sur les Hauteurs de New Salem.

— Il y a quelque temps que nous avons cela.

— J'ai fait des recherches sur cette maladie à Los Angeles. Elle n'a jamais cessé de m'intriguer depuis.

— Dans mon domaine, c'est assez intriguant en effet. De fait, c'est une sacrée énigme. Mais vous n'avez pas assez à faire, avec votre service de chirurgie, et les vies que vous voulez refaire, à vos moments perdus ?

— Ce dernier projet se liquide de lui-même, Louis.

— Ne soyez jamais sûr de rien quand l'animal humain est en jeu, conseilla Garstein. Ils agissent rarement selon le manuel — y compris celui d'un dénommé Sigmund Freud.

7

UNE des choses qui avaient le plus inquiété Mike, depuis son premier jour à l'Hôpital Memorial, c'était le nombre insolite de cas d'hépatite infectieuse, ou jaunisse. La maladie n'a jamais été une visiteuse bienvenue dans les hôpitaux, car elle est difficile à isoler et ne réagit à aucune thérapeutique connue, à part le repos au lit, les vitamines et la diète. Ce matin encore, il avait vu que deux nouveaux cas graves avaient été admis — tous deux des malades privés faisant partie des cadres de l'usine.

Lorsque Mike avait demandé au directeur un après-midi de liberté pour faire une enquête préliminaire, Melcher avait immédiatement accédé à sa requête.

— Je suis enchanté de l'intérêt que vous prenez, Mike. Comment cela vous est-il venu?

— Ma thèse de doctorat, à Stanford, était sur les maladies de foie. L'hépatite a toujours éveillé le Sherlock Holmes en moi.

— Faites le détective tant qu'il vous plaira. J'espère que vous obtiendrez plus de résultat que le Service de Santé cantonal.

— Jusqu'où est allée l'épidémiologie?

— Leur équipe a travaillé de part et d'autre de la rivière. Le résultat est pratiquement zéro.

— Aucun foyer d'infection connu jusqu'ici?

— Pas à ma connaissance. Je ne suis même pas sûr que l'étiquette de Typhoïde Mary puisse s'appliquer ici.

— A Stanford, nous avons stoppé une épidémie de coryza chez les étudiants quand nous avons localisé le point d'infection dans un snack-bar proche de l'Université. Le porteur de virus était un cuisinier, qui ne présentait lui-même aucun symptôme.

— Nous n'avons pas eu cette chance ici. Franchement, je commence à m'inquiéter — et Pailey aussi.

— Je comprends les affres de Pailey, dit Mike d'un ton sarcastique. Avec le repos au lit indispensable, l'hépatite peut faire des ravages dans votre cadence de roulement.

— Je sais que c'est là que le bât vous blesse, docteur. Mais il est exact que nous avons besoin d'accélérer le départ de nos malades.

— Même lorsque le canton paye pour eux à l'avance? Vous avez bien assez de lits dans les salles communes, et suffisamment d'infirmières stagiaires en ville pour s'occuper des soins ordinaires.

— Voilà justement l'ennui. La plupart de ces malades viennent des Hauteurs. Leur assurance-hôpital couvre environ trente jours — et seulement en partie pour ce genre de maladie. Ce qui signifie que les machines IBM doivent faire des factures supplémentaires.

— La maladie se propage aussi aisément dans les beaux quartiers que dans les faubourgs, Larry. J'ai découvert cela quand j'ai étudié le développement des épidémies.

— Déterminez la cause, et vous aurez deux groupes reconnaissants — les comptables de Pailey et les agents immobiliers du lotissement de Zeagler.

— Est-ce que ça commence à effrayer les acheteurs de maisons?

— Personne n'a bougé, jusqu'ici. Mais le comité de construction hésite à entamer de nouveaux travaux, tant qu'on ne peut garantir l'hygiène et la santé.

— Depuis combien de temps la maladie est-elle épidémique ?

— Elle n'en est pas encore là, Dieu merci. Mais nous en approchons. Cela a commencé il y a environ deux mois. Nous espérions qu'elle atteindrait un point culminant et puis que cela se tasserait, à mesure que l'immunité se développerait. Celle-ci progresse avec régularité. Je ne sais plus très bien comment nous ferions face à une crise vraiment grave.

— Je consulterai les rapports après ma ronde, dit Mike. Puis j'irais faire un tour sur les Hauteurs. Parfois, un œil neuf est salutaire.

Dans la chambre des rapports, il prit le dossier concernant les cas d'hépatite. Il était assez volumineux pour être alarmant, surtout si l'on songeait que bien des malades ne se faisaient pas hospitaliser. Mike eut besoin de près de deux heures pour noter les statistiques essentielles.

La majorité des malades étaient de jeunes adultes ou des adolescents — une caractéristique qu'il avait déjà observée en Californie. La plupart, comme l'avait fait remarquer Melcher, venaient des Hauteurs de New Salem. A l'aide d'un plan de la ville, Mike marqua toutes les rues résidentielles frappées, aussi bien dans la Vieille Ville que dans la ville neuve. Puis, au crayon rouge, il marqua d'un point toutes les maisons où l'hépatite avait frappé. Le résultat fut significatif. Il replia soigneusement le plan, et alla se changer dans ses appartements, pour rendre visite au docteur Coxe.

Quand il arriva devant la petite clinique, il trouva son mentor sur le perron. Le vieux médecin siffla doucement quand Mike déplia le plan et lui montra ce qu'il avait observé.

— C'est assez impressionnant, dit-il. Je ne m'étais pas rendu compte que tant de cas étaient concentrés dans une même zone.

— Ce ne sont pas seulement les Hauteurs qui ont été envahies. De nombreux foyers se trouvent au nord du barrage Van Ryn.

— Est-ce que tu suggères que la maladie est passée de la Vieille Ville aux limites sud du lotissement Zeagler ?

— Cela me paraît évident, d'après ce plan, dit Mike. Trois cas sur quatre se situent sur le bord du lac, ou immédiatement au-dessus. A première vue, le lac semblerait être le responsable, mais l'adduction d'eau de la ville ne vient pas du lac, et il est encore trop tôt dans la saison pour les baignades. La seconde hypothèse serait le barrage lui-même. Depuis aussi loin que je me souvienne, il a servi de passage à pied.

— Tu as peut-être raison. Pourquoi ne vas-tu pas faire part de cette idée à l'officier de santé ?

— Pas avant d'avoir fait ma petite enquête sur les lieux. Est-ce que nous pouvons prendre votre voiture ? La mienne n'aime pas trop ces côtes de la Vieille Ville.

Cinq minutes plus tard, les deux médecins escaladaient le talus herbu du barrage pour accéder au chemin de ronde qui reliait New Salem proprement dit au lotissement de Zeagler sur les Hauteurs. Quand ils se trouvèrent sur le terrain surélevé au-dessus de l'évacuateur de crue, Mike eut du mal à croire qu'une maladie aussi dangereuse que l'hépatite puisse se transmettre par ce chemin.

Les eaux du lac artificiel, qui s'étendaient entre les replis verdoyants des collines, formaient un miroir pour le soleil de l'après-midi, sauf sur le côté est où un skieur nautique dessinait des arabesques. Vers le sud seulement, où le personnel le mieux payé de la Fonderie Van Ryn avait résidé autrefois, on voyait des signes de décrépitude, des maisons aux fenêtres condamnées par des planches, des jardins retournés à l'état sauvage, une jetée de bois en ruine dont les piles se dressaient sombrement sur le fond du ciel. A cette distance, les tours de Rynhook n'étaient qu'une présence à peine pressentie, derrière leur écran de buis taillés.

— Est-ce que toutes ces maisons de la rive sud sont abandonnées, docteur?

— Le shérif s'est installé dans la dernière juste après la fermeture de la fonderie.

— Des gens vivent encore dans les logements ouvriers. Comment font-ils pour joindre les deux bouts, ceux-là?

— Certains des vieux fondeurs ont des emplois de manœuvres à Zeagler Electronique. Ils ne sont pas assez qualifiés pour servir aux machines. Quelques autres travaillent comme jardiniers ou hommes toutes mains sur les Hauteurs, ou bien ils ont trouvé d'autres emplois, comme Wilson, votre infirmier. Dans l'ensemble, nos habitants de Lower Street émargent au maximum au chômage. C'est plus facile que de se joindre aux ouvriers agricoles itinérants, ou de descendre vers le sud avec les oiseaux migrateurs.

— La plupart des ouvriers de la fonderie sont là depuis des générations. Vous ne pouvez leur reprocher de rester.

— C'est vrai, Mike, mais même de notre temps, cela commençait à changer. Depuis lors, beaucoup de gens du Sud sont venus s'installer dans ces logements. Ce sont en général d'anciens ramasseurs de coton des États cotonniers du Sud, incapables de faire quoi que ce soit en usine. Leurs femmes sont domestiques. Les hommes touchent le chômage, une fois qu'ils sont officiellement domiciliés dans la commune. Dans un sens, c'est la faute de la politique sociale de l'État de New York ; les municipalités d'où viennent ces gens-là ne sont pas si généreuses.

En contemplant les toits des anciens logements ouvriers, à ses pieds, Mike éprouva comme un malaise. Il se rappelait les fumées des cheminées en hiver et les essaims d'enfants qui jouaient dans les rues. Même au temps de la prospérité, ce quartier avait été lamentable.

— Que deviendront ces gens, si Zeagler ne peut les reclasser?

— Ils finiront par s'en aller. Il a offert de créer un centre d'apprentissage pour une nouvelle usine, si les autorités municipales sont d'accord — et s'il peut trouver de la place pour son expansion. Malheureusement, il n'y a pas de terrain adéquat, à part l'ancienne fonderie.

Comme ils conversaient, une bande d'écoliers apparut sur le chemin du barrage, en riant et en se poursuivant. Le docteur Coxe leur sourit et en appela plusieurs par leur nom.

— Écoute bien, et tu reconnaîtras l'accent du Sud, dit-il. Ils viennent d'escalader les pentes d'Overlook après l'école, tout comme toi autrefois. Si Anna remet son théâtre sur pied, ils auront un meilleur terrain de jeux.

— Le taux de reproduction ne semble pas avoir baissé à Lower Street, observa Mike. Si moi j'étais chômeur, j'y réfléchirais à deux fois, avant de procréer.

— Ces gens de la Vieille Ville ont un point de vue différent. Chaque nouvel enfant signifie un plus gros chèque des allocations familiales, et davantage de colis du dépôt de surplus alimentaires. C'est une idée difficile à accepter en Amérique, mais certaines de ces familles n'ont jamais aussi bien vécu.

— Qui leur fournit les soins médicaux?

— Le canton, quand ils le demandent. La clinique d'Anna fait sa part. Quand j'en avais encore les moyens, j'ai eu une clinique de puériculture à Lower Street.

Un énorme cancrelat, surgissant des hautes herbes

en bordure du barrage, trottina vers le chemin de ronde et disparut en direction du terrain surélevé au nord. Le vieux médecin fit la moue.

— On pourrait dire que c'est un symbole, murmura-t-il. Même les cancrelats éliraient Zeagler, s'ils pouvaient voter. Je ne leur en veux pas ; il y a davantage à gratter de ce côté-là.

— Ce petit voyageur à six pattes est peut-être plus qu'un symbole, dit Mike. Il vit d'immondices, et les transporte. Sur la Côte, nous avons découvert que les immeubles infestés de ces parasites avaient un taux d'infection élevé. Une fois que les bâtiments avaient été désinfectés avec un antiseptique assez violent pour tuer les cancrelats, le nombre des malades diminuait considérablement.

Un deuxième insecte venait de suivre le premier, suivi à son tour par une paire en tandem. Le docteur Coxe hocha la tête avec perplexité, puis il se tourna vers les taudis agglutinés au pied de la pente.

— Tu as ce plan avec toi?

Mike étala le plan de la ville sur un rocher plat, au bord du barrage. De ce poste d'observation, le tracé était clair — un croissant de points rouges, concentrés à l'endroit où le barrage joignait les Hauteurs de New Salem.

— Le chemin de ronde est une voie de communication logique pour une infection, dit Mike. Pourquoi ces petits représentants de l'ordre des orthoptères ne seraient-ils pas des porteurs de germes?

Le docteur Coxe contemplait toujours le plan, le front plissé.

— Si c'était vrai, la maladie devrait être concentrée dans ces logements. Les cafards y pullulent depuis plus de cinquante ans.

— Quand les gens vivent dans des conditions d'hygiène minimum, ils ont tendance à attraper les formes d'hépatite bénigne. La chose était vraie aussi de la poliomyélite et d'autres maladies infectieuses, avant que l'on découvre les vaccins adéquats. L'in-

.ection atteint souvent les très jeunes enfants, alors qu'ils conservent assez de restes d'immunité de la mère pour les protéger. Il en résulte un cas bénin d'hépatite, ou de polio, ou de ce que vous voudrez — et une immunité pour le reste de leur vie, sur le principe même de la vaccination.

— C'est vrai que l'hépatite a frappé surtout sur les Hauteurs, murmura le vieux médecin. Joe Saunders, notre officier de santé publique à l'hôtel de ville, a travaillé assidûment dans le même sens que toi, en espérant tomber sur un cycle d'infection. Il est probable que son plan sera supérieur au tien, Mike. L'hépatite est une maladie qui doit être obligatoirement signalée, et il a par conséquent un dossier sur chaque cas, aussi bien dans les hôpitaux qu'à domicile.

— Quelles sont ses conclusions?

— Il sait que le noyau de la maladie se trouve aux Hauteurs. Comme toi, il est troublé par le fait que la Vieille Ville semble être le foyer d'infection logique, puisque le barrage Van Ryn conduit tout droit à l'usine de Zeagler. Il n'y a qu'un inconvénient à ton hypothèse. Il n'y a pas eu de cas d'hépatite dans ces logements ouvriers — bénins ou autres — depuis que la maladie a envahi les Hauteurs.

— Et s'il y avait un porteur? Quelqu'un qui ne présenterait pas de symptômes, et qui vivrait de ce côté-ci de Bear Creek?

— Trouve-le, Mike, et la ville te décernera une médaille.

— Il faut qu'il existe, docteur. Qu'est-ce que vous diriez de secouer un peu votre ami Saunders, pendant que je poursuis ma petite enquête de mon côté?

— Je vais l'attaquer tout de suite. En attendant, puisque tu es venu jusqu'ici, tu pourrais aussi bien traverser jusqu'à Bearclaw Point. Sandra est retournée à Gate House ce matin.

— Et alors?

— Ce n'est pas très gai, la solitude de Bearclaw

Point, le soir. Et voilà huit jours que Paul est absent. Peut-être le moment serait-il bien choisi pour plaider un peu ta cause.

— Je ne crois pas, docteur.

— Tu ne penses pas que ça vaut la peine d'essayer ?

— Je veux bien y passer, pour vous faire plaisir.

— Nous allons rechercher ta voiture à Lower Street. Cette guimbarde t'emmènera bien jusque-là sans que tu aies à la pousser.

***

Une fois au volant de la Ford, Mike s'aperçut qu'il n'était pas encore prêt à franchir le pont de Bearclaw Point. Un retour à l'hôpital s'imposait, ne fût-ce que pour endosser son meilleur costume et changer de cravate. Le téléphone sonna alors qu'il s'apprêtait à quitter son appartement. C'était Garstein, et les premiers mots du pathologiste glacèrent Mike.

— Paul est en ville. Il est rentré cet après-midi de Washington en voiture.

— Comment le savez-vous?

— Je l'ai vu — d'une distance discrète. Comme un bon mari, il est venu ici tout droit, au chevet de sa pauvre femme malade. J'avais posté Wilson devant la porte en cas de pépin, mais Paul était dans un de ses bons jours. Après son départ, j'ai trouvé un prétexte pour passer voir Anna. Je ne l'avais jamais vue aussi heureuse.

— Est-ce que vous avez appris où il était allé?

— Elle brûlait de me le dire. Je sais que vous aurez du mal à le croire, mais Paul cherchait du travail. Deux emplois, en fait. Le plus important est à Munich, une série de fresques pour l'usine qu'Aaron vient d'y ouvrir. Il a une seconde commande du ministère de la Défense Nationale, la décoration d'un PX militaire.

— C'est tout ce qu'elle vous a dit?

— Un génie vient d'être reconnu. Que peut-on demander de mieux?

— Je vais aller la voir tout de suite.

— A votre place, je n'en ferais rien. Un intérêt trop vif de votre part risque de la rendre soupçonneuse.

— Mais Zeagler a sûrement fait des offres sincères?

Le rire gras de Garstein résonna dans l'appareil.

— La nuit où vous avez opéré Anna, si vous avez bonne mémoire, j'ai insinué que mon beau-frère pourrait peut-être soudoyer Paul.

— Et ce serait ça, ces commandes?

— Appelez-les comme vous voudrez. Elles éloigneront Paul de New Salem, en tout cas.

Une lumière se faisait dans l'esprit de Mike. Tant qu'il n'aurait pas déterminé sa signification exacte, il ne pourrait mettre un frein à ses pensées tourbillonnantes.

— Ces commandes sont réelles, Louis. Paul est vraiment peintre. Et s'il avait du talent, finalement?

— S'il en a, pas de problème. Aaron aura quelque chose pour son argent. S'il n'en a pas, Aaron aura mis un océan entre Paul et Anna, et il aura donné à sa fille l'occasion de s'évader d'un mariage condamné. Dans un sens comme dans l'autre, c'est le coup de chance dont j'ai rêvé.

— Je comprends bien que Zeagler passe une commande à son gendre pour une fresque d'usine. Vous ne m'avez pas expliqué la commande de l'Armée.

Le rire de Garstein fut encore plus profond.

— L'entreprise de construction qui édifie ces nouveaux magasins militaires appartient à Aaron. Ils sont situés sur l'*autobahn* de Francfort — aussi ses architectes veulent en faire quelque chose de spécial.

— Zeagler ne laisse rien au hasard. Je dois lui tirer mon chapeau.

— Deux commandes retiendront plus longtemps

Paul à l'étranger qu'une seule. L'architecte en chef, soit dit en passant, est un autre « génie », nommé Werner Von Helm. Paul travaillera sous ses ordres.

— Qu'est-ce qu'Anna pense de tous ces projets ?

— Elle est convaincue que Paul ne peut que créer des chefs-d'œuvre. C'est pourquoi je ne voudrais pas qu'un mot inconsidéré risque de la faire réfléchir. Anna est loin d'être une imbécile, vous savez.

— Dans ce cas, je remettrai mes félicitations à demain.

— Ces nouvelles l'ont délivrée d'un grand poids, Mike. Paul obtient ses premières commandes réelles, et elle va avoir devant elle des mois de liberté, pour faire ce que bon lui semble. Ne l'oubliez surtout pas quand vous lui parlerez.

Mike raccrocha, le cœur plus léger. Dans le parking de l'hôpital, la voix de Wilson l'arrêta au moment où il s'efforçait de réveiller le moteur de son tacot. L'infirmier venait de surgir sur le seuil de la porte de côté, une enveloppe à la main.

— Un messager vient de l'apporter, docteur.

Mike reconnut les pattes de mouches et devina le contenu avant même d'ouvrir la lettre.

Cher Mike Constantinos,

J'ai grand besoin d'un conseil. Voulez-vous venir à Rynhook immédiatement ?

Marcella Van Ryn.

Il restait encore une bonne heure de jour lorsque Mike se gara sur le gravier de l'allée à Bearclaw Point. La Porsche rouge stationnait sous la porte cochère, mais on ne voyait le conducteur nulle part. Une ombre se matérialisa sur le grand perron de granit quand Mike traversa l'allée. C'était Nellie, qui lui fit signe de la suivre le long d'un chemin dallé qui contournait l'aile nord du château. Elle garda le silence, jusqu'à ce qu'ils eussent franchi un labyrinthe de grands buis et atteint la vaste pelouse face à l'Hudson.

— Madame est près du pavillon d'été, docteur. Elle tient à vous voir en secret. C'est pourquoi je vous ai guetté sur le perron, de peur que vous croisiez M. Paul dans l'allée.

— Il est ici en ce moment ?

— En haut — dans cette grande pièce où il travaille. Il doit repartir pour New York d'une minute à l'autre.

— Madame va bien ?

— Ce soir, elle est aussi bien qu'elle peut l'être. Quand elle s'asseoit dehors — ce qu'elle fait bien rarement — alors on sait qu'elle a toute sa tête.

Marcella Van Ryn attendait son visiteur près d'une petite « fabrique » blanche treillissée de vert qui se dressait, comme un fantôme de l'ère victorienne, à l'extrémité de la pelouse, où les terres des Van Ryn descendaient en pente douce vers le fleuve. En se rappelant la vieille poupée cassée qu'il avait vue dans le grand hall, Mike put à peine en croire ses yeux quand elle lui tendit la main pour l'accueillir. Elle portait une jupe gris perle aux chevilles, un chemisier empesé et un canotier de paille perché presque gaiement sur son haut chignon neigeux.

— Vous avez une mine superbe aujourd'hui, madame.

— Si j'ai bonne mine, Mike, c'est que je ne me suis jamais sentie si bien. Vous en connaissez sans doute la raison.

— Si vous voulez parler des commandes de Paul en Allemagne...

— C'est le jour le plus heureux de ma vie. Le talent de mon fils a été reconnu, beaucoup plus tôt que je n'eusse osé l'espérer.

— Je viens d'apprendre la nouvelle à l'hôpital, dit Mike.

Il tâtonnait, certain qu'une fausse note détruirait

le rêve de la Duchesse comme un souffle détruit un château de cartes. Il hasarda encore :

— Vous avez toutes les raisons d'être fière.

— Quand je vous ai vu la dernière fois, je me tenais encore entre Paul et la réalité. Vous en souvenez-vous ?

— Pas très bien, madame.

Le mensonge flagrant lui était venu tout naturellement. Il apprenait vite...

— La réalité est une chose que Paul ne supporte pas toujours très bien, Mike. Dès le début, j'ai tout fait pour le protéger des gens qui ne pouvaient comprendre — et pour lui donner un endroit propice à son travail créateur. Anna aussi, je dois le reconnaître. Il y eut des jours, durant ces dernières années, où j'avais l'impression que je serais obligée de le protéger éternellement. Me comprenez-vous, Michael ?

— Je fais de mon mieux.

La Duchesse était assise dans un grand fauteuil de rotin. Quand elle désigna d'un geste impérieux un pouf de tapisserie à ses pieds, Mike se hâta de s'y asseoir. La pose, jugea-t-il, était appropriée. Petit à petit, il se faisait au contraste entre la silhouette tassée qu'il avait vue dans le hall de Rynhook, la dernière fois, et l'élégante belle du temps passé qu'il avait maintenant devant lui. En dépit de son accoutrement fin de siècle, Marcella Van Ryn avait simplement l'air d'une mère normale, heureuse du premier triomphe de son fils. Zeagler, semblait-il, avait admirablement joué ses cartes, et choisi son moment à la perfection.

— La commande de Paul est venue de la dernière personne au monde dont j'espérais une aide, dit la Duchesse. Au début, j'ai cru à encore un mauvais tour de cet homme.

— Aaron Zeagler voudrait être votre ami. C'est sa façon de vous le faire comprendre.

— Je ne serai jamais son amie. A mon avis, il ne

nourrit pas du tout cette illusion. Ce matin, j'ai reçu un mot de lui. Il m'assure qu'aucune condition n'est attachée à sa commande. Il déclare qu'Anna l'a convaincu du talent de Paul, qu'il lui fait confiance et qu'il lui donne carte blanche.

— Zeagler est un homme de parole, assura Mike. S'il fait ces promesses, il les tiendra.

— Dites-lui que moi je ne ferai pas la moindre concession. Vous ajouterez que je le remercie de sa perspicacité, en ce qui concerne le talent de mon fils.

— Je transmettrai votre message, madame.

La figure de la vieille dame était comme illuminée de l'intérieur, maintenant que Mike avait chassé ses derniers doutes. Les pieux mensonges qu'il venait de débiter avec tant d'aisance ne lui laissaient aucun sentiment de culpabilité. Ce soir, il quitterait une femme heureuse, quels que fussent les chagrins que les lendemains apporteraient.

— De tout temps, les artistes ont eu des hommes riches comme mécènes, dit-elle. Pourquoi Zeagler ne suivrait-il pas leur exemple ? D'autant mieux que Paul est son gendre.

Mike ne dit rien. Dans l'esprit de la Duchesse, les questions avaient déjà reçu leur réponse. Elles faisaient partie d'une décision déjà prise que Mike n'avait nulle intention de contrecarrer.

— New Salem m'a accusée d'attacher Paul à mes basques, poursuivit-elle. Je ne pouvais guère révéler la véritable raison pour laquelle je le gardais ici. Vous le comprenez, vous. N'est-ce pas, Mike ?

— Je crois que oui, madame.

— Je ne pouvais pas le laisser partir, alors qu'il n'était pas tout à fait prêt. Le risque était trop considérable.

— Bien entendu.

— Il est prêt maintenant, grâce à ces années de travail. Aujourd'hui, il m'a promis de faire de grandes choses à Munich, et je l'ai cru. J'ai supporté ses désespoirs, ses humeurs noires. J'ai oublié les moments où il n'était... plus tout à fait lui-même. Ces choses sont le privilège de l'artiste. Ne pensez-vous pas ?

C'était encore une question difficile. Dans l'espoir que son épreuve s'arrêterait là, Mike se força à répondre sans broncher :

— Les artistes ont leur propre loi, madame.

— Vous comprenez alors pourquoi je lui ai donné l'appartement de la tour ? Pourquoi j'ai laissé Anna y vivre, une fois que j'ai compris qu'elle était bonne pour lui ? Un génie a besoin d'un confort particulier, il a besoin de toute sa liberté. Tandis qu'il perfectionnait son art, j'écartais les importuns. Maintenant, enfin, je puis ouvrir mes portes en grand, et jeter les clefs. Ai-je bien agi ?

— Vous n'aviez pas d'autre choix.

— Merci encore, Mike. Aujourd'hui, vos réponses me plaisent. Je suis heureuse de vous avoir mandé.

Quand elle lui tendit la main pour la seconde fois, Mike dut faire un effort pour ne pas s'incliner et baiser le bout des doigts noueux. Cet après-midi-là, la Duchesse de Rynhook avait revêtu la mante des anciens seigneurs. Mike avait facilement accepté sa domination.

— Je suis heureux d'avoir pu vous rassurer, madame. Je suis certain que Paul sera à la hauteur de sa première chance.

Lorsqu'elle le congédia — d'un geste royal — il n'oublia pas de s'incliner encore une fois, au bas des marches de la gloriette. Ce fut seulement en reprenant le sentier du labyrinthe, entre les buis, et en entendant le bruissement des branches, qu'il comprit que sa visite avait eu un spectateur. Il n'eut pas besoin d'entrevoir le visage entre les feuilles, et les yeux brûlants et fixes, pour comprendre que Paul Van Ryn s'était demandé jusqu'au bout si la porte de sa prison était réellement ouverte.

Un pas dans la haie de buis, et Mike eut facilement

confondu le curieux, mais il ne s'y risqua pas. Il s'arrêta au contraire et feignit d'allumer une cigarette, pour permettre à Paul de s'éloigner.

La Duchesse sait que son fils est fou, se dit-il en se dirigeant vers sa voiture. *Elle prie le ciel qu'il ait surmonté sa folie par son travail. Plus important encore, elle sait que je le sais, et elle compte sur mon silence.*

La Porsche était partie lorsque Mike quitta Rynhook. Il en conclut que l'artiste, après avoir mis en paix sa mère et sa femme, était déjà reparti pour New York.

Une lumière brillait dans le salon de Gate House. Mike se gara, aspira profondément pour calmer les battements de son cœur, puis il alla frapper, en s'attendant presque à ne pas être reçu. Il reprit courage quand la porte s'ouvrit. Sandra était devant lui sur le seuil, et son sourire de bienvenue était tel qu'il l'avait espéré, ainsi que le geste l'invitant à entrer dans le vestibule assombri.

— Entre, Mike. Quand j'ai vu ta voiture s'arrêter, j'ai espéré que tu viendrais me voir. Veux-tu entrer au salon ?

Elle le précéda dans la longue pièce dont les étagères surchargées de livres et les fauteuils de cuir profonds rappelaient à Mike que le père de Sandra avait été un homme cultivé, ainsi qu'un excellent régisseur. En prenant le fauteuil qu'elle lui offrait, en la regardant s'asseoir en face de lui à l'autre coin du tapis de Perse, il pouvait presque croire que sa visite était celle d'un ami à une amie.

— Veux-tu une cigarette ? Boire quelque chose ?

— Ni l'un ni l'autre, merci. Je suis simplement passé pour savoir quels étaient tes projets, maintenant que tu es sortie de la clinique.

— Au sujet de mon travail ? Ou de Paul ?

— Prenons d'abord Paul. Je suppose que tu l'as vu.

— Il est venu tout droit de l'hôpital. La commande de Zeagler l'a complètement transformé.

— C'est ce que me dit sa mère.

— Il faut l'avoir vu pour le croire, Mike. Même toi, tu serais convaincu.

Ce n'était pas la réaction qu'il avait espérée de Sandra West, mais il prit soin de dissimuler sa déception.

— Paul t'a déjà joué la comédie, répondit-il calmement. Il a pu recommencer.

— Cette fois, il ne jouait pas. J'en mettrais ma tête à couper.

Pour Mike, c'était difficile de se maîtriser, c'était intolérable qu'il dut feindre avec Sandra, comme il l'avait fait si adroitement avec la Duchesse.

— Que t'a dit Paul, au juste ? Ou bien est-ce une question indiscrète ?

— Mais non, voyons, Mike. Il a l'intention de peindre comme il n'a encore jamais peint — maintenant qu'il touche au but.

— A-t-il parlé d'Anna ?

— Il arrivait de l'hôpital, où il lui avait porté la bonne nouvelle.

— Tu n'as pas été peinée qu'il y soit allé en premier ?

— Après tout, c'est sa femme.

— Je suppose qu'il a promis de divorcer pour t'épouser — après avoir touché l'argent de Zeagler ?

Sandra supporta l'attaque sans broncher.

— Je ne peux pas t'en vouloir de le juger durement, après ce que tu as vu à Overlook, et ce que je t'ai raconté. Tu comprendrais beaucoup mieux le nouveau Paul, si tu avais pu bavarder avec lui tout à l'heure.

— Peut-être, dit simplement Mike, en se rappelant le bruissement de branches à Rynhook et le masque blême qu'il avait aperçu entre les feuilles.

Même s'il l'avait osé, il était encore trop tôt pour révéler le secret qu'il partageait avec Marcella Van Ryn.

— Le moment des promesses n'était pas venu,

dit Sandra. Pas avec Anna encore à l'hôpital. Paul est passé me dire au revoir et me demander pardon de m'avoir parfois mal traitée dans le passé. Me dire que j'aurai de ses nouvelles, quand il aurait quelque chose de sérieux à me confier.

— Quand doit-il partir pour l'Allemagne?

— Par le vol de dix heures du soir, d'Idlewild. Je voulais l'accompagner mais il m'en a dissuadée.

— En somme, il brûle d'aller commencer ces fresques.

— Peux-tu le blâmer?

— Est-ce que tu es sûre que c'est vraiment tout ce que je dois savoir, Sandra?

Pour la première fois, la colère prenait le pas sur la prudence. Il ne pouvait regretter ce mouvement d'humeur.

— Je n'ai pas parlé de mes espoirs, pour nous deux. J'ai l'impression que cela ne t'intéressait pas.

— En effet. Veux-tu que nous parlions de la clinique maintenant? C'est un terrain beaucoup plus sûr.

— Très bien. J'espère que tu approuves mon désir d'y travailler?

— N'est-ce pas un peu surprenant, si l'on considère qu'Anna y sera ta patronne?

— Je ne vois là rien de surprenant. D'abord, il faut que je gagne ma vie. Ensuite, elle adore Jason, et elle veut l'avoir près d'elle.

— C'est Anna qui te l'a dit ou bien l'as-tu deviné?

— Un peu des deux. Anna et Paul n'ont jamais été bien assortis. Elle le savait, dès le début ou presque. Pendant un temps, je suppose, elle a été séduite à l'idée d'épouser un Van Ryn. Ensuite, elle a estimé qu'elle devait rester, puisque Paul avait si désespérément besoin d'aide.

— Jusque-là, nous sommes entièrement d'accord.

— Essaye d'envisager les choses à son point de vue, Mike. Quand elle a fait la connaissance de mon frère, il était encore une grande vedette. Anna n'était qu'une petite fille riche, qui voulait devenir une actrice et qui a échoué. Quand Jason est retourné à Hollywood, elle a eu l'impression qu'elle n'avait pas su le soutenir, qu'elle lui avait failli. Paul était à New York, il attendait une aide...

— Nous sommes toujours d'accord. Anna est le genre de femme qui a besoin d'aider quelqu'un.

— Tu comprends à merveille, Mike, beaucoup mieux que je ne l'avais espéré. Elle l'a soutenu dans de mauvais moments. Six années pleines, pendant qu'il attendait de percer. Maintenant qu'il est lancé, elle ne se sent plus utile. N'est-ce pas normal qu'elle se tourne vers Jason ?

— Est-ce qu'elle consentira au divorce ?

— J'en suis certaine, dès l'instant où Paul volera de ses propres ailes en Allemagne.

— Est-ce que vraiment tu crois que la vie s'arrange aussi simplement, Sandra ?

— Pourquoi pas, si les gens savent ce qu'ils veulent et ont le courage de s'en emparer ?

Il eût été trop facile de répliquer à cette femme aveuglée par l'amour que la chimère qu'elle poursuivait n'avait jamais été plus irréelle, que le preux chevalier qu'elle avait revêtu d'une armure étincelante était encore maintenant un dragon capable d'abattre ses victimes d'un souffle. Une fois de plus, Mike se répéta que la logique de la vérité serait perdue. Sandra ouvrirait d'elle-même les yeux sur le véritable Paul Van Ryn, ou bien elle risquerait le sort qu'Anna avait évité d'un cheveu. Il n'y avait pas de moyen terme pour son salut.

— Même venant de toi, c'est aller un peu loin, hasarda-t-il. Paul t'a abandonnée par le passé, et il est revenu selon son caprice. Pourquoi penser qu'il t'épousera, alors qu'il ne t'a rien promis ? Peux-tu être sûre qu'il a une chance de réussir seul à Munich ?

— Cherches-tu à me dire que cette commande à l'étranger est un tour de Zeagler ?

— C'est toi qui en as eu l'idée, pas moi, répliqua-t-il vivement. Si j'étais le père d'Anna, je ferais n'importe quoi pour la séparer de son mari.

— Même si c'est vrai, ça ne change rien. La commande est vraie. Dans un mois — moins, s'il travaille vite — Paul aura donné au monde entier la preuve de son talent.

— Avec une fresque d'usine? Et la décoration d'un PX militaire?

— Werner Von Helm est un architecte célèbre. Quand ces bâtiments seront finis, ils seront photographiés pour tous les journaux d'Europe. Ils seront reproduits dans la presse américaine et il y aura un photomontage dans *Life*.

— C'est vrai ou bien Paul l'a-t-il imaginé?

— Cela fait partie de son contrat. Quel meilleur début pourrait espérer un artiste inconnu? Il ne manquera pas de recevoir des offres par la suite. Il y a déjà assez de toiles à Rynhook pour faire une exposition...

— Et si ces peintures n'étaient que des explosions de son subconscient et rien de plus? Combien de temps durera-t-il avec Von Helm?

— Faudra-t-il toujours que tu penses le pire de lui?

— Certaines habitudes ont du mal à mourir, Sandra.

Encore une fois, Mike ne put regretter son éclat de colère.

— Alors sois au moins juste et réserve ton jugement. Jusqu'à ce qu'il ait montré de quoi il est capable.

— Pourquoi? Parce qu'il a fait du charme une fois de plus, et que tu as été assez folle pour croire à ses promesses?

— Je te répète qu'il ne m'a pas fait de promesses.

— Mais il t'a bien demandé d'attendre, d'attendre qu'il soit vraiment libre?

— Oui, puisque tu insistes. Et je lui ai répondu que je serai *fière* d'attendre!

Sandra avait dressé la tête. Pour la dernière fois, Mike maîtrisa le désir de la confondre en lui présentant la vérité — le fait avéré que son amant avait failli tuer sa femme et pourrait bien recommencer. Ce soir-là, Sandra West était aveugle et sourde aux réalités.

— Ne nous disputons plus, soupira-t-il. Je suis venu ici pour proposer mes services à la clinique. J'espère que tu les accepteras.

La nuit était tombée quand il quitta Gate House, sans trop savoir où il irait, sans autre projet que de céder au besoin incoercible d'être seul.

Cela avait été un soulagement de ne plus parler de Paul, de se tourner vers l'organisation de la clinique Zeagler, le matériel que fournirait l'Hôpital Memorial de New Salem, les assistants que Sandra recruterait parmi les infirmières stagiaires du canton. La clinique devait se spécialiser dans la rééducation, puisque le gros des malades indigents de New Salem seraient à présent dirigés sur Indian Hill. Sandra avait déjà trouvé deux physiothérapeutes, qui travailleraient à mi-temps à la tâche écrasante d'enseigner à la fois aux infirmes et aux estropiés en convalescence de nouvelles formes d'artisanat. Il y aurait un dispensaire, et une pharmacie où ceux qui n'avaient pas les moyens d'acheter les médicaments indispensables se les procureraient. Une part du dernier don de Zeagler permettrait d'agrandir la clinique des enfants et le centre de puériculture — et de soigner ceux dont les besoins médicaux élémentaires étaient bien souvent négligés par les parents, dans les classes les plus déshéritées.

Mike avait puisé un peu de réconfort dans les questions avides de Sandra, et dans le plaisir évident que lui apportait son nouveau travail. A présent que la conférence était terminée, il s'avouait qu'elle avait été un bien faible antidote aux craintes qui lui serraient toujours le cœur — des craintes qui s'intensifiaient maintenant qu'il avait pu constater à quel point elle s'abandonnait à un rêve sans espoir... Il se sentait encore terriblement déprimé quand il prit la route d'Indian Hill, changea d'idée au croisement et s'engagea dans la suite de virages en épingle à cheveux qui montaient à Overlook. Tant que son tourment ne serait pas apaisé, il ne serait pas en état d'affronter ses semblables.

Quand il atteignit le terre-plein de gravier au bord de la falaise, il y trouva une dizaine d'autres voitures en stationnement, et devina qu'Overlook était toujours le rendez-vous favori des amoureux de New Salem. Sa propre visite — il se l'avouait amèrement — n'avait été qu'un réflexe conditionné, un effort maladroit pour retrouver l'émotion qu'il avait éprouvée lors de son premier et unique rendez-vous avec Sandra, dix ans auparavant. Déjà, il était presque l'heure d'aller relever le médecin de garde au Memorial — de reconnaître, une fois pour toutes, que le travail était maintenant sa seule planche de salut.

Il s'aperçut qu'il était suivi, quelques secondes après avoir engagé la Ford le long de la première descente abrupte, et il se rappela vaguement qu'une voiture avait démarré tout de suite après lui. Il savait maintenant qu'elle l'avait suivi depuis la vallée, à distance respectueuse ; il se rappela qu'elle avait stationné à l'autre extrémité de la falaise, le moteur au ralenti, pendant qu'il communiait avec le passé... Sa mémoire se réveilla encore lorsque le poursuivant descendit la côte derrière lui, tous feux éteints, et emballa son moteur pour combler la distance qui les séparait. Ce vrombissement puissant révélait la voiture de sport. Mike était certain que c'était la Porsche rouge qu'il avait vue à Rynhook — bien que Sandra lui eût affirmé que Paul était déjà en route pour Idlewild.

Les deux voitures arrivaient maintenant au premier virage en épingle à cheveux. Mike fit un appel de phares, donna un coup de frein et passa en seconde pour négocier le tournant. Son poursuivant répondit par un coup d'accélérateur qui amena son capot presque sur le pare-chocs arrière de la Ford. Au virage suivant, ses phares s'allumèrent, éblouissants, forçant Mike à serrer un peu sur la gauche, vers la paroi rocheuse. Puis, avec un glapissement de l'avertisseur, la voiture de sport fit un bond en avant pour se rapprocher encore, et heurta le pare-chocs arrière de la vieille guimbarde, en cherchant délibérément à la pousser dans le vide.

La tentative échoua, à quelques centimètres près ; seul un poteau solide, accrochant l'aile droite de la Ford empêcha Mike de foncer à travers le garde-fou et de se jeter dans le précipice. La voiture de sport freina sèchement et fit marche arrière. Mike banda ses muscles, attendant le prochain assaut. Il ne sut jamais s'il devait son salut à un manque de courage de son ennemi, ou à l'apparition soudaine d'une décapotable pleine de jeunes gens sur la route en contrebas.

Mike poussa un cri de rage à retardement, tandis que le conducteur encore invisible, éteignant ses phares une deuxième fois, fonçait dans le virage et disparaissait vers la vallée. Le moteur de la Ford haleta et gémit lorsque Mike se dégagea du garde-fou enfoncé. Risquant sa vie dix fois aux derniers virages, il atteignit la grand-route à temps pour apercevoir son ennemi devant lui, mais la vitesse de la Porsche et son avance empêchèrent Mike de se lancer à sa poursuite. Lorsqu'il arriva au trèfle de l'autoroute, il y avait longtemps que la voiture de sport avait disparu dans la circulation.

Durant cette poursuite effrénée, Mike avait été trop convulsé de rage pour comprendre qu'il avait frôlé la mort de près. Il ne devait jamais se rappeler comment il avait garé sa voiture dans l'emplacement réservé aux médecins à Indian Hill, ni comment il avait regagné ses appartements. L'inévitable réaction se fit quand il vacilla sur le seuil de sa salle de bains. Il était encore secoué de haut-le-cœur et penché sur le lavabo quand il sentit une main sur son épaule, et leva la tête pour se trouver nez à nez avec Lee Searles.

— La tête sous le robinet, s'il vous plaît, dit l'infirmière d'un ton autoritaire.

L'eau était tonique, mais Mike était néanmoins heureux d'être soutenu. Il avait vraiment été sur le point de perdre connaissance.

— Ça va mieux, docteur?

— J'irai tout à fait bien dans un moment.

— Pardonnez-moi si je vous ai fait peur. J'étais sur la terrasse quand vous êtes arrivé. J'ai compris que vous aviez besoin de secours.

— C'est moi qui dois m'excuser, murmura Mike.

Il se cramponna au chambranle de la porte, attendit que la chambre, puis l'infirmière, cessent de tourbillonner, et il ajouta :

— Ça ne m'arrive pas souvent. Je vous donne ma parole que ce n'est pas l'alcool.

— Venez prendre l'air. Vos idées s'éclairciront plus vite.

Sur la terrasse, Lee Searles le guida jusqu'à une chaise longue.

— Nous partageons cette terrasse avec miss Ford dit-elle. Pourquoi n'en avez-vous encore jamais profité?

— J'ai eu trop de travail, hélas.

— Le docteur Brett est de garde pour vous jusqu'à onze heures. Je suis de chirurgie, et je me repose ici. Pensez-vous qu'un remontant vous ferait du bien?

— C'est exactement ce qu'il me faut.

L'infirmière disparut dans sa chambre, et revint avec un grand verre. Mike essaya de se redresser, mais la tête lui tournait toujours. Quand Lee s'assit à côté de lui sur la chaise longue, il trouva tout naturel de s'appuyer contre elle, pendant qu'il buvait un cognac à l'eau bien tassé. Le contact, à tout autre moment, aurait fait battre son pouls plus vite ; à ce moment-là, il le trouvait plus réconfortant qu'excitant. Il était heureux de recevoir dans son univers tourbillonnant ce secours inattendu de se laisser aller...

— Ne vous évanouissez pas tout à fait, docteur.

Dans son engourdissement, il reconnaissait tout de même la voix du parangon de la salle d'opération.

— Voulez-vous que Will vous mette au lit ou avez-vous besoin du docteur Breet ?

Mike se redressa enfin.

— Je peux me débrouiller tout seul, merci.

— Vous voulez me raconter ce qui s'est passé ?

— Appelez cela une réaction à retardement. Il y a bien longtemps qu'on n'avait pas tenté de me tuer.

Les mots lui avaient échappé ; le besoin de se confier, de chercher une chaleur humaine après que Sandra l'eut repoussé avaient été plus forts que sa volonté.

— Vous avez dit *tuer*, docteur ?

Lee Searles ne bougea pas pendant qu'il lui racontait sa visite à la falaise, et ses suites presque fatales.

— Avez-vous pu identifier le conducteur, ou la voiture ?

— Il a pris soin de ne pas se faire voir. La voiture était de marque étrangère. Un petit modèle.

— Une Jaguar ou une Porsche ?

Mike lui jeta un regard aigu.

— Je n'y connais rien. Mieux vaut que je ne joue pas aux devinettes.

— Ne devriez-vous pas prévenir la police ?

— Je doute qu'ils puissent faire quelque chose, quand j'ai si peu à leur dire.

— Avez-vous relevé le numéro ?

— J'étais bien trop occupé à sauver ma peau pendant que nous étions encore sur les hauteurs.

Et dans la vallée, je n'ai pas pu le rattraper.

Mike vida son verre, et se leva lentement. Il se dit que le contact avait rendu son service, et qu'il était inutile de le prolonger.

— Vous devez avoir une idée de son identité, tout de même?

— Je ne peux vraiment pas répondre.

— Vous ne pouvez pas — ou bien vous ne voulez pas?

— Mettons que je ne veuille pas. C'est sans doute plus sage.

— C'était Paul Van Ryn, n'est-ce pas?

— Qu'est-ce qui vous fait dire ça?

— Le téléphone arabe marche très bien, à New Salem. Et la ligne monte jusqu'à Indian Hill.

— Pourquoi Paul voudrait-il ma mort?

— Nous pourrions tous deux imaginer plusieurs raisons.

— Est-ce que vous seriez détective à vos moments perdus?

— Nullement. Je suis sortie quelquefois avec lui, à mon arrivée ici. Je n'ai pas mis longtemps à voir ce qu'il y avait derrière la façade. J'ai suffisamment servi dans des salles psychiatriques. J'ai soigné des fous, et j'aime autant les voir internés.

— Vous comprenez bien, j'espère, que ce que nous avons dit ce soir doit rester entre nous?

— Certainement, puisque vous insistez pour être aussi noble.

Mike se dirigea vers la porte-fenêtre de son appartement, puis revint sur ses pas.

— Autre chose — et toujours entre nous. Avec votre habileté et vos dons, comment avez-vous pu échouer dans ce genre d'établissement?

— Pour la meilleure des raisons. Je suis tombée amoureuse d'un homme marié, qui doit rester marié. C'est le directeur du Memorial de New Salem.

— Larry Melcher est un homme heureux.

— J'accepte le compliment. Bonne nuit, docteur.

Avant que Mike puisse répondre, elle avait disparu. Il resta seul sur la terrasse — regarda les portes de verre se fermer sur elle et laissa son esprit se réinstaller dans l'ornière quotidienne. Maintenant que Paul était parti, il savait qu'il devrait être heureux d'être encore en vie. Sa délivrance lui parut peu de chose lorsque sa pensée retourna vers Sandra West — et le tragique réveil qui l'attendait.

8

AARON Zeagler se pencha en avant sur son bureau pour examiner l'homme assis dans le fauteuil des visiteurs. Jusque-là, son entrevue avec Mike Constant avait avancé à pas prudents — d'un côté comme de l'autre.

— Quand nous nous sommes vus pour la première fois dans ce bureau, docteur, j'avais l'intention de vous revoir dans deux semaines. Mes affaires à l'étranger m'ont retenu. J'espère que vous pardonnez mon retard.

— Vous êtes un homme occupé, monsieur. Pourquoi vous excuser?

— Puisque le salut de ma fille est en jeu, je puis difficilement faire autrement. Il y a longtemps que le problème de son mari aurait dû être affronté. Je ne dirai pas que je l'ai résolu en l'envoyant travailler avec Werner Von Helm. Son absence détendra au moins un peu l'atmosphère, à New Salem.

— Il est hors de doute que cela a accéléré la convalescence d'Anna.

— Tôt ou tard, il faudra qu'elle divorce, qu'elle quitte un homme qui n'est pas fait pour le mariage, talent ou non. J'ai pris soin de me taire sur ce sujet. Naturellement, je me suis senti encouragé quand elle est venue à Mohawk Knoll tout droit, en sortant de l'hôpital.

— Je suis heureux que vous n'ayez pas abordé le sujet, monsieur Zeagler. S'il doit y avoir un divorce, cela doit venir d'elle.

— Croyez-vous que cela aiderait, si vous lui donniez des conseils, vous ?

— Je suis son médecin, pas un conseiller familial.

— Vous êtes aussi son ami, dans le meilleur sens du terme. Cela vous donne sûrement des droits particuliers.

— Pas celui de changer le destin des autres.

— Vous l'avez vue au travail à la clinique cette dernière semaine ; vous l'avez observée dans le théâtre des enfants. Elle est heureuse, maintenant, docteur, mais elle perdra son bonheur demain, s'*il* revient. Qu'allons-nous faire alors ?

— Elle est heureuse à la clinique, parce qu'elle aide les autres, comme elle ne pourra jamais aider Paul Van Ryn. Je crois qu'elle se délivrera de lui, quand elle estimera qu'elle a fait tout ce qu'elle a pu pour le pousser dans sa carrière. Six ans à Rynhook, c'est plus que suffisant pour n'importe quelle femme.

L'industriel réfléchit à cette réponse, tout en examinant attentivement Mike Constant. Il était exact qu'il avait improvisé deux commandes pour Paul Van Ryn, avec l'aisance désinvolte d'un prestidigitateur tirant des lapins d'un chapeau. Aujourd'hui, il pouvait se dire que ces commandes avaient été une heureuse inspiration combinant les moyens et les fins. Il venait de recevoir un câble de l'architecte allemand, qui portait aux nues l'artiste chargé de décorer le grand hall de l'usine. Zeagler avait eu l'intention de garder ce câble pour lui, jusqu'à ce que l'opinion de Von Helm soit plus définitive. À présent que ses pensées s'étaient nouées avec celles de Mike Constant, il lui semblait injuste de se taire.

— Paul travaille assidûment, docteur. Von Helm

est enchanté de ses esquisses pour les fresques. Il me dit qu'elles montrent des dons réels.

— Avez-vous vu ses œuvres?

— Rien que le tableau qui est à Rynhook. Anna me l'a apporté ici pour me le montrer quand elle l'a fait encadrer. Il m'a profondément frappé — mais je ne prétends pas le comprendre.

— Moi non plus. Dans l'ensemble, il me rappelle surtout Van Gogh. Je ne pousserai pas la comparaison trop loin.

L'industriel se renversa dans son fauteuil et ferma les yeux. Les derniers mots de son visiteur avaient éveillé un écho déplaisant dans son esprit. Tant qu'il ne fut pas étouffé, il n'osa pas parler. Le martèlement de son pouls, le bourdonnement à ses oreilles étaient des avertissements suffisants.

— Est-ce qu'un grain de folie ne va pas souvent de pair avec le génie, docteur? demanda-t-il enfin.

— Il paraît. Mais ce n'est pas de mon ressort.

— C'est un tout autre univers que le mien. Ma spécialité à moi est de mesurer le faisceau d'un laser, et de l'adapter à mon dessein. Je puis construire un accélérateur linéaire sur commande ; je puis m'assurer que notre premier missile vers la lune atteindra son but ; vous, vous pouvez sauver une femme avec une lame d'acier. Il est un peu plus difficile de plonger dans le cerveau de Paul, et de voir comment il fonctionne.

— Cet effort me dépasse, monsieur.

— Dans ce cas, je propose que nous lui accordions le bénéfice du doute. A condition, bien entendu, qu'Anna ait le bon sens de divorcer et qu'il ne lui mette pas des bâtons dans les roues.

— Votre patience vous honore, monsieur. Je ferai de mon mieux pour partager votre optimisme.

— L'optimisme a son utilité, docteur. Puis-je vous demander s'il s'applique à mon hôpital?

— Vous avez reçu mon premier rapport, monsieur Zeagler. On a accompli beaucoup depuis mon arrivée. Il reste encore énormément à faire.

Zeagler hocha la tête et se servit un verre d'eau de la carafe posée près de lui, qu'il but lentement. Le martèlement de ses artères avait cessé, mais il devait rester prudent.

— Je suppose que ce ne sera pas une nouvelle pour vous si je vous dis que la colère gronde chez les actionnaires médecins.

— Je n'en attendais pas moins quand j'ai accepté ce poste.

— Moi aussi. Parfois, rien ne vaut une bonne bagarre pour dégager l'atmosphère. J'espère que vous ferez appel à moi, si vous avez besoin de renforts.

— C'est une bataille de médecins, monsieur. Nous la réglerons avec nos propres armes.

Zeagler sourit.

— J'espérais cette réaction et je la respecterai. Maintenant que vous êtes installé à Indian Hill, je suis prêt à parier sur le résultat.

— N'engagez pas trop vite votre argent. Les problèmes de l'hôpital sont loin d'être résolus. La flambée d'hépatite, pour ne citer que celui-ci. Je suis sûr que le docteur Melcher vous a mis au courant.

— Mes agents immobiliers l'ont devancé. Melcher prétend que vous avez une hypothèse à ce sujet.

— Rien de bien déterminé, hélas. Nous n'arriverons à rien tant que nous n'aurons pas mis le doigt sur l'origine du mal.

— Et pour ce qui est de la prochaine visite de la Commission de la Santé Publique? Est-ce que l'Hôpital Memorial recevra sa bénédiction?

— Nous avons une bonne chance, si nous améliorons nos rapports, et si nous gardons le personnel médical bien en main.

L'industriel se leva derrière son bureau.

— Permettez-moi au moins de vous souhaiter bonne chance, dit-il en tendant la main.

— Au point où en sont les choses, j'aurai besoin de toute la chance possible.

— Vous avez raison d'insister pour que je ne m'en mêle pas. De deux choses l'une, ou mon hôpital fonctionne bien sans mon intervention, ou bien je m'en débarrasse. Votre avenir, c'est une autre histoire. Après ce que vous avez fait pour Anna, il me faudra trouver un autre moyen de vous récompenser.

— Si elle refait normalement sa vie, ce sera ma plus belle récompense.

Les deux hommes sortirent du bureau ensemble. Zeagler s'arrêta alors, comme il l'avait fait lors de la première entrevue, pour poser une main paternelle sur l'épaule de Mike Constant.

— Et votre propre vie, docteur? Puis-je vous aider à trouver une meilleure situation, au cas où celle-ci vous échapperait? Pourrais-je être votre avocat, en ce qui concerne miss West?

— La réponse est non, aux deux questions. Merci tout de même, du fond du cœur.

— La réprimande est méritée. Miss West doit travailler seule à son salut. Et, bien entendu, vous aussi.

— C'est la seule solution, je le crains, qui ait une signification.

En roulant vers la rivière, Mike se félicitait d'avoir terminé sa visite sur une note d'indépendance. Comme la première fois, Zeagler l'avait subjugué par la seule magie de sa présence ; Mike avait eu du mal à maîtriser son enthousiasme tandis que l'esprit de l'industriel allait de l'avant, en sautant tous les obstacles dans sa hâte à atteindre son but.

Il avait espéré un aveu franc, lorsque le nom de Paul avait été prononcé. Il était sûr que Zeagler avait deviné, s'il n'avait pas su, tout le mal que Paul avait semé dans leurs existences, et ne s'était trompé que dans son estimation de Paul lui-même. Du point de vue de Zeagler, il était naturel de supposer que les défauts de Paul étaient ceux d'un génie créateur — et que l'artiste serait éloigné d'Anna par la simple occasion de prouver son talent. Il ne pouvait savoir que Paul (n'obéissant à aucune loi divine ou humaine) avait accepté ces commandes comme un dû. Il n'imaginait pas que Paul risquait de revenir d'un instant à l'autre à Rynhook, pour y creuser un nouveau sillon de destruction dans son sillage.

En atteignant New Salem, Mike prit à gauche le long de la petite route maintenant familière, vers Bear Creek Crossing et la clinique Zeagler. Il avait été indispensable de tourner autour de la menace que représentait Paul Van Ryn, sans donner à cette menace son véritable nom. Maintenant que son entrevue avec Zeagler était passée, il regrettait un peu de ne pas avoir insisté sur ses propres problèmes à l'hôpital — bien qu'il ne pût accepter d'aide dans ce domaine.

Sa guerre froide avec le personnel médical actionnaire en était encore au stade des escarmouches, mais inévitablement cela changerait et se transformerait en un combat de front. Quand la véritable bataille éclaterait, le mot de la fin reviendrait à Melcher ; ou le directeur accepterait les conseils de réforme de Mike, ou bien l'utilité de ce dernier — dans un hôpital où le mot d'ordre était *bénéfices* — prendrait fin... C'était une certitude peu rassurante, et Mike avait grand besoin d'une oreille compatissante quand il gara sa voiture derrière la clinique Zeagler et pénétra dans l'établissement par une porte de côté.

Une lampe brillait encore dans la pièce qu'il avait installée en laboratoire, avec l'aide de Sandra. Depuis le jour où Jason avait commencé les répétitions du soir dans le théâtre des enfants, Sandra avait pris l'habitude de récapituler les notes qui s'étaient accumulées durant la journée, des rapports d'immunisation, des références sur les maladies contagieuses qui devraient être transmises à la Santé Publique, les renseignements qui encombrent les dossiers de tous les dispensaires où les malades sont en majorité de pauvres gens éberlués... Mike espérait qu'elle aurait fini son travail assez tôt, ce soir, pour aller assister à une des dernières répétitions.

Le théâtre enfantin communiquait avec la clinique par une loggia vitrée. C'était un soulagement que de se glisser au dernier rang des fauteuils dans la salle assombrie et de s'abandonner à la magie familière que Jason créait sur la scène. Ce soir, on répétait en costumes pour la première fois. Mike était arrivé au milieu de la scène de lever de rideau dans la nursery, un décor charmant avec un papier peint décoré d'animaux et une très grande baie pour faciliter l'entrée théâtrale de Peter Pan. C'était le premier sommet de la pièce, lorsque Peter, triomphant des liens qui attachent les mortels à la terre démontrait que sa faculté de planer dans l'espace n'était pas une vantardise.

Une fois de plus, bien qu'il connût déjà la pièce par cœur, Mike fut captivé. C'était difficile de se rappeler que ces jeunes comédiens n'étaient pas des acteurs professionnels, à présent que la répétition avait trouvé la forme et la cadence définitives. C'était la preuve vivante que l'acteur-metteur en scène avait communiqué son talent aux autres, aussi naturellement que Peter venait de s'envoler, en laissant derrière lui les problèmes de la terre.

Jason pouvait ne plus jamais monter sur les planches ; son refus obstiné de se soumettre à la chirurgie pouvait l'abattre demain. Ce soir au moins, il avait recréé ces enfants déshérités, il leur avait insufflé son étincelle divine, aussi adroitement qu'il avait autrefois tenu le public sous son charme.

Maintenant que les yeux de Mike s'étaient habitués à la pénombre de la salle, il distinguait la mince silhouette du metteur en scène, assis dans un fauteuil de côté, juste au-delà des feux de la rampe. Jason se tenait droit et fier et laissait la scène se dérouler sans interruptions. Apparemment, il avait contemplé son œuvre et l'avait jugée bonne.

Anna était assise derrière lui. Son manteau jeté

sur ses épaules comme une cape lui donnait l'air d'un acolyte attendant les ordres à l'autel. Comme la scène se terminait et que la main de Jason se levait pour donner le signal du baisser de rideau, elle se pencha en avant pour lui murmurer un mot à l'oreille, puis elle se leva et quitta la salle sur la pointe des pieds. Mike aperçut à peine sa figure quand elle passa près de lui. Cela suffit à lui rappeler que la lumière qui brillait dans les yeux d'Anna ces jours-ci était une autre preuve visible de sa transformation.

— Tu me crois maintenant, Mike?

Le chuchotement de Sandra le ramena à la réalité. Elle s'était glissée dans le fauteuil à côté de lui, sans distraire son attention du spectacle. Il ne répondit pas tout de suite et attendit que Jason eût fait relever le rideau pour décrire, dans ses détails, l'entrée de l'infâme Captain Hook.

— Tu es un prophète de premier ordre, Sandra.

— Et toi, tu es directement responsable de ce qui est arrivé. A ta place, je me sentirais très fier.

— Si jamais quelqu'un est responsable de la transformation de Jason, c'est bien Anna.

— Ni l'un ni l'autre ne seraient en vie si tu ne les avais pas sauvés. Ne viens pas me raconter que tu n'as fait que ton travail et rien de plus. Tu as persuadé Jason qu'il voulait vivre. Il m'a répété votre conversation et ce que tu lui as dit, mot à mot.

— C'est Anna qui l'a convaincu qu'on avait encore besoin de lui. Que fera-t-il quand ces répétitions seront terminées?

— Il retournera à New York, pour accepter le premier rôle qu'on lui proposera.

— Est-ce que tu l'as prévenu qu'il signait son arrêt de mort, s'il travaillait sans pacemaker?

— Pour le moment, il est impossible de lui dire quoi que ce soit. Jason est toujours comme ça en cours de répétitions, qu'il s'agisse d'un grand spectacle ou d'une pièce de patronage.

— Il faudra bien qu'il retombe sur terre un jour. Quand débute ce spectacle ?

— De samedi en huit.

— Alors tu as encore le temps de le persuader.

— Il est au-delà de ma persuasion, Mike. Je lui ai demandé de regarder Anna, de voir combien l'amour l'avait transformée. Il ferme tout simplement son esprit, comme s'il claquait des volets.

— Je connais cette technique, moi aussi, soupira Mike.

Mais Sandra feignit de ne pas comprendre l'allusion.

— Il est intimement persuadé qu'un cardiaque n'a pas le droit de songer au mariage. Il me répète qu'Anna a déjà fait un mauvais choix et qu'elle ne doit pas en faire un second...

— C'est peut-être Jason qui veut éviter les risques pour lui-même.

— S'il était valide, il la demanderait en mariage immédiatement. Je suis sûre qu'il fignole ces répétitions exprès, pour faire de ce spectacle quelque chose de parfait, un gage de reconnaissance pour elle.

— Le chant du cygne conviendrait mieux, comme terme.

Sandra posa sa main sur le bras de Mike, dans un geste de supplication.

— Tu l'as sauvé du barrage Van Ryn. Tu lui as rendu le théâtre. Ne peux-tu le convaincre que la véritable vie vaut la peine d'être vécue ? Même si elle est un peu moins parfaite que les rôles qu'il a joués ?

Le silence retomba entre eux, tandis que Jason, avec une parfaite compétence, dirigeait la rencontre entre le Captain Hook et le crocodile... C'était d'une suprême ironie, songeait Mike, que Sandra plaidât ainsi la cause de son frère et d'Anna, alors que la libération d'Anna de son esclavage la condamnerait elle-même au même sort déplorable.

— J'attends ta réponse, Mike.

— J'ai signé le bulletin de sortie de Jason il y a quinze jours. Tant qu'il repousse mes conseils, je ne puis rien faire de plus.

— Je ne savais pas que tu laissais partir les malades avant qu'ils soient guéris.

— A mon avis, nous sommes déjà trop intervenus. Pourquoi ne pas nous fier à Anna pour le guérir, désormais ?

— Anna a peut-être autant besoin d'aide que Jason. N'y as-tu pas songé ?

— Souvent. Peux-tu me dire quels sont ses projets, pour le moment ?

— Tu sais très bien que je ne peux pas, Mike. Je n'ai pas le droit de l'interroger, alors que sa décision m'intéresse directement.

— Moi aussi.

— Je ne pense pas seulement à moi, tu devrais le savoir.

Mike s'était déjà levé.

— Tu as raison, naturellement. Ton frère est toujours mon malade, et Anna aussi. Je ferai ce que je pourrai pour les aider à guérir. Espérons qu'ils en sont au dernier stade de la maladie.

— Alors tu as un plan ?

— Pas encore. Disons que je tâtonne.

Il quitta rapidement la salle, sans lui laisser le temps de le questionner plus avant. Pour la deuxième fois de la journée, il était heureux d'avoir dit le fond de sa pensée, quand bien même il n'avait pas osé dévoiler le fond de son cœur.

Lee Searles sortit de ses appartements, portant deux gin-tonics sur un plateau. Mike prit un des verres, et se laissa retomber sur la chaise longue de la terrasse, en fermant les yeux avec lassitude. Depuis son escarmouche avec Paul sur la route de la falaise, ces rendez-vous de minuit étaient devenus presque un rite. Il commençait à les attendre avec impatience, comme des îlots de paix dans la journée d'hôpital harassante.

— Comment avez-vous trouvé Aaron Zeagler ? demanda l'infirmière.

— Toujours plein de projets et misant toujours sur l'endurance de l'*homo sapiens.*

Pour Mike, c'était un luxe que de pouvoir dire ce qu'il pensait sans autocensure, de savoir que ses espoirs et ses craintes n'iraient pas plus loin.

— Y compris son gendre ?

— Il fournit à Paul toutes les chances de se prouver lui-même. On ne saurait être plus juste.

— Est-ce que vous lui avez dit que c'était de l'argent jeté par la fenêtre ?

— Allons donc, vous ne devriez pas poser cette question. Rien n'exaspère davantage un philanthrope que d'insinuer que sa philanthropie est gaspillée. D'ailleurs, ce n'est peut-être pas vrai de Paul l'artiste. Si nous pouvons en croire le grand Werner Von Helm, il fait merveille.

— Est-ce que Zeagler soupçonne que Paul est détraqué ? Ou croit-il qu'il n'est qu'un égocentrique monumental à la recherche d'un débouché ?

— Jusqu'ici, il n'a pas tiré de conclusions définitives. On pourrait dire qu'il nous a lâché la bride et qu'il espère que tout ira bien.

— A-t-il parlé de vos chances à l'hôpital ?

— Il a offert de me soutenir en cas de bagarre. Bien entendu, j'ai décliné cette offre.

— Vous êtes là depuis plus d'un mois, Mike. Tout le monde prend des paris sur le temps que vous allez encore durer.

— Ça ne m'étonne guère.

— Le premier du mois est un jour clef dans un hôpital en société. Surtout si les rentrées sont en baisse sur le mois précédent. Bien des gens ont étudié les rapports d'admission, en dehors de Pailey.

— Je serai ravi de lui montrer les rapports cliniques.

— Ralph est trop vif pour les sermons. Il vous accusera et vous forcera à vous défendre.

— J'ai des preuves formelles de sa vénalité. Exemple un : cinquante centigrammes d'aspirine coûtent environ un *cent* à la pharmacie. Pailey perfore encore une carte IBM, et prend cinquante *cents* pour « remèdes ordonnés »...

— C'est une habitude courante, chez les caissiers.

— Exemple deux : un appendice parfaitement normal ôté à une jeune fille qui ne souffrait que de spasmes du côlon à la suite de mauvaises notes en classe. Exemple trois : un malade du Cantonal, gardé au lit après une embolie légère, alors qu'il aurait pu aller à la clinique Zeagler en convalescence et rééducation. Et je ne parle pas de deux curetages de routine... J'espère que vous n'avez pas eu à assister dans ces cas-là.

— Non Mike. Mais je puis vous assurer que les deux interventions étaient parfaitement légales.

— Les deux jeunes filles ont à peine dix-huit ans.

— L'âge du consentement. Dans les deux cas, deux médecins différents ont certifié que l'avortement était nécessaire.

— Comment expliquez-vous que l'on ait fait disparaître les tissus organiques avant que le docteur Garstein puisse les examiner et diagnostiquer une grossesse normale?

— Rien ne vous échappe, on dirait.

— Si, certainement. Après tout, Pailey a eu trois ans pour perfectionner son art de l'échappatoire.

Lee Searles posa son verre sur la table.

— Est-ce qu'il ne vous vient jamais à l'idée de vous reposer un peu?

— J'ai été engagé pour améliorer l'hôpital. Larry Melcher me soutient.

— Il ne pourra pas combattre ses associés, si une majorité se dessine contre vous.

— Avec Bradford Keate à sa tête?

— Je suis étonnée que vous n'ayez pas encore eu de prise de bec avec lui.

— On m'a conseillé de l'éviter. Jusqu'ici, j'y ai réussi. Heureusement, nous n'avons pas eu à consulter.

— Le docteur Keate n'a pas l'habitude d'appeler un autre médecin en consultation. Il est de ceux qui adorent opérer, et qui adorent faire défiler les malades à toute vitesse. C'est pourquoi il fulmine contre le ralentissement des admissions. Vous ne tarderez pas à entendre parler de lui.

— Vous l'assistez constamment dans ses opérations. Est-il bon chirurgien ?

— Aussi bon qu'on puisse l'espérer, à condition qu'il s'agisse d'une chirurgie de routine. Il a toujours été à la hauteur.

— Tant qu'il y aura des femmes insatisfaites, toutes prêtes à se débarrasser d'un utérus dont elles n'ont pas l'intention de se servir ?

— Tout juste, Mike.

— Je pose peut-être trop de questions directes. Je sais que vous êtes ici à cause de Larry, mais je n'ai jamais très bien compris pourquoi Larry s'est résigné à New Salem.

— Vous devez avoir entendu parler de Mary.

— Je sais seulement qu'il a une femme.

— Elle est la raison pour laquelle il a accepté de prendre l'hôpital de Zeagler à bail. Il avait besoin d'argent, et c'était plus facile pour lui de la soigner ici, sans l'accaparement d'une clientèle de grande ville. Maintenant que l'établissement marche bien, c'est devenu sa vie. Ou, si vous préférez, son symbole de succès pour compenser son échec personnel dans la vie privée.

— Pourquoi ne divorce-t-il pas ?

— Mary est son premier amour d'enfant. Ils ont grandi ensemble à Baltimore, et il l'a épousée quand il était résident à Hopkins. Vous n'ignorez pas l'épreuve que cela représente pour une jeune femme normale. Mary n'avait pas la patience de supporter les exigences d'une vie de médecin. Elle s'est mise à déboucher des bouteilles pour oublier sa solitude ; avant même que Larry puisse se constituer une clientèle particulière, elle était devenue alcoolique. Pas une buveuse intermittente, comme Anna Van Ryn. Mary était de celles qui ne peuvent s'arrêter, une fois qu'elles ont reniflé un bouchon.

— Il me semble que c'est un cas de divorce très net.

— Pas si l'on est catholique pratiquant, comme ils le sont tous les deux. Pas si l'on se sent en partie responsable, comme Larry. Une petite ville comme New Salem lui paraissait la meilleure solution. Pendant un certain temps, il a cru son problème résolu. Et puis, il s'est aperçu qu'elle avait le diabète, un effet secondaire de l'alcoolisme. La clinique Lahey de Boston l'a soignée du mieux possible, mais elle oubliait tout le temps son insuline ou son régime, et Larry ne pouvait rester auprès d'elle à tout instant.

— Je ne m'étonne plus qu'on ne parle jamais de ce mariage à l'hôpital.

— Je ne vous ai pas tout dit. Il y a un an, Larry a été retenu par une urgence cardiaque qui a duré toute une nuit. Quand il est rentré chez lui, il a trouvé Mary en convulsions. Elle avait renvoyé la bonne et avait pris son insuline alors qu'elle avait trop bu pour la mesurer avec précision. Elle avait dû s'injecter deux ou trois fois la dose normale ; par là-dessus, elle avait encore bu et oublié de manger. On lui a pompé de la glucose jusqu'à ce que le sucre de son sang remonte, mais on n'a pas pu lui ranimer le cerveau. Elle n'est plus qu'un végétal, surveillé en permanence par des infirmières. Tout ce qu'elle peut faire, c'est avaler, quand on lui pose la nourriture sur la langue.

Mike connaissait ce drame, dans toute son horreur. Il avait souvent observé des cas semblables, où le cerveau est endommagé par des drogues, ou simplement par le manque d'oxygène, le drame même que

Jason West avait évité de justesse. Pour la première fois, Mike croyait comprendre Larry Melcher, en particulier son besoin d'argent et son besoin encore plus grand de s'étourdir toute la journée dans le travail.

— Il n'y avait pas d'enfants?

— Larry en voulait, mais Mary ne se jugeait pas prête. Maintenant, bien sûr, il est trop tard. Le seul bonheur qu'il ait est avec moi. Je n'ai pas honte de le lui donner, quoique les gens puissent colporter.

— Vous n'avez pas à avoir honte, si vous l'aimez.

— Je l'aime de toutes les fibres de mon corps. Il voudrait m'aimer de la même façon, j'en suis sûre. Ça n'a pas été facile pour nous. Larry est un homme d'une moralité rigoureuse. Il s'inquiète de ce que les gens pensent de nous ; il me dit qu'il ne fait aucun sacrifice, qu'il prend ce qu'il ne peut rendre.

— Larry est un homme exceptionnel, Lee. Tout ce que vous m'avez raconté ce soir le prouve.

— Allons, ne me laissez plus m'apitoyer sur mon sort. Parlons un peu de votre cœur à vous, pour changer.

— Pour le moment, il ne se passe rien.

— Vous m'avez très bien comprise, Mike. Vous êtes follement amoureux de Sandra West, et vous n'êtes pas payé de retour.

— Me conseilleriez-vous d'éteindre cette flamme?

— Comment pourrais-je vous donner ce conseil, dans ma situation?

Mike sourit et se leva de la chaise longue. Comme toujours, cet échange de confidences l'avait énormément réconforté.

— Je vais vous faire un aveu. J'envie Larry Melcher.

— Je pourrais en dire autant de Sandra. Nous souhaiterons-nous le bonsoir sur cette note d'admiration mutuelle?

***

Le lendemain matin, en se réveillant avec le souvenir de l'étrange conversation de la veille présente à l'esprit, Mike fut heureux que Melcher soit allé à Albany pour assister à un congrès médical. Plusieurs heures plus tard, après sa ronde suivie d'une simple opération de l'appendicite à chaud qui l'avait éloigné de l'examen épuisant des dossiers, il reçut un coup de téléphone de Kathi Sturdevant, la secrétaire particulière du directeur.

— Je sais que vous avez beaucoup de travail, docteur, comme d'habitude, mais pourriez-vous aller voir Mrs Melcher, professionnellement?

— Bien sûr. Qu'est-ce qu'elle a ?

— Vous ne le savez peut-être pas, mais elle est incurablement... euh... infirme.

L'hésitation de miss Sturdevant donnait à penser qu'elle taisait beaucoup de choses.

— Son infirmière de jour est auprès d'elle en ce moment, poursuivit la secrétaire. Mrs Melcher est incapable de parler, mais elle parvient à indiquer un malaise. Elle souffre apparemment de crampes abdominales, qui ont l'air de s'aggraver.

— Je vais chez elle tout de suite.

La maison du directeur, une modeste villa dominant le barrage, n'était qu'à quelques minutes de l'hôpital. Mike était souvent passé devant en se rendant à la clinique Zeagler ; il n'avait jamais remarqué les volets fermés du rez-de-chaussée, ni les autres signes, moins évidents, indiquant que c'était la demeure d'une infirme. L'infirmière de Mary Melcher, une femme âgée qui avait fait des remplacements dans les salles communes de l'hôpital, répondit promptement à son coup de sonnette.

— Je suis heureuse de vous voir, docteur Constant. Elle avait trente-neuf il y a une heure, mais la température a monté depuis. Et elle souffre beaucoup.

— A-t-elle sa connaissance?

— Autant qu'elle puisse l'avoir.

L'infirmière le conduisit à la chambre de la

malade. Mike remarqua qu'elle était meublée d'une façon charmante ; seul le lit d'hôpital, face à la fenêtre panoramique, trahissait sa fonction. Mary Melcher était une femme encore jolie qui ne paraissait pas plus de trente-cinq ans. Ses cheveux avaient été récemment ondulés, et la chemise de nuit et la liseuse qu'elle portait étaient d'une élégance toute parisienne. Mike se dit que Larry Melcher avait fait de son mieux pour conserver intacte l'illusion du mariage.

— Est-ce qu'elle répondra si je lui parle ?

— Non, docteur. Elle ne pourra que vous montrer l'endroit où elle a mal.

Les mains de la malade, diaphanes et blanches, glissèrent sur la courtepointe pour effleurer son abdomen. Le geste avait été rapide mais un peu hésitant. Quand les mains s'immobilisèrent, il n'y eut plus aucun signe de vie chez la malade, à part sa respiration oppressée.

— Elle a encore perdu connaissance, dit l'infirmière. Je peux la ranimer, si vous voulez.

— Ce ne sera pas nécessaire. Quand est-ce que le mal a commencé ?

— L'infirmière de nuit me dit qu'elle s'est agitée vers le matin. Elle avait un peu de température quand j'ai pris mon tour de garde. Nous ne nous sommes pas trop inquiétées, car ce n'est pas la première fois que cela lui arrive.

Mike ouvrit sa sacoche et rabattit les couvertures. Il palpa l'abdomen, et lorsque ses doigts touchèrent le flanc droit, il sentit une légère résistance, un net grossissement du foie qui abaissait le bord inférieur du viscère d'au moins deux centimètres. Bien qu'il auscultât avec soin, il ne trouva plus rien d'anormal avant d'avoir abaissé une des paupières inférieures pour exposer une cornée jaunâtre.

— C'est la jaunisse, n'est-ce pas docteur ?

— Oui, et même assez grave, je le crains.

— Il y en a beaucoup, en ce moment.

— Vous avez connaissance d'autres cas, ici dans ce quartier ?

— Pas un seul. La plupart sont localisés à l'autre extrémité du barrage.

— Y a-t-il déjà eu des hépatites dans votre famille ?

— Non, docteur. Vous pensiez que je pourrais...

— Il arrive que l'on soit porteur sans avoir soi-même la maladie. J'ai cru comprendre que l'infirmière de jour et vous êtes de garde ici depuis un certain temps ?

— Depuis plus d'un an.

— Cela semble vous éliminer. Et les domestiques ?

— Il n'y a que la cuisinière. Elle est au service des Melcher depuis qu'ils ont emménagé ici.

— Est-ce que l'une de vous est allée en vacances récemment ?

— Mrs Brancroft a pris une semaine, au mois de mars. Une jeune fille nommée Ellen Stanley l'a remplacée provisoirement. Vous pourrez vérifier par le registre des gardes.

— Je téléphonerai de l'hôpital. Tout ce que nous devons faire pour Mrs Melcher maintenant, c'est la soulager. Pouvez-vous lui administrer des médicaments par voie buccale ?

— Elle avale tout ce qu'on lui met dans la bouche.

— Donnez-lui cinquante centigrades d'aspirine dans un peu d'eau. Faites suivre avec des calmants liquides et des carbohydrates à intervalles réguliers. C'est une maladie qui doit suivre son cours. Nous ne connaissons aucun remède efficace, mais il faut soutenir le malade.

De retour à l'hôpital, Mike n'eut qu'un coup de téléphone à donner pour résoudre le mystère de la transmission. Ellen Stanley habitait Lower Street. Une semaine après avoir été de garde ches les Melcher, elle avait eu une jaunisse bénigne — un des très rares exemples de la maladie dans la Vieille Ville — dont elle s'était rapidement remise, et elle était allée en convalescence en Floride. Un autre coup de téléphone, chez les Melcher, confirma l'espoir de Mike ; sa malade reposait paisiblement. Il laissa un rapport pour miss Sturdevant, et retourna à ses rondes le cœur plus léger.

Un des devoirs annexes du chirurgien résident était de remplacer Louis Garstein à l'occasion. L'anesthésiste l'avait assisté pour l'opération du matin, puis il était parti pour Albany, prendre la parole à la session de l'après-midi du congrès auquel assistait Melcher. Comme il avait eu une excellente formation d'anesthésiste en Californie, Mike avait été heureux d'avoir l'occasion de se maintenir en pratique, mais il avait eu rarement l'occasion d'offrir ses services, en ces heures creuses du calendrier de la chirurgie... Cet après-midi-là, il travaillait de nouveau aux dossiers et aux rapports, toujours trop succints, quand la surveillante de jour lui téléphona. Sa voix tendue lui mit aussitôt la puce à l'oreille, et la voix tonnante qui la remplaça l'alerta.

— Bradford Keate, docteur. Où est Garstein ?

— Il fait une déclaration à Albany. Je le remplace.

— Une de mes malades arrive pour une urgence. La femme du banquier, Mrs Vincent Schneider. On prépare la salle d'opération pour une vésicule biliaire à trois heures.

— Nous avons sa fiche médicale ?

— Vous trouverez tous les détails dans mon rapport. Voulez-vous donner l'ordre d'administrer la médication préopératoire ?

— Naturellement, docteur.

— Vous avez quelque expérience en anesthésie, j'imagine ?

— Six mois dans ce service.

— Je serai prêt dans une heure.

Le ton de Keate était belliqueux et plus que précipité ; c'était l'aboiement d'un adjudant s'adressant à une nouvelle recrue abrutie.

— Vous trouverez votre malade prête, docteur.

Mike raccrocha avec une grimace. Bradford Keate

avait été assez civil durant les premières semaines de Mike à Indian Hill, mais ce dernier avait remarqué dernièrement que l'esprit naturellement combattif de l'autre prenait le dessus. Il s'était souvent demandé si les manières autoritaires et hargneuses de Keate résultaient de ce que Mike eût exigé des rapports plus complets, ou de la règle qu'il essayait d'instituer tendant à ce que les tissus organiques postopératoires soient vérifiés par la pathologie avant le diagnostic final.

La malade venait d'être admise lorsque Mike arriva dans l'aile privée, et le banquier attendait devant la porte de la chambre de sa femme. Vincent Schneider était l'un des hommes les plus appréciés de New Salem. Mike n'oublierait jamais la rapidité avec laquelle sa banque avait accepté un billet à ordre de trois cents dollars pour couvrir les dépenses de sa première année à Cornell, ni la cordialité avec laquelle Schneider avait patiemment attendu le remboursement.

— Elle souffre vraiment beaucoup, Mike. Je suis heureux de vous savoir là pour vous occuper d'elle.

— Nous allons tout faire pour elle, monsieur Schneider.

— Est-ce que c'est une opération grave ?

— Le docteur Keate a dû vous dire que ce n'était rien.

Le rapport de Keate, qu'une infirmière venait de porter à la chambre des rapports, était encore plus laconique qu'à l'ordinaire ; en le parcourant, Mike fut presque certain que c'était un défi porté à son autorité. A midi, la malade s'était plainte de douleurs vives dans le flanc droit — et le rapport ne donnait pas de précisions autres sur le siège de la douleur. Lorsque la souffrance était devenue plus aiguë, Keate avait été appelé à domicile et avait diagnostiqué une vésicule biliaire extrêmement enflammée, exigeant une opération immédiate.

Mike transcrivit ces brèves indications sur le tableau, ainsi que les renseignements sur l'état général de la malade, avant de commencer son examen. C'était une routine sur laquelle il avait insisté dès les premiers jours, et il prit soin de copier mot par mot le style télégraphique de Keate. Mrs Schneider était soulevée sur ses oreillers lorsque Mike entra dans la chambre. Elle eut pour lui un faible sourire et lui indiqua le siège de sa douleur, un point au côté droit, juste sous la côte.

Mike ne chercha pas tout de suite à ausculter l'abdomen, puisqu'il avait l'intention de faire un examen complet, en accordant une attention particulière au cœur et aux poumons, prélude indispensable à l'anesthésie. Il remarqua immédiatement la respiration un peu rapide de la malade, interrompue assez fréquemment par une toux rauque. Cela pouvait s'expliquer par l'inflammation d'un organe situé juste au-dessous du diaphragme, comme le foie ou la vésicule ; il ne mit pas cela en doute tant que son stéthoscope n'eut pas touché le côté droit du thorax. Là, il fit une découverte inattendue, un frottement faible mais net, comme si deux morceaux de cuir, se frôlaient sous la paroi thoracique.

Tout de suite en alerte, et troublé par un pressentiment qu'il ne pouvait encore définir clairement, Mike tapota les côtés du thorax avec un soin extrême. Il put ainsi s'assurer sans l'ombre d'un doute que du côté droit le bruit était plus mat et plus sourd que celui d'un poumon normal.

— Voulez-vous me relire le diagnostic du docteur Keate, miss Bolton? demanda-t-il à son assistante.

— Cholécystite, docteur. Aiguë et inflammatoire.

Il n'y avait pas eu d'erreur de transcription. Mike avait posé la question pour le principe, et pour qu'elle se grave bien dans la mémoire de miss Bolton.

— Je désire une radio immédiate des poumons.

Quand l'infirmière eut quitté la chambre, il fit

repasser son stéthoscope sur la région suspecte, pour plus de sûreté. Pendant qu'il écoutait, la malade toussa ; l'instrument transmit un crépitement, comme une pluie de petits graviers sur une vitre. Ces râles indiquaient nettement une infection pulmonaire.

Aussitôt après, le stéthoscope délimita toute la région enflammée. La moitié au moins du lobe inférieur du poumon droit était atteinte. Le diagnostic, que la radio confirmerait sans aucun doute, était une pneumonie.

Il restait à faire un dernier examen, et Mike le fit à contrecœur, en sachant à l'avance ce qu'il chercherait en vain. Il y avait bien une légère rigidité dans l'abdomen supérieur, suite annexe logique de l'infection pulmonaire. Mais seul le plus hâtif des examens avait pu donner à penser que la vésicule était en cause.

— Nous allons vous transporter à la salle de radiographie, Mrs Schneider.

— Il y a autre chose qui ne va pas, docteur ?

— Je ne suis pas certain, mais la radio nous le dira. En tout cas, ce n'est rien de très grave.

A cette heure, il n'y avait pas de technicien de garde dans la chambre noire, mais Mike connaissait bien les appareils et leur manipulation. Il était en train d'achever de rincer la pellicule quand il entendit l'aboiement familier dans le couloir.

— Emmenez cette malade à la salle d'opération, miss Bolton ! Je n'ai jamais commandé de radios !

Bradford Keate surgit sur le seuil de la chambre noire. Il était revêtu de la blouse vert pâle d'opération, et sa large face était convulsée de rage. Mike lui fit face calmement. Il avait déjà rompu des lances avec des Keate en Californie et avait appris à savourer ces duels.

— Je crois que cette radio vous intéressera, docteur.

Mike retira la pellicule du bac et la leva devant l'ampoule rouge qui était le seul foyer lumineux de la chambre noire. Comme il s'y attendait, le lobe inférieur du poumon droit était opaque, couvert d'un voile laiteux. C'était la confirmation définitive de son diagnostic, une ombre qui signifiait pneumonie pour n'importe quel médecin, bien que l'homme furieux qui l'affrontait fût encore aveuglé par la colère et ne voulût rien voir.

— Pour votre gouverne, Constant, je n'ai pas besoin d'aide pour faire mes diagnostics.

— J'ai fait cette découverte en qualité d'anesthésiste. Mon devoir m'ordonne de vous prévenir que la chirurgie est contre-indiquée.

— Vous ai-je demandé votre opinion?

Mike haussa de nouveau la pellicule pour que Keate pût la voir. Le chirurgien, dont les yeux s'étaient maintenant habitués à la pénombre rougeâtre, regarda fixement l'évidence, les yeux mi-clos. Pendant une fraction de seconde, Mike s'attendit à le voir saisir la pellicule et la détruire.

— Eh bien, docteur Keate, savez-vous diagnostiquer une pneumonie d'après une radio?

Le médecin colosse tourna les talons, et quitta la pièce en proférant un juron sonore. Mike hésita avant de placer la pellicule sur le séchoir. Tout pressé qu'il fût d'aller rassurer Mrs Schneider et son mari, il savait que le protocole lui ordonnait de ne pas s'en mêler. Maintenant que Keate avait reçu une leçon qu'il méritait depuis longtemps, c'était à lui de choisir un spécialiste du poumon qui prescrirait le traitement que la malade aurait dû recevoir dès le début.

Notre guerre est déclarée, à présent, se dit Mike. Dans un sens, il en était heureux.

Deux jours plus tard, juste avant la réunion mensuelle du personnel médical, Mike passa au laboratoire de pathologie, pour y trouver Louis Garstein penché sur sa table, comme d'habitude, en train de transférer une culture d'une coupe Petri à un bouillon. Lorsqu'il eut stérilisé l'anneau de platine qui lui avait servi pour cueillir les bactéries vivantes, flambé le bouchon de coton et tout remis en place, il tourna vers le chirurgien son sourire tordu familier.

— C'est l'heure de notre petite réunion ?

— Nous avons quelques minutes devant nous. Je suis passé ici pour essayer mon armure.

— Vous êtes allé voir Mrs Schneider aujourd'hui ?

— Je ne l'ai pas jugé nécessaire, Louis. Après tout, elle est la malade du docteur Melcher, à présent.

Des doses massives de pénicilline avaient déjà opéré leur miracle sur les pneumocoques qui avaient envahi les poumons de Mrs Schneider. Mike avait jeté un coup d'œil à sa fiche en faisant sa ronde de l'après-midi, et trouvé la température et la respiration presque normales. Comme il craignait qu'elle lui posât des questions auxquelles il ne pourrait répondre franchement, il avait eu soin d'éviter sa chambre.

— J'aurais dû vous remercier plus tôt, de m'avoir remplacé avant-hier, dit Garstein. Vous m'avez peut-être bien empêché de tuer la femme du banquier.

— Vous auriez décelé la pneumonie.

— Pas sûr. Keate est un tel salaud que le plus simple est d'accorder à ses malades un examen pour la forme. J'aurais pu n'y voir que du feu.

— C'était à lui d'envisager la pneumonie, en faisant son diagnostic. Dans les cas de ce genre, c'est une obligation.

— Il arrive qu'on passe à côté, Mike. Ensuite, naturellement, on baptise ça pneumonie postopératoire, ou encore atelectase.

— Le téléphone arabe m'avertit que je dois me préparer à ce que les militaires appellent une guerre à outrance, à la réunion d'aujourd'hui, dit Mike. Vous y croyez, vous ?

— Tout dépend de Keate. Sur quoi allez-vous faire porter vos remarques, en premier lieu ? Les rapports ?

— Je ne puis guère l'éviter, à voir l'état de plus en plus laconique des fiches.

— Si vous faites ça, il vous volera dans les plumes. Keate tenait à ce que les choses restent telles qu'elles étaient, avant que vous entamiez votre campagne de réforme. Il s'attend à vous voir reculer tout à l'heure, maintenant qu'il a montré les dents.

— Croyez-vous qu'il s'imagine que j'ai oublié la grossière erreur qu'il a faite mardi ?

— Oui, Mike, il le désire surtout. Insistez là-dessus si peu que ce soit et vous vous retrouverez renvoyé sur-le-champ. Keate et Pailey détiennent à eux deux cinquante-cinq pour cent des actions de la société. Ils ont donc la majorité, quand bien même ils doivent en principe accepter les ordres et la politique de Melcher.

— Je suis certain que Larry soutiendra les réformes que je demande. Sans cela, comment le Memorial espère-t-il se faire accréditer ?

— Ce n'est pas le souci majeur du groupe, vous savez. Le mois dernier, les bénéfices ont baissé, parce que vous avez opposé votre veto aux économies de bouts de chandelle. Keate n'a pas cessé de se plaindre depuis, et Pailey aussi.

— Ils ont quand même besoin d'être accrédités. Cet après-midi, je vais exiger des rapports à jour et complets. Si Keate m'attaque, je rendrai coup pour coup. La prochaine fois, mes exigences porteront sur les biopsies obligatoires et approfondies. Vous me soutiendrez ?

— Naturellement — s'il y a une prochaine fois, mon vieux, en ce qui vous concerne. J'ai suggéré une généralisation des biopsies le jour de mon arrivée ici en qualité de pathologiste. Un comité a été nommé, avec Keate comme président. Il ne s'est pas réuni depuis. Keate est bien trop occupé par sa clientèle particulière.

— Et si nous avions une commission de détail, pour vérifier le taux de mortalité?

— Larry l'a proposé. Tous les autres ont voté contre.

Garstein recouvrit son microscope, prit ses béquilles d'aluminium et clopina vers la porte en ajoutant :

— Des arguments dans le labo ne vous serviront à rien. C'est à la réunion qu'il faut les présenter. J'espère que vous en sortirez sans trop de bobo après la bagarre.

La réunion avait lieu dans la salle à manger de l'hôpital. Il y avait l'inévitable cafetière géante, les meilleurs sandwiches du chef — et une atmosphère cordiale qui paraissait assez sincère lorsque Mike et Garstein y entrèrent. Tous les médecins étaient là. Il ne manquait que Keate et Pailey. Mike salua Gideon Bliss, spécialiste en gynécologie et obstétrique, Hugo Brett, un chirurgien appartenant à l'une des plus vieilles familles de la vallée, et Crosby Pendergast, un pneumologue qui était presque l'égal de Melcher.

Les trois médecins lui rendirent son salut assez aimablement. Le directeur, qui disposait les chaises à la table de conférence, fit asseoir Mike à sa droite, et lui sourit.

— Nous attendrons Brad, dit-il. Il a prévenu qu'il serait en retard. Il a eu beaucoup de monde à son cabinet.

Mike étala ses notes devant lui. C'est bien de Bradford Keate, pensa-t-il, d'insister sur l'importance de sa clientèle. En observant les visages autour de la table, Mike y découvrit des sentiments mélangés. Ce n'était manifestement pas la première fois que son ennemi avait recours à ce vieux truc pour faire une entrée spectaculaire.

Pailey arriva un peu plus tard, vacillant sous le poids des nombreux registres qu'il portait, suivi d'une secrétaire pareillement chargée. Keate apparut alors qu'ils s'installaient — élégant comme une gravure de mode en costume gris perle et l'œil fulgurant quand il regarda Mike. Sa réponse au salut de Melcher fut un grognement. Mike réprima un sourire quand Pailey se leva d'un bond pour avancer une chaise à Keate.

Melcher ouvrit le débat avec calme. Pendant la lecture de l'ordre du jour, rien ne laissait prévoir l'orage qui couvait. La nouvelle qu'au moins douze malades exigeaient des soins prolongés à l'hôpital, et que les salles communes étaient maintenant surchargées de malades du Cantonal (avec une forte majorité d'hépatites) fut reçue dans un silence qui n'avait rien de tendu. Seuls, la respiration taurine de Keate et le hérissement de sa moustache à chaque expiration permettaient de deviner que le principal actionnaire attendait son heure.

— Nous passerons maintenant la parole au docteur Constant, messieurs. Il nous donnera les conclusions qu'il a tirées de ses six semaines de présence parmi nous.

Mike se leva et s'appuya des deux mains sur la table, en attendant que s'apaise un léger murmure. Le froncement de sourcils de Keate s'était accentué. Hésitant à allumer la mèche du baril de poudre, Mike se surprit à parler très calmement.

— Notre premier objectif, ainsi que nous l'avons établi à notre dernière réunion, est de nous faire accréditer par la Commission de la Santé Publique. Comme vous le savez, j'ai consacré beaucoup de temps à l'étude de vos rapports, ainsi qu'à l'ensemble de notre matériel et de notre personnel hospitalier. Ce dernier, je me plais à le répéter, ne laisse pas à désirer et s'est même amélioré pour ce qui est des fournitures chirurgicales. Une fois de plus, permettez-moi de vous féliciter pour l'excellence du personnel chirurgical. Dans son état actuel, ce service pourrait être accrédité les yeux fermés.

— Racontez-nous donc quelque chose que nous ne sachions pas!

Keate avait lancé les mots d'un ton rageur. Le regard qu'il fixait sur Mike était noir de haine. Mike comprit que le chirurgien entendait forcer l'issue sans perdre de temps.

— Lors de notre dernière réunion, docteur Keate, j'ai insisté vivement sur l'importance de rapports complets. Un travail d'écritures méticuleux est essentiel, si nous voulons survivre à la prochaine visite de la commission. J'avais reçu la promesse d'une amélioration. La plupart d'entre vous s'y sont soumis. D'autres sont tombés en chemin, après un effort prometteur. Vous, docteur, vous n'avez absolument rien changé à vos méthodes.

Les murmures qui coururent autour de la table, dominés par le rire cassé de Garstein, étaient trop surpris pour être qualifiés de joyeux. Au bout de la table, Melcher était l'image même de la patience. Keate se dressa d'un bond et sa voix retentit comme un cri.

— Pouvez-vous prouver cette ridicule accusation?

— Par vos propres mots, dit Mike. Cela ne s'arrête pas aux rapports d'opération. Votre histologie clinique est beaucoup trop laconique. Les notes de progrès et les résumés de sortie sont pratiquement inexistants. Vous n'êtes pas le seul coupable, docteur Keate — mais vous êtes le plus remarquable.

— Au fait, Constant. Que reprochez-vous à mes rapports d'opérations?

Mike fit glisser une feuille de papier de son dossier.

— En voici un, in extenso. *Périnée antérieur et postérieur opéré, méthode habituelle. Hystérectomie supravaginale. Suture catgut chromique et soie pour la peau.* C'est tout. J'estime que c'est nettement insuffisant. Il y en a des dizaines d'autres dans ce dossier. Voulez-vous que je les lise aussi?

Cette fois, il n'y avait pas à se tromper sur les

rires qui déferlèrent dans la pièce. Keate contemplait ses confrères avec ahurissement. Il avait l'air incapable de croire que c'était lui, et non Mike, qui faisait les frais de cette joie.

— Si votre réquisitoire s'arrête là, dit-il, il m'est difficile de le prendre au sérieux. Mon taux de convalescences postopératoires parle pour moi.

— Il n'en reste pas moins que de tels rapports ne seront jamais acceptés par l'Académie de Chirurgie. Pas plus que nous ne pouvons espérer être reconnus tant que ce genre de désinvolture persistera ici. J'ajouterai que les rapports de pathologie dans vos cas continuent d'indiquer un nombre ahurissant d'organes sains enlevés. Surtout des appendices et des utérus.

— Je vous mets au défi de le prouver.

Mike ouvrit son dossier, et prit le rapport de l'hystérectomie.

— Voilà un exemple flagrant. Pourquoi avez-vous fait une approche abdominale pour atteindre un utérus qui ne présentait qu'une tumeur fibroïde grosse de deux centimètres à peine ?

— Allez-vous me donner des leçons de chirurgie, docteur Constant ?

— Pas du tout, docteur. Mais vous découvrirez — en parcourant même très rapidement la littérature médicale — que l'hystérectomie vaginale est préférée depuis longtemps dans ces cas-là. La technique en est plus simple, et elle présente l'avantage de retirer l'utérus tout entier sans laisser le cervix. Comme vous ne l'ignorez certainement pas, cet organe peut développer sa propre tumeur maligne plus tard.

Jusque-là, les contre-attaques de Mike n'avaient été que banalités. Quand il se tut, il se tourna vers Melcher, mais ne put lire ni approbation ni reproche sur sa figure impassible.

— Le docteur Brett est le seul autre chirurgien général présent, dit le directeur. Êtes-vous d'accord avec le docteur Constant, Hugo ?

— Oui, Larry. Il y a longtemps que je me promets de dresser des fichiers plus complets. Je suis sûr que je pourrais les améliorer, si j'étais aidé.

— Que dit notre gynécologue?

Gideon répondit, de sa voix lasse de vieillard :

— En ce qui me concerne, Larry, la paperasse m'empoisonne. Tant que notre taux de mortalité restera très bas, je vote pour le statu quo, et au diable la Commission de la Santé Publique.

— Le docteur Pendergast et moi ne sommes pas qualifiés pour discuter des méthodes opératoires, reprit Melcher. Surtout des avantages de l'hystérectomie vaginale sur l'abdominale. Pour ce qui est des rapports, je suis entièrement d'accord avec le docteur Constant. Ils ont toujours été notre point faible. La Commission est arrivée à la même conclusion — et je ne puis écarter cette auguste compagnie aussi légèrement que Gideon. De fait, je dois vous avertir que son approbation est indispensable à notre avenir. Je propose que nous prenions des mesures en vue d'une réforme, sous la conduite éclairée du docteur Constant.

La motion fut votée par cinq voix contre deux, Gideon Bliss et Keate étant les seuls opposants. Pailey préféra s'abstenir. L'administrateur fouillait fébrilement dans ses papiers, comme s'il avait perdu un document.

— Quelqu'un a-t-il des suggestions à proposer? demanda Melcher.

Pailey répondit, sans lever les yeux de ses dossiers et sans cesser de les feuilleter :

— Larry, je crois que ce sera au docteur Constant de nous donner l'exemple. Vous avez tous une clientèle particulière qui vous prend tout votre temps. Le docteur Constant est résident ici, il a le temps...

— Pour le moment, interrompit Mike, je n'ai même pas le temps de dormir.

— Vous pourrez trouver le temps, déclara Pailey. Je propose que vous vous chargiez de ce travail d'écritures — que vous fassiez les rapports de chaque admission, d'après les renseignements donnés, de la manière que vous jugez bonne. Je crois que c'est d'ailleurs l'habitude, dans les hôpitaux comme celui-ci.

La suggestion était d'une injustice criante. Melcher protesta automatiquement.

— Ralph, voyons, vous savez bien que c'est impossible...

Keate intervint, d'un ton presque jovial :

— Le docteur Constant ne nous a pas ménagé ses critiques. Il juge nos rapports incomplets. Qu'il corrige donc nos lacunes, de sa propre main. Peut-être pourrons-nous apprendre par son exemple et tirer profit de son expérience, bien que j'en doute. Je suis un chirurgien, pas un auteur de littérature médicale.

Mike conserva son calme. La manœuvre de son adversaire était parfaite, mais il n'entendait pas se laisser pousser à donner sa démission.

— M. Pailey a peut-être une copie de mon contrat dans ses dossiers, là? demanda-t-il. Peut-être pourrait-il me rafraîchir la mémoire, quant à mes devoirs?

Mike vit que la secrétaire avait enfin mis la main sur le document manquant. Elle le tendit à l'administrateur, qui le parcourut rapidement avant de le faire passer autour de la table.

— Voilà les paragraphes qui vous concernent, docteur Constant. Il est exact que vous êtes ici en qualité de chirurgien résident, avec le droit de surveiller les activités dans tous les services et d'offrir des suggestions pour leur amélioration. Cela ne comporte pas le droit de porter des accusations sans fondement sur des membres de la société et...

— Sans fondement, monsieur Pailey?

— Il est également stipulé que vous devez entreprendre tout travail que nous vous assignerons. Voulez-vous commencer la révision de nos dossiers et dresser à l'avenir tous les rapports d'admission?

— Il n'en est pas question, déclara Mike. Je serais noyé dans la paperasse, et vous le savez bien.

La crudité de l'attaque avait maintenant été reconnue, et Mike vit que plusieurs médecins l'avaient compris.

— L'histologie détaillée de chaque cas, reprit-il, est un devoir annexe des médecins soignants — et une routine habituelle. Votre directeur vient de demander à chacun d'entre vous de s'en occuper efficacement. Je vous aiderai au mieux de mes possibilités, mais je ne puis effectuer ce travail à votre place.

Keate intervint à nouveau, d'une voix coupante et glacée. Il souriait, ce qui accentuait sa ressemblance avec un taureau obèse.

— Le contrat de cet homme est de combien de temps, Ralph ?

— Un an. Renouvelable par accord commun.

— Vous pouvez l'arrêter à dater de ce jour.

Le chirurgien se tourna vers Melcher, qui s'était levé à cette attaque contre son autorité.

— Un procédé d'amélioration de la gestion et du personnel est en discussion, Brad. Je vous serais obligé de ne pas l'interrompre.

— Si Constant refuse de prendre des ordres, son utilité ici prend fin automatiquement. Ne me demandez pas de mettre cette opinion aux voix ; c'est inutile. Je possède quarante pour cent des actions. Ralph en détient quinze pour cent, et il m'a donné sa procuration. Nous sommes venus à cette réunion bien décidés à sacquer votre protégé s'il se montrait difficile.

Keate se tourna vers Mike, en faisant un effort d'ironie qui, en toute autre circonstance, eût paru grotesque et comique.

— Je regrette que vous ayez forcé l'issue, Constant. Peut-être comprendrez-vous à l'avenir que vous n'arriverez à rien en attaquant vos supérieurs.

Vous trouverez un mois de salaire à la caisse.

Melcher répliqua posément, mais sa voix tranchait comme un scalpel.

— Vous avez déjà fait souvent l'imbécile lors de nos réunions, Brad. Aujourd'hui, vous êtes un ignoble crétin par-dessus le marché. Je vous demande de retirer ce que vous venez de dire.

— C'est déjà inscrit dans les minutes, Larry.

— Vous cherchez un procès en rupture de contrat ?

— Nous le risquerons.

— Voulez-vous risquer que tout le canton apprenne l'histoire de l'admission de Dora Schneider ? Nous savons tous que vous aviez l'intention de l'opérer de la vésicule, alors qu'un interne de première année aurait diagnostiqué une pneumonie — seul le docteur Constant nous a évité un procès en dommages-intérêts ruineux. N'oubliez pas que notre bail doit être renouvelé le mois prochain, et que Vincent Schneider est le représentant financier de Zeagler Electronique.

— Est-ce une menace, Larry ?

— C'est une promesse — si cette motion n'est pas rayée des minutes.

Le silence qui tomba dans la pièce fut toute la réponse dont Mike avait besoin. Quelles que fussent ses raisons, le directeur s'était engagé ; il était évident qu'il avait eu gain de cause avant même que Pailey n'élevât la voix. Celle-ci chevrotait un peu et les yeux de l'administrateur restaient fixés sur le registre ouvert devant lui.

— Je retire ma procuration, Larry. Je ne veux pas être un des responsables de la rupture du contrat du docteur Constant.

La figure de Keate était passée du rouge au violet ; un instant, on put croire qu'il allait succomber à une attaque d'apoplexie. Il se cramponna une seconde au dossier de sa chaise, foudroya Pailey du regard et sortit sans dire un mot de plus. Sur le seuil, il se retourna et regarda Mike. C'était une déclaration de guerre flagrante, et le jeune chirurgien l'accepta, aussi froidement qu'il le put.

Melcher s'était déjà rassis.

— Voulez-vous que nous poursuivions la discussion de la question en cours, messieurs ? Avec votre permission, je vais vous faire part de quelques idées personnelles sur la façon de rédiger les rapports.

Pendant dix minutes, le directeur discuta des suggestions faites à la dernière réunion, qui faisaient l'objet d'un accord de principe. A la surprise de Mike, elles avaient toutes été mises à exécution, sur l'ordre de Melcher. Des formulaires standards étaient dès maintenant au courrier, à l'usage des infirmières des bureaux ; la machine à polycopier ferait des duplicatas pour les fichiers de l'hôpital, et des dictaphones seraient bientôt installés à tous les étages de l'établissement pour permettre aux praticiens de garde de fournir tous les détails... Pailey n'interrompit qu'une fois, pour protester de la dépense, mais sa motion fut fermement rejetée.

A la fin du rapport de Melcher, Hugo Brett se leva pour proposer une motion de remerciements au directeur. Elle fut votée par acclamations, et Mike put se dire que la menace immédiate était écartée. Quand la séance fut levée, Pendergast et Brett vinrent le féliciter d'avoir tenu bon, et Mike comprit qu'il avait choisi le seul parti possible. L'Hôpital Memorial de New Salem était encore loin de son principal objectif, mais le terrain était préparé.

— J'aimerais voir la tête de Brad quand il ouvrira son courrier demain, dit Brett. Ne vous laissez pas impressionner par ses façons de politicien, docteur Constant. C'est un de ces gars qui a besoin de régner dans la basse-cour, ou de périr de rage. Il fera des rapports corrects à l'avenir, quand il aura compris que c'est ça ou disparaître.

— Je crains qu'il n'y en ait d'autres qui préfèrent la situation telle qu'elle est, docteur Constant.

— Bliss, pour ne pas le nommer? Gideon a besoin de faire du vent. Il faut toujours qu'il fasse du bruit. Il sera assagi demain. Laissez-lui le temps de se calmer.

Melcher avait pris soin de ne pas trop se rapprocher de Mike durant la pause café ; le chirurgien, à son tour, s'était tenu à l'écart des dissidents. Pour le moment, l'approbation du directeur était ce qu'il pouvait espérer de mieux, grâce à la petite guerre entre les associés. C'eût été trop lui demander que de le voir rompre tout contact avec son principal actionnaire, et se déclarer ouvertement dans le camp des anges.

Mike reçut son dernier encouragement quelques heures plus tard, de la bouche de Lee Searles, qu'il retrouva dans la réserve pour l'inventaire hebdomadaire.

— Vous ne m'avez pas demandé de nouvelles de la bataille, dit-il. Seriez-vous une femme dépourvue de curiosité?

— La secrétaire de Ralph Pailey a pris tous les débats en sténo, y compris le feu d'artifice. Elle m'a tout raconté au dîner.

— Est-ce que j'ai eu la main trop lourde, pour mes réformes?

— Vous étiez en pleine forme, Mike. Mais vous avez aussi le don de vous faire des ennemis.

— C'est le prix que l'on doit toujours payer lorsque l'on veut un changement.

— C'est précisément ce que j'ai dit à Larry, quand nous en avons discuté ce matin.

— C'est vous, l'agent secret qui m'a sauvé?

— Je n'ai pas été une héroïne. Mais j'ai dit à Larry que je ne lui adresserais plus jamais la parole s'il vous abandonnait aux fauves.

— Merci, Lee. Il s'est justement trouvé que j'ai eu besoin de tout le soutien possible.

— Le Memorial ne pourra pas durer, si nous ne donnons pas un coup de balai. Larry vous aidera tant qu'il pourra. Je vous demande simplement de ne pas oublier qu'avec les autres, il marche sur la corde raide.

— Je ne l'oublierai pas, promit Mike, avec reconnaissance. Une bataille ne gagne pas une guerre.

— Keate va revenir à la charge avec des munitions nouvelles, vous pouvez en être certain. Ce qui importe, c'est que Larry a vraiment pris sa mesure aujourd'hui. Je l'avais prévenu que Brad n'était qu'un matamore de bar. Désormais, il me croira.

9

TROIS jours après l'orageuse réunion du conseil de l'hôpital, la première représentation de *Peter Pan* eut lieu. Le public se pressait dans la salle, où l'on n'eut pas trouvé la moindre place supplémentaire. Après le dernier rideau, un tonnerre d'applaudissements accueillit les jeunes acteurs et le metteur en scène qui durent revenir saluer plus de dix fois.

Le spectacle fut donné cinq fois, Jason refusant d'imposer à sa jeune distribution davantage de représentations. Les répétitions avaient déjà commencé pour la pièce suivante, une version moderne de *La Rose et l'Anneau* de Thackeray, sous la direction d'un jeune metteur en scène de l'Actor's Workshop de New York. Le remplacement avait été arrangé par Jason lui-même, après que son *Peter Pan* eût fait l'objet de critiques laudatives aussi bien dans la presse de New York que dans les grands magazines et qu'acteurs et producteurs, apprenant qu'il avait effectué son retour au théâtre, fussent accourus en foule pour lui rendre hommage.

Il avait déjà reçu de nombreuses propositions. Après s'être fait prier et en avoir discuté avec Anna, il avait décidé de jouer *Hamlet* et le *Roi Lear* au prochain festival Shakespeare, à Stratford-on-Housatonic, dans le Connecticut. Aux yeux de Jason, ces rôles seraient l'épreuve suprême, destinée à prouver, aussi bien à lui-même qu'à ses pairs, qu'il n'avait rien perdu de son talent et que les portes de Broadway et de Hollywood pouvaient se rouvrir devant lui.

Mike avait assisté à la première du spectacle enfantin, assis entre Sandra et Anna, et il avait partagé leur fierté lorsque la mise en scène magique de Jason avait tenu le public sous son charme. Dans l'après-midi précédant la dernière représentation, il ne fut pas surpris de recevoir la visite d'Anna à l'hôpital.

— Les contrats sont prêts pour Stratford, annonça-t-elle. Les répétitions commenceront dans quinze jours.

— Jason n'avait besoin que de votre encouragement. Il est né pour être acteur ou mourir.

— Vous voulez dire être acteur *et* mourir ?

— Il a choisi de courir ce risque.

— Ne pourriez-vous pas le persuader d'attendre encore un peu ?

— L'attente ne servirait à rien. Le risque sera toujours présent.

— Dites-lui que c'est de la folie, alors.

— Je lui ai brossé le tableau le plus sombre. Mais Jason ne veut rien entendre. Il ne veut rien voir, tant que ses yeux sont fixés sur un autre but.

— Mourir en scène ?

— Vous ne pouvez pas exiger d'un acteur de cette trempe de rester éternellement ici, Anna.

— Non, bien sûr. Il a parfaitement le droit de retourner à son univers, maintenant qu'il a apporté sa contribution au mien. Mais je ne puis supporter la pensée de ces rôles qu'il va assumer et de l'effort qu'ils représentent.

— Il est normal pour lui de se tourner vers Shakespeare. *Hamlet* et *Lear* sont ses plus grands rôles.

— Son cœur ne pourra jamais supporter la tension, à moins qu'il ne vous permette d'opérer. Vous pourriez encore l'en convaincre.

— Je ferai de mon mieux, si vous m'y aidez.

— Qu'envisagez-vous ?

— Ne me le demandez pas encore, répondit Mike. Surtout, ne dites plus un mot à Jay. Promettez-moi simplement que vous me soutiendrez lorsque je vous appellerai.

— Je ferai tout ce que vous me demanderez.

— Souvenez-vous de cette promesse quand nous nous reverrons. Je tiens à vous faire répéter à l'avance.

— Avez-vous dit *répéter* ?

— L'homme que vous aimez n'est pas le seul acteur au monde.

— Ne pouvez-vous m'en dire plus ?

— Pas un seul mot de plus, jusqu'au moment de jouer votre grande scène. J'aurai votre texte et vos répliques avant la fin de la semaine.

Mike avait eu l'intention d'assister à la dernière représentation des enfants, mais une urgence l'en empêcha. Il était dix heures lorsqu'Hugo Brett vint le remplacer à l'hôpital, et il repoussa le désir de courir au théâtre pour le dernier acte... Il monta dans son appartement, pour mettre au point la stratégie qu'il avait imaginée. Le coup de téléphone qu'il attendait arriva juste avant minuit. C'était Sandra, qui parlait à voix basse, comme si elle craignait d'être entendue.

— Tu es de garde ce soir, Mike ?

— Je suis libre jusqu'à demain matin.

— J'ai besoin de ton aide. Jason prend le premier train pour New York ; il a déjà fait ses bagages. Je crois qu'il a l'intention de partir sans te voir.

— Je m'y attendais, Sandra. Pas toi ?

— Dans la force de sa jeunesse, il perdait cinq livres chaque fois qu'il jouait *Hamlet*. Il ne passera pas l'été, s'il signe le contrat pour Stratford.

— Je ne saurais être plus d'accord.

— Tu as promis d'aider, le moment venu.

— Je ferai ce que je pourrai. Attends-moi dans un quart d'heure.

Après avoir raccroché, Mike prit dans un tiroir de son bureau une feuille couverte de notes serrées. Tout en les relisant, il forma le numéro du domicile d'Aaron Zeagler à Mohawk Hill. *Un chirurgien débordé n'a pas à jouer à l'auteur dramatique*, se disait-il sombrement. *Dans le cas présent, c'est ton dernier recours. Quand la vie d'un acteur est en jeu, la plume est parfois plus efficace que le bistouri.*

La colline que Zeagler avait choisie pour y bâtir sa demeure de New Salem se trouvait à l'extrémité nord des Hauteurs. Lorsque le gardien lui eut permis de franchir la grande grille de fer forgé qui barrait la route aux importuns, Mike eut la satisfaction de voir qu'Anna l'attendait déjà sur le perron, emmitouflée dans un grand manteau. Au téléphone, il avait donné des instructions précises ; il tenait à s'assurer qu'elle les suivrait à la lettre.

— Est-ce que nous devons vraiment aller tous les deux à Gate House, Mike ?

— C'est maintenant ou jamais. Jason prend le premier train du matin.

— Watkins peut nous y conduire, si vous voulez, dit-elle en considérant la Ford d'un œil méfiant.

— Ce n'est pas le moment d'arriver en limousine. Ce soir, vous jouez Cendrillon après le bal.

— J'aimerais bien que vous soyez plus explicite.

— Pas avant d'avoir atteint notre destination.

Elle ne parla pas pendant le trajet, tandis que Mike contournait la masse imposante de Zeagler Électronique et prenait la route de New Salem proprement dit. Ce ne fut qu'après avoir franchi Bear

Creek, quand la voiture se fut garée sous les ormes devant le pavillon de garde de Rynhook, qu'elle exprima ses doutes.

— Je ne comprends toujours pas pourquoi on a besoin de moi, ici.

— Vous le comprendrez bientôt, si tout va bien. Je vais entrer maintenant, pour discuter avec Jason. Restez là, jusqu'à ce que je le fasse sortir.

— Comment pouvez-vous savoir qu'il viendra?

— Si je connais Jason, il sortira en courant. Avant que j'y aille, revoyons un peu votre dernière conversation avec lui.

— Je lui ai dit qu'un pacemaker était son dernier espoir, s'il voulait remonter sur la scène. Je lui ai dit qu'il n'était qu'une mule obstinée, en refusant une précaution qui lui sauverait la vie.

— En d'autres termes, vous avez insisté sur son salut à lui, sans parler du vôtre.

— C'est lui l'artiste, Mike, pas moi.

— Vous avez dit la même chose quand vous avez envoyé Paul à Munich, souvenez-vous. A partir de ce soir, vous allez cesser de vous inquiéter pour les autres, et vous allez commencer à vous occuper de votre avenir à vous.

— Jason West est mon avenir.

— A-t-il remplacé votre mari?

— Paul n'est qu'un mauvais rêve. J'aime Jason, je l'aime de nouveau, de toute mon âme.

— Parce qu'il a besoin de vous, et que Paul vole de ses propres ailes maintenant?

— Au début, c'était peut-être un peu la raison. Maintenant, c'est beaucoup plus profond. J'aime Jason en tant qu'homme, plus comme la grande vedette que je vénérais autrefois. S'il meurt à Stratford, je voudrais mourir aussi.

Mike songea que Jason avait parlé de son amour pour Anna, presque dans les mêmes termes, dans le petit bar de Division Street. Mais il ne pouvait guère le répéter à Anna à présent.

— L'idée vous est-elle jamais venue de lui expliquer tout ça?

— C'est sa survie qui importe, dit Anna. Je ne veux pas penser à mon bonheur.

— Il est grand temps que vous y pensiez. Comment pouvez-vous espérer aider Jason, si vous n'êtes pas heureuse aussi, vous-même?

— Il doit vivre sa vie à lui. Je n'ai pas le droit de m'en mêler.

— C'est justement ce que nous allons changer immédiatement. A partir de ce soir, nous allons donner à Jason West un intérêt autre que lui-même. Une chose qu'il n'a jamais eue auparavant en dehors de la scène. En un mot, vous.

— Je ne puis jouer ce jeu, Mike.

— Vous avez promis de m'obéir. Naturellement, si vous insistez, je vous ramène à Mohawk Hill. Ou bien préférez-vous retourner à Rynhook, pour y attendre Paul?

— Que voulez-vous de moi, Mike?

— Quelque chose qui devrait vous venir tout naturellement. Je vais rappeler à Jason que lui seul peut vous sauver de l'alcool — et d'un second essai avec votre mari psychopathe. Une fois qu'il aura bien compris cela, je vous l'enverrai pour le coup de grâce.

— Je ne veux pas jouer avec ses sentiments dans un moment pareil. Ce ne serait pas juste.

— Qui diable a parlé de justice? C'est un jeu que les femmes ont joué — en gagnant la partie — depuis l'Age de pierre.

— Ce serait un piège que je lui tendrais.

— Mais naturellement. Par la même occasion, vous feriez appel à son besoin le plus profond — *donner* de l'amour, et ne pas seulement en recevoir, tout comme il se donne à son public, au théâtre. Vous l'avez observé avec ces gosses, jour après jour. Vous devez bien comprendre que c'est la source de tout son être.

— Il n'empêche que je le forcerais au mariage par ruse.

— Écoutez-moi bien, Anna. Une seule chose a écarté Jason de ma table d'opération, la peur de finir dans la peau d'un impotent que vous soigneriez par pitié. Persuadez-le que cela ne compte absolument pas. Jurez que vous mourrez, s'il refuse de vivre. Vous découvrirez que son amour ne vous laissera pas partir.

Anna Van Ryn aspira profondément, et se détourna. Quand elle regarda de nouveau Mike en face, ses yeux brillaient.

— Je suis à vos ordres, docteur.

— Rappelez-vous que ce soir, c'est lui qui vous sauve. Insistez bien là-dessus. Le reste viendra tout seul.

La porte de Gate House n'était pas fermée à clef. Mike entra sans s'annoncer, au moment où Sandra sortait du living-room, un doigt sur ses lèvres.

— Il est là-haut, chuchota-t-elle. Depuis une heure il répète son rôle favori.

— Je m'y attendais.

Ils se turent, tandis qu'une voix familière résonnait dans la cage d'escalier.

... Mourir, — dormir ; —
Dormir! peut-être rêver! oui, voilà l'embarras;
Car dans ce sommeil de la mort, quels rêves pourront [venir
Quand nous aurons rejeté cette vie de tourment,
C'est pour nous arrêter; voilà le motif
Qui fait au malheur une si longue existence...

— J'ai essayé de l'obliger à se reposer, dit Sandra. Il insiste pour tout mener de front. Dois-je lui annoncer que tu es là?

— Je le ferai moi-même. Anna est dans ma voiture.

— Pourquoi ne le disais-tu pas, Mike? Fais-la entrer, voyons.

— Surtout pas. Il importe justement qu'elle

attende dans le noir, avec quelques larmes sur les joues.

— Mais qu'est-ce que tu racontes ?

— Je m'apprête à demander à ton frère de jouer son plus grand rôle. Dans dix minutes — si mon plan marche bien — il descendra cet escalier, prêt à lancer sa première réplique.

— Tu n'as pas bu. Ça, j'en suis sûre.

— Pas une goutte. Ce soir, tu dois rester totalement dans les coulisses. Moi aussi, une fois que j'aurai joué le rôle du héraut.

— Depuis quand es-tu comédien, Mike ?

— Depuis que j'ai eu la chance d'avoir un comédien comme malade.

Il la quitta rapidement, en lui faisant impérativement signe de se retirer dans le salon obscur, tandis qu'elle esquissait vainement un dernier geste pour le retenir. Sur le palier, Mike s'aperçut que l'acteur répétait à présent un moment dramatique du chef-d'œuvre de Shakespeare, la scène du cabinet où Hamlet accule Polonius au pied du mur et lui passe son épée à travers le corps. L'acteur arpentait le tapis de sa chambre, son texte à la main gauche, sa canne de jonc dans la droite. Au moment où Mike entra, il était en train d'attaquer le rideau de la fenêtre, et pointait sa rapière improvisée dans les plis. Le geste était beau, tendu, digne d'un gymnaste.

— *Mais comment! Un rat! Mort, pour un ducat, mort!*

La canne s'abaissa brusquement, lorsque l'acteur s'aperçut qu'il n'était plus seul. En un éclair, il redevint Jason West — l'ombre angoissée et presque falote d'une gloire passée, telle que Mike l'avait vue lors de leur première rencontre.

— Sandra m'a avoué qu'elle vous avait téléphoné, Mike. Il était inutile de venir maintenant ; j'eusse préféré de loin une rencontre en coulisses à Stratford.

— J'y serai aussi, si vous respirez encore. Pour le moment, cela me paraît des plus improbables.

— Je connais déjà les deux rôles sur le bout du

doigt ; aux répétitions je ne ferai que me reposer.
— Comme vous vous reposiez à l'instant?
Jason haussa les épaules.
— Ce soir, je suis au diapason de concert, prêt à lancer mon grand air. N'essayez pas de me démolir avec des fils électriques et des accus. Ma voix serait aussi métallique que celle d'un aboyeur à la parade d'un cirque forain.
Le moment était venu d'attaquer la scène. Mike traversa la chambre en trois enjambées, et saisit l'acteur par le devant de sa chemise.
— Épargnez-nous vos poses ce soir, Jay. Pour citer encore une fois le Barde, vous êtes sur le point de vous noyer, dans une mer de soucis. Je suis certain que vous le comprenez aussi bien que moi.
Jason se dégagea de l'étreinte de Mike.
— Je suis tout à fait résigné au risque.
— Croyez-vous qu'Anna y soit résignée?
— Je suis navré pour Anna. Et profondément reconnaissant de la confiance qu'elle me témoigne. Grâce à sa foi, je suis redevenu l'homme que j'étais — sauf pour un léger détail. Je suis en sursis de vie, docteur, et j'en savoure chaque instant volé. Qu'importe où je vais?
— Il lui importe, à elle.
— Que puis-je lui donner de plus? La clinique marche à plein temps. J'ai fait de son théâtre d'enfants un modèle du genre. Don Trevor en assurera le succès...
— N'avez-vous jamais songé à lui donner un peu de vous-même?
— Regardez-moi, Mike. Oubliez l'acteur fanfaron et compatissez avec l'homme. Nous avons connu, Anna et moi, notre bref interlude de bonheur. Ce serait folie que d'en demander plus.
— C'est vous qui avez besoin d'oublier l'acteur fanfaron, déclara Mike. Vous êtes un homme amoureux et vous êtes aimé en retour. Combien de temps durera Anna, si vous l'abandonnez?

— Que suggérez-vous ? Que je continue de mettre en scène des pièces enfantines, alors que je peux créer un nouvel Hamlet ? Ce serait vivre à ses crochets. Elle finirait par me mépriser, à juste titre.

— Personne ne vous demande de vivre aux crochets de qui que ce soit. Avez-vous donc peur de guérir ? Peur de ce que l'amour peut vous faire, si vous *donniez*, pour changer ?

Jason West se détourna brusquement, et enfouit sa figure dans les plis du rideau. Son geste n'avait rien de théâtral.

— Croyez-moi, Mike, je l'aime de toute mon âme. Je ne puis supporter de rester plus longtemps auprès d'elle, à moins qu'elle ne soit à moi, corps et âme.

— Et vous êtes encore assez égoïste pour exiger d'avoir tout ou rien ?

— Je dois retourner sur la scène. Il n'y a pas d'autre issue pour moi.

— Je vous garantis que vous pourrez recommencer à jouer — après l'opération. Anna est prête à divorcer pour vous épouser. Que pouvez-vous demander de plus ?

— Je refuse d'être un demi-mari.

Mike joua son atout. Il l'avait conservé pour le dernier appel aux sentiments du comédien.

— Vous est-il jamais arrivé de penser aux millions de femmes qui prendraient la moitié de Jason West — et s'estimeraient comblées ?

— Incluriez-vous Anna dans le troupeau ?

— Anna est une femme amoureuse. Ne lui refusez pas sa dernière chance de bonheur — et ne la renvoyez pas à Paul.

— Elle ne retournera jamais auprès de ce dément. Je l'aurai au moins sauvée de cette emprise.

— N'en soyez pas trop certain. Encore tout à l'heure, elle m'a dit que si vous l'abandonniez, il serait tout ce qui lui resterait au monde.

Mike vit l'autre se raidir, tandis que ce mensonge monstrueux le frappait au cœur.

— Pourquoi Anna vous a-t-elle envoyé avec ce message? Elle aurait pu venir elle-même.

— Comment l'aurait-elle pu, quand vous sautez sur la première occasion de la quitter?

Jason West leva au ciel ses poings crispés. Mike était sûr que c'était un geste de capitulation, mais il n'osait pas encore relâcher la pression.

— Je ne vous traiterai pas de lâche deux fois, dit-il. S'il y a un homme sous ce masque d'acteur, vous le prouverez en allant la voir tout de suite.

La main de Jason se crispa sur le rideau, si violemment qu'il l'arracha à la tringle. Même dans sa défaite, il réussissait à prendre une attitude. Avec la bure blanche du rideau retombant sur une épaule, il ressemblait à un Romain de l'antiquité, la toge à peine fripée, l'âme invulnérable.

— Je la verrai demain matin, je lui dirai à quel point j'ai été égoïste. Cela vous va-t-il?

— Rien ne vaut le moment présent, Jay.

— Il est plus d'une heure du matin.

— Anna est là dehors, dans ma voiture.

Jason rejeta les plis de la toge impromptue.

— Vous êtes un tyran, Mike. Vous ne désespérez donc jamais?

— Jamais, tant que vous n'aurez pas suivi mes conseils de médecin. Vous ne pouvez pas lui refuser cela.

— Je vous le promets...

L'acteur s'élança dans l'escalier. Mike attendit que le bruit de ses pas se fût étouffé, et il s'approcha de la fenêtre. Quand il entendit s'ouvrir la portière de la voiture, il comprit qu'il avait gagné.

L'opération et la pose du pacemaker que projetait Mike, bien qu'elle eût semblé dangereuse au profane, était maintenant couramment acceptée en chirurgie cardiaque et, tout en exigeant une coordination parfaite, elle ne réclamait du chirurgien qu'un sang-froid normal. Mike l'avait soigneusement réétudiée depuis deux jours que Jason était revenu à l'hôpital. Sachant que sa nouveauté relative éveillerait l'intérêt de ses confrères, Mike avait cédé aux prières de Melcher et autorisé quelques observateurs — une faveur inusitée dans les salles d'opération assez exiguës de l'Hôpital Memorial. Mais il se disait qu'il était séant que l'acteur eût un public, quand bien même il n'était pas conscient de sa présence.

Jason West avait été endormi et Mike avait branché le régulateur cardiaque sur son bras, comme il était impossible de le brancher normalement sur le cœur puisque c'était là que l'on allait opérer et que la stimulation du régulateur était indispensable. Mike avait procédé à ces préparatifs dans la salle de radiographie.

Le docteur Brett, qui s'était offert comme assistant, attendait dans la salle d'opération, et l'on distinguait derrière l'écran stérile la silhouette tassée de Louis Garstein. Une demi-douzaine de spectateurs étaient groupés au fond de la salle. Aux premières heures de la matinée, Wilson avait dressé une sorte d'estrade provisoire, permettant de voir sans gêner les chirurgiens. En entrant, Mike sourit affectueusement au docteur Artemus Coxe, qu'il avait personnellement invité, et salua de la tête Gideon Bliss et Melcher. Il ne se laissa pas troubler par le regard fixe et glacé de Bradford Keate. Mike avait eu la certitude que Keate ne pourrait surmonter sa curiosité.

Il était temps de commencer ; mais Mike se détourna un instant du malade déjà bien installé sous les champs stériles et fit face à son public réduit mais attentif.

— Le but de cette opération est d'introduire deux électrodes permanents dans le muscle cardiaque, dit-il. Ces électrodes seront reliés à une petite antenne qui sera implantée sous l'épiderme dans le voisinage du plexus solaire. Lorsque l'appareil sera en place, le cœur pourra être stimulé selon les besoins, par des impulsions à ondes courtes produites par une source d'énergie que le malade portera sur la paroi thoracique.

Tout en parlant, Mike choisit un scalpel et pratiqua une incision en diagonale sur la poitrine, au-dessus de la quatrième côte, exposant à la fois la côte et la section de cartilage blanchâtre qui la reliait au sternum. Le couteau trancha dans l'enveloppe extérieure de l'os sur environ huit centimètres, laissant le cartilage intact. Puis, à l'aide d'un élévateur périostal — un instrument en forme de gouge destiné à s'adapter parfaitement à la courbe de la côte — Mike dégagea délicatement l'enveloppe extérieure de l'os proprement dit.

Lorsque la séparation fut complète, il coupa l'os avec un gros forceps. On pouvait maintenant voir fonctionner le poumon sous la plèvre, ainsi que le cœur dans son propre sac, le péricarde, qui poussait vers la cage thoracique à chaque battement.

— Nous sommes prêts maintenant à procéder à l'opération elle-même, dit Mike. Le fil d'antenne, comme vous allez le voir bientôt, transmettra les ondes courtes diffusées par le générateur externe, un appareil à peine plus volumineux qu'un paquet de cigarettes. L'antenne elle-même est en platine irridium, dans une gaine d'une matière de caoutchouc durci appelée Silastex ; elle peut être implantée dans le thorax très facilement sans risque d'inflammation des tissus. Le contact avec le cœur se fera par l'intermédiaire de deux têtes, en forme de ressorts afin d'absorber les chocs et le déplacement de chaque battement de cœur.

— Est-ce que le fil d'antenne agit comme un poste de radio récepteur? demanda Melcher.

— Exactement, docteur. Sauf que, dans ce cas

précis, la station émettrice se trouve éloignée de deux centimètres à peine.

Mike prit l'antenne sur la table à instruments, une sorte de disque sur un canapé de caoutchouc plastique, comportant au centre deux têtes enrobées de caoutchouc, couronnées d'une minuscule plaque métallique d'où sortait un petit ressort.

— Lorsque l'appareil est en place, reprit Mike, il crée ce que l'on appelle en électronique un circuit à résistance parallèle.

Mike se tourna vers Garstein, qui était absorbé par la surveillance de la pression positive d'anesthésie nécessaire pour empêcher le poumon de s'affaisser.

— Je suis prêt à ouvrir la plèvre, Louis.

— Allez-y. Je l'ai déjà placée en circuit fermé.

— Nous pénétrons le péricarde par le lit de la quatrième côte, annonça Mike.

Il utilisa ses forceps pour soulever la plus extérieure des deux membranes — péricarde et épicarde — enrobant le cœur. De l'autre côté de la table d'opération, Hugo Brett observait attentivement la manœuvre. Une fois la membrane dégagée en pyramide, Mike pratiqua une petite ouverture dans le sac, et l'élargit délicatement jusqu'à ce qu'une portion suffisante du muscle cardiaque soit exposée. Cela fait, il recula pour permettre aux observateurs de voir le cœur, qui battait régulièrement de lui-même. Jusque-là, la stimulation supplémentaire du régulateur cardiaque n'avait fonctionné qu'en tant que facteur de sécurité.

— L'expérience clinique a démontré que les têtes d'électrodes doivent être placées assez haut sur la paroi ventriculaire. Je choisis un secteur situé entre les deux artères coronaires.

Il indiqua les deux vaisseaux qui fournissaient le sang au muscle cardiaque proprement dit ; elles étaient à présent nettement visibles, dessinant comme des branches d'arbre sur le fond plus foncé de la paroi musculaire.

— Les coronaires me paraissent saines. Espérons que l'infarctus n'intéresse qu'une faible partie du septum.

— Alors le pronostic serait favorable, jusqu'ici? demanda Bliss.

— A l'instant présent, le schéma opérationnel est idéal. Grâce au régulateur cardiaque, je suis en mesure d'assurer que nous avons de grandes chances de réussir.

Utilisant un scalpel à pointe effilée, Mike pratiqua une légère entaille dans le muscle cardiaque — d'un petit coup précis qui entama à peine l'épicarde, la seconde doublure de l'organe. Lee Searles présenta le disque du pacemaker, en le tenant à deux mains au-dessus du corps du malade, tandis que le chirurgien prenait une des petites têtes d'électrodes et en glissait la pointe dans l'étroite incision, puis il appuya sur la plaque caoutchoutée sur le cœur lui-même. Des sutures de soie furent employées pour fixer la plaque à l'épicarde. Mike répéta la manœuvre avec le second électrode, et le planta à deux centimètres du premier. Enfin, il sutura un petit carré de mousse plastique sur chacune des plaques.

— Ces éponges mousse servent d'isolant entre le péricarde et l'épicarde, expliqua-t-il. Comme la mousse plastique est essentiellement inerte, il ne devrait pas y avoir de réaction contraire dans les tissus environnants et le cœur pourra se mouvoir très normalement dans son sac.

Le plus délicat étant terminé, Mike se permit de souffler une seconde avant de prendre l'aiguille à suturer que Lee Searles lui présentait.

— Nous allons refermer le péricarde avec de la soie. Comme vous pouvez le voir, toute l'opération a été extrêmement simple, y compris le contact mécanique que je viens d'établir avec le muscle cardiaque.

— Et le pacemaker? demanda le docteur Coxe. Qu'arrive-t-il si la pile tombe en panne?

— Il y deux circuits à l'intérieur, docteur. L'un

fournit le courant stimulateur. L'autre contrôle sa cadence. La pile du deuxième circuit est de moins longue durée que la première. Même si elle tombe en panne brusquement, le malade reconnaîtra le ralentissement à temps pour se faire soigner.

Tout en parlant, Mike avait recousu le péricarde. Le docteur Brett avait dégagé les têtes de l'ouverture ; l'antenne circulaire fut alors posée avec précaution devant le sternum, dans la petite cavité de son extrémité inférieure. L'appareil interne était à présent tout à fait connecté, prêt à recevoir le stimulateur externe. Quand celui-ci serait en place, il serait totalement dissimulé par les vêtements du porteur, sans former de bosse visible.

En contemplant son œuvre, Mike avait encore du mal à croire qu'il avait effectué le montage, aussi facilement qu'un électricien monte un circuit téléphonique.

Le reste de l'opération n'était que de routine. Il était inutile de recourir à une autre opération sur la petite portion de côte qui avait été entamée. Grâce à la préservation de l'enveloppe périostale, l'os se ressouderait complètement. Avec le receveur d'antenne posé à plusieurs centimètres de la cassure, rien ne gênerait la cicatrisation osseuse. La stimulation provoquée par le circuit établi pourrait commencer dès que le médecin l'ordonnerait.

Le dernier point de suture noué et le pansement appliqué, Mike recula de la table. La pendule murale lui apprit que l'opération avait duré moins d'une heure. Les effets qu'en ressentirait le malade seraient négligeables.

— La pile du pacemaker sera branchée demain ou le jour suivant, dit Mike à son auditoire. Dans ce type de chirurgie cardiaque, nous préférons attendre que le malade soit complètement remis de l'anesthésie.

Mike prit la boîte noire de l'appareil sur le plateau et consulta la notice explicative.

— Permettez-moi de vous lire encore quelques détails, dit-il, au cas où il y aurait parmi vous des mordus de l'électronique. Cette bouée de sauvetage portative consiste en une batterie au mercure, avec un débit de courant allant de zéro à trente volts. Elle comporte une interruption de débit d'environ deux cents ohms, pour éviter le danger de surstimulation. L'impulsion elle-même ne dure jamais plus d'un deux millième de seconde, juste assez longtemps pour provoquer une contraction normale du cœur. Comme vous le voyez, elle possède des boutons de contrôle, aussi simples que ceux des cadrans de votre poste de télévision. Le malade peut varier à volonté le courant aussi bien que la cadence, ou l'interrompre tout à fait, si le cœur se met à battre normalement sans aide extérieure.

— Y a-t-il un instant optimum pour commencer la stimulation? demanda Melcher.

— Nous pourrons répondre à cela demain, quand nous aurons fait un électrocardiogramme. Jusque-là, nous continuerons d'avoir recours à notre régulateur cardiaque. C'est une précaution normale que d'attendre vingt-quatre heures, même après la mise en route de l'appareil portatif.

Le chirurgien s'écarta et, sur un signe de tête, Lee Searles s'avança. Quelques instants plus tard, le patient était ramené dans sa chambre sur une civière roulante.

— Avez-vous d'autres questions à poser, messieurs?

— Rien qu'une, docteur Constant, dit Artemus Coxe en souriant. Quel effet ça te fait de faire un miracle?

— Vous pouvez poser cette question à celui qui a inventé le Silastex, répondit Mike en riant. Moi, je ne suis que le mécano qui fait l'installation. Le mode d'emploi est imprimé sur la notice.

***

Quarante-huit heures plus tard, dans la chambre particulière où Jason achevait sa convalescence, Mike posa la rondelle de son stéthoscope sur le thorax du malade, chercha attentivement le frottement qui eût indiqué une infection de la plèvre, et n'entendit rien. Avec l'aide de miss Ford, il fit monter et descendre le lit d'hôpital à divers niveaux, pour vérifier la régularité du cœur. Le graphique quotidien était normal ; depuis midi, la pile nichée contre le sternum de l'acteur fonctionnait continuellement. Il était déjà manifeste que l'appareil était parfaitement au diapason du cœur.

— Comment sentez-vous l'appareil, Jay ?

— Vous ne me croirez pas, mais j'ai déjà oublié qu'il est là. Je n'aurais jamais cru que c'était aussi facile de vivre avec un transistor incorporé.

— Quand je vous ôterai le cathéter du régulateur, demain, vous souffrirez peut-être un peu du bras. Quelques jours plus tard, nous pourrons vous ôter les points de suture du thorax. Ensuite, vous serez comme neuf.

— Combien de temps dois-je rester ici ?

— Vous commencerez vos répétitions dans quinze jours si vous ne vous fatiguez pas trop.

— Il y a eu un changement dans le répertoire qu'ils me proposaient. Ils veulent maintenant donner *La Tempête* et *Roméo et Juliette*. Prospero est un rôle qui ne m'a jamais tenté et je suis un peu trop vieux pour la scène du balcon.

— Alors c'est une chance que vous n'ayez pas signé votre contrat la semaine dernière.

— Et comment ! Vous avez été mon ange gardien, Mike, de bout en bout. J'aurais pu me briser le cœur à Stratford-on-Housatonic, et de plus d'une manière.

— Vous avez d'autres projets ?

— La fortune continue de me sourire, de ce côté-là. Le mois prochain, je commence les répétitions de *L'Amant Démon*, une pièce anglaise, un mélodrame symbolique que je voulais jouer depuis des années. Le titre, vous l'avez sans doute compris, est tiré du *Koublai Khan* de Coleridge.

— A vous la citation, soupira Mike d'un air résigné.

— J'en ai fini avec les citations et avec les gestes de tragédien.

— Anna est au courant de votre nouvelle pièce?

— Pas encore. La proposition m'a été faite par téléphone ce matin. Je le lui dirai dès que vous me permettrez les visites.

— Elle attend en ce moment, dans le salon de réception.

— Ne me l'envoyez pas encore tout de suite. Avant que je savoure pleinement mon propre bonheur, je voudrais que vous me fassiez un petit rapport statistique sur le vôtre.

— Si c'est de Sandra que vous voulez parler, il n'y a rien à dire.

— Pas de changement dans ce secteur?

— Pour le pire seulement. Du point de vue de votre sœur, le dernier obstacle au rêve de sa vie vient d'être éliminé.

— Est-ce qu'elle est toujours assez folle pour s'imaginer que Paul va l'épouser?

— Plus que jamais, Jay. Il est le Prince Charmant.

— Cela ne vous ressemble pas d'accepter si docilement cette illusion.

— Elle l'aime depuis toujours, murmura lentement Mike en s'efforçant d'atténuer l'amertume de sa voix. De quel droit oserais-je espérer qu'elle changera?

L'acteur pesa cette réponse d'un air grave.

— Curieux, n'est-ce pas, les goûts étranges qu'ont certaines femmes dans le domaine des hommes? Dans l'ensemble nous devons les considérer comme le sexe civilisé. Si je puis me permettre de me référer quand même à Coleridge, il y a toujours un coin sauvage dans le cœur de toute femme, où le désir est roi...

— Je croyais que vous en aviez fini avec les citations.

— Pardonnez-moi cette rechute, Mike. Comme vous, j'ai prié pour que la longue absence de Paul ramène Sandra à la raison. Malheureusement, elle a eu un effet contraire.

— Il lui écrit souvent ?

— Par chaque courrier aérien. Je dirais même qu'il a fait des heures supplémentaires pour forger le Prince Charmant que vous évoquiez.

— Ne me dites pas que Sandra vous lit ses lettres !

— J'ai vu l'effet qu'elles avaient sur elle, et c'est plus qu'il n'en faut. Dieu sait ce qu'il lui promet, mais je suis certain qu'elle le croit. A son retour, il reprendra sa vie où il l'a quittée. Il doit bien exister un moyen de l'en empêcher, Mike.

— Sans avoir recours à l'assassinat, je ne vois vraiment pas lequel.

— Est-ce que ça arrangerait les choses, si Sandra apprenait la vérité sur son idole ?

— *Toute* la vérité ?

— Inutile de faire des mystères avec moi, dit Jason. Anna m'a parlé de sa faille fatale.

— J'ai décidé de raconter tout cela à Sandra, la prochaine fois que je la verrai.

— Pourquoi avez-vous tant tardé ?

— Parce que je suis convaincu qu'elle ne me croira pas. Si je parle, c'est pour une unique raison, afin de soulager ma conscience. Je ne me sens plus capable de lui mentir.

— Si vous voulez, Anna lui racontera la même histoire.

— Laissez-moi lui parler seul, Jason. Si Anna intervenait maintenant, Sandra s'imaginerait que c'est un complot contre elle.

— Pourquoi ne faites-vous pas enfermer Paul ? Après tout il a bien failli tuer Anna, et ce n'était pas la première fois.

— J'y ai pensé. C'est une impasse. Si Anna avait

porté plainte après ses dernières blessures, peut-être. Cette chance-là s'est éteinte, maintenant qu'elle veut divorcer.

— Et la Duchesse? Elle n'aiderait pas? Elle connaît la vérité sur son fils. Si vous la preniez dans un moment propice...

— A sa façon, Mrs Van Ryn se fait encore plus d'illusions que Sandra. Elle est toujours prête à tout pardonner à Paul, pourvu qu'il réussisse comme artiste.

Jason montra le poing à un ennemi invisible.

— Je l'abattrai, dès que j'aurai quitté ce lit! A coups de fusil! Ma main ne tremble plus; je vous jure que je ne le raterai pas!

— Je ne puis le permettre — alors qu'un nouveau rôle vous attend. N'essayez pas de résoudre mes problèmes à ma place, Jay. J'ai appris à vivre avec eux.

— Promettez-moi alors de parler franchement à Sandra?

— Je vous le promets. Mais ce sera la conversation la plus brève qu'on puisse imaginer. Votre sœur est immunisée contre la vérité.

La rencontre que Mike redoutait se produisit soudain, moins de vingt-quatre heures après sa visite à Jason.

Il sortait de la salle d'opération, après avoir discuté des interventions du lendemain avec Lee Searles, pour se rendre au bureau que Pailey lui avait assigné au rez-de-chaussée de l'hôpital. Au cours du mois passé, il s'était fait une petite clientèle particulière intéressante, dans le peu de temps libre que lui accordaient ses fonctions. Cet après-midi-là, n'ayant pas de rendez-vous, il avait hâte de jeter sur le papier le brouillon d'un article sur le pacemaker et la chirurgie du cœur, qu'il entendait soumettre à l'une des grandes revues médicales... Fredonnant une vague musique qui ne trouvait pas d'écho dans son cœur, il poussa la porte de son bureau et se trouva nez à nez avec Sandra West.

Elle était assise sur le divan près de la fenêtre et feuilletait un magazine avec une nonchalance qui n'aurait abusé personne. Aujourd'hui, elle avait préféré à son uniforme de la clinique une élégante robe d'été et des bijoux fantaisie ; des escarpins à talons aiguille embellissaient le galbe de ses jambes. Mike ne put s'empêcher de se demander si sa toilette, comme son sourire trop éclatant, étaient voulus, pour lui signifier qu'elle était maintenant prête à commencer une existence où il n'aurait jamais sa place.

— J'ai fait jurer le secret à miss Jenks, Mike, lui dit-elle. Nous avons décidé de te faire une surprise, puisque tu n'as pas de malades cet après-midi.

— Tu as vu ton frère ?

— Je viens de sa chambre. Le miracle prend corps, lentement.

— Ne me regarde pas comme ça en disant cela, protesta Mike en s'asseyant derrière son bureau, enchanté pour une fois de mettre cette barrière entre eux. Jason est bénéficiaire de l'ère électronique. Ma contribution est négligeable.

— Je suis là pour te remercier de ce que tu as fait à Gate House. C'est ça, le vrai miracle.

Mike s'aperçut qu'il pouvait sourire, malgré son bouleversement intérieur.

— Tu écoutais d'en bas ?

— Je l'avoue, Mike, sans honte. Tu as fait là une création inspirée.

— Comme je te l'ai dit, ce soir-là j'étais un héraut, et non un acteur. J'ai simplement donné à Jason la réplique, alors qu'il en avait tant besoin. Ensuite, c'était sa scène à lui.

— Pour la première fois de sa vie, tu l'as haussé au-dessus de lui-même ; tu as transformé l'acteur en homme. Jamais je ne pourrai te remercier assez.

— N'essaye pas, Sandra. Son bonheur, et celui d'Anna, me suffisent bien.

— Regarde-moi, Mike. Pourquoi ne pas me souhaiter un peu de bonheur, à moi aussi, pendant que tu y es ?

— Impossible, si je dois y inclure Paul Van Ryn.

— Tu refuses d'admettre qu'il a changé en bien, lui aussi, à présent qu'il a une raison de vivre ?

— Les gens comme Paul ne changent jamais, au fond d'eux-mêmes.

— Nous voilà revenus au vieil argument.

— Il n'est pas question d'argument et je n'ai pas l'intention de discuter. Jay m'assure que tu es restée en liaison constante avec Paul. Est-ce que tu lui as dit qu'Anna voulait divorcer ?

— Non, naturellement. Ils divorceront en prenant les dispositions qu'ils jugeront bonnes. Quand il sera libre, j'espère qu'il viendra à moi, de son propre chef. En attendant, je suis toute prête à patienter.

— Parle-t-il de son retour ?

— Il pense rentrer le mois prochain, peut-être avant. Son travail marche admirablement, à Munich. Werner Von Helm est prodigieusement impressionné.

— C'est Paul qui l'affirme ?

— Non, Von Helm. Refuserais-tu de le croire, lui ?

— Est-ce que Paul a promis de renoncer à son esclavage à l'égard de la Duchesse et de l'argent de Zeagler ? Est-ce qu'il a l'intention de gagner sa vie avec sa palette, une fois qu'il aura organisé son exposition de New York et pris quelques nouvelles commandes ?

— C'est exactement ce qu'il compte faire. Tant que ce projet n'a pas été mis à exécution, il estime qu'il n'a pas le droit de me parler d'amour. Maintenant, reconnais-tu à quel point tu t'es trompé à son sujet ?

— Je comprends ses promesses. Ce que je ne puis admettre, c'est que tu y croies.

— Tu ne peux pas nier le succès de Paul, Mike. Ni mon droit d'espérer que ce n'est qu'un commencement.

— Je ne nie rien du tout, quant à l'art. Pour autant que je sache, c'est peut-être un aussi grand génie que son homonyme, Rembrandt Van Ryn. Ce que je te demande, c'est de le voir, de le regarder au grand jour. Et j'affirme que ces promesses n'ont pas la moindre signification. Les gens comme Paul sont totalement dépourvus de sens moral; ils ne savent pas faire la différence entre le bien et le mal. Son étalon est son propre intérêt. Pour le moment, cela l'amuse de jouer avec tes sentiments...

— Aucun être humain ne pourrait avoir plus basse opinion d'un de ses semblables, Mike Constant!

— Je te répondrai que Paul n'est pas humain. Si vous reprenez votre liaison, il te rejettera dès l'instant où tu cesseras de lui plaire. Mon seul espoir est que tu t'en tires sans trop de mal.

— Allons, dis-moi tout, je te prie, cria Sandra d'une voix sifflante. N'insinue pas des choses que tu as peur de formuler!

Mike aspira un grand coup, et fit le plongeon.

— Je relève le gant. L'homme que tu aimes est atteint de folie totale. Il est aliéné. Il y a huit semaines, il a tenté de tuer sa femme et a bien failli réussir. Remplace-la, et tu courras le même risque...

— Cela suffit, Mike. Je sais que tu es rongé de jalousie, mais, en qualité de médecin, tu n'as pas le droit de débiter un mensonge aussi monstrueux!

Maintenant qu'il avait exprimé la vérité et subi sa rebuffade, Mike se sentait soudain vidé de toute émotion.

— Je ne m'attendais pas à ce que tu me croies sur parole, Sandra, soupira-t-il. Mais je suis sûr que tu te rappelleras mon avertissement, avant peu.

Ce jour-là, je prie le ciel que ta sagesse ne te vienne pas trop tard.

La main de Sandra se leva, et Mike ne fit rien pour parer la gifle qu'il attendait ; il l'aurait même acceptée avec joie, si cela avait signifié qu'il avait enfin réussi à toucher Sandra. Mais la main retomba. Sandra tourna les talons et sortit du bureau. En regardant la porte se refermer sur elle, Mike se sentit chanceler sous le poids de sa perte. Cependant, il ne regrettait pas l'instinct qui l'avait forcé à libérer sa pensée, sachant pertinemment que cette tentative serait vaine.

Mike était encore debout devant son bureau quand le téléphone sonna. Il se retrouva avec l'appareil à l'oreille, sans se souvenir comment il avait décroché. C'était le docteur Garstein, la voix inquiète et tendue.

— Pouvez-vous me rejoindre tout de suite au labo, Mike? Nous avons huit nouvelles admissions pour hépatite depuis midi.

— J'ai vu le registre. Nous avons suffisamment de place.

— Le docteur Coxe en a pris autant à Lower Street. Il n'a plus un seul lit. Et Saunders vient de téléphoner du bureau de la Santé. Si le nombre de cas nouveaux n'a pas diminué samedi, le Conseil d'État à Albany va nous déclarer zone épidémique.

10

AU cours des six semaines qui suivirent — après que l'épidémie d'hépatite eut été officiellement reconnue — la maladie se développa selon le cycle classique. Ses raisons de s'étendre étant aussi mystérieuses que son remède, elle continua de frapper au hasard, tant dans la Vieille Ville que dans les Hauteurs, quoique la majorité des cas vinssent du quartier le plus riche de New Salem.

Dans l'ensemble, la population supporta bien son affliction. Il y eut très peu de cas mortels, car le taux de mortalité de ce genre de maladie du foie est très bas. Le docteur Saunders et ses équipes du service de santé patrouillaient inlassablement la commune, pour rappeler à chacun les précautions à prendre. On s'efforçait de persuader les nouvelles victimes d'accepter de se faire soigner chez elles, mais la plupart des ouvriers et employés bien rémunérés de Zeagler Électronique, habitués à profiter au maximum de leurs avantages sociaux et de leur assurance-hôpital, préféraient envahir Indian Hill.

Dès la deuxième semaine, la salle commune du service médical fut bondée et, au début de la troisième, les malades se mirent à déferler au point de menacer les lits de la chirurgie — mais Mike exigea que ces derniers fussent laissés libres, en cas d'urgences. Tant que la crise dura, les opérations ne présentant aucun caractère extrême furent réduites au minimum, et il faillit y avoir plusieurs bagarres avec Keate et d'autres médecins qui continuaient d'admettre des cas d'interventions qu'il était possible de repousser à plus tard. Le problème se résolut de lui-même, et ce fut la population de New Salem elle-même qui sauva la situation, par sa répugnance à aller se faire ouvrir le ventre dans un hôpital bourré des victimes d'une mystérieuse maladie contagieuse qui avait déjà frappé tant d'amis et de voisins.

La baisse des interventions chirurgicales provoqua une nouvelle tempête à la comptabilité. Mais Mike avait appris depuis le temps à écarter les plaintes de Pailey certain que le directeur le soutiendrait. Il n'ignorait pas qu'il aurait à affronter une nouvelle crise quand la situation serait redevenue normale, et que ses deux ennemis principaux — qui n'étaient pas encore remis de la mémorable séance — auraient trouvé leur second souffle. Mais tant que durait l'épidémie, il savait qu'il pouvait les négliger.

Dans la quatrième semaine, toutes les maisons de santé du canton furent mises à contribution. L'établissement du docteur Coxe, à Lower Street, avait réquisitionné deux immeubles vides, de l'autre côté de la rue, avant d'être obligé, pour la deuxième fois, de refuser des malades. En dernier ressort, la clinique Zeagler fut aménagée, avec une vingtaine de nouveaux lits et une équipe d'infirmières soignantes fut engagée sur les fonds de la clinique, pour parer au plus pressé. Les répétitions furent interrompues au théâtre pour enfants et la salle transformée en annexe de la clinique, au grand désespoir du jeune metteur en scène de New York, jusqu'à ce qu'il soit atteint à son tour et forcé de s'aliter sur la scène.

Cette épidémie rendait d'autant plus perplexe qu'il n'existait aucun foyer de contagion apparent. En général, la maladie suivait son cours — et finissait par s'atténuer quand le nombre de personnes vulnérables à ses attaques se réduisait par l'immunité de celles qui l'avaient déjà eue et s'en étaient remises. Mike en arrivait à supposer que l'épidémie avait été suscitée par les vagues de chaleur de juin. Son étude de la maladie lui avait fait comprendre que le temps chaud était son plus dangereux allié.

Anna avait insisté pour assumer sa part des soins à sa clinique, et Sandra avait dressé un lit de camp dans le bureau, de façon à être disponible de jour comme de nuit. La tâche était plus fatigante que dramatique, les soins se réduisant à la préparation de régimes spéciaux pour tenter des appétits coupés par le virus, à une hygiène rigoureuse et des frictions à l'alcool pour faire baisser la fièvre.

Mike s'arrangeait pour faire une visite quotidienne à la clinique, entre ses rondes doublées à l'hôpital. Il n'avait plus jamais été question de l'amère entrevue dans son bureau, ni de Paul. Si Sandra avait reçu d'autres nouvelles de Munich, elle n'en disait rien. Si Anna Van Ryn avait remarqué la tension entre le médecin et l'infirmière, elle était trop absorbée par son propre nirvana pour s'en mêler.

Quarante jours après qu'Albany eut déclaré New Salem foyer d'épidémie, la redoutable étiquette fut supprimée, quand enfin le pourcentage des cas diminua. Trois jours plus tard, alors qu'aucune nouvelle infection n'avait été signalée, Mike reçut un coup de téléphone du docteur Coxe.

— Il est temps que nous conférions, dit le vieux médecin. Tu as besoin d'une mise à jour dans divers départements, et moi aussi. Comment va ton malade du cœur ?

— Nous l'avons envoyé terminer sa convalescence à New York, parce que nous avions besoin de son lit.

— Il doit y avoir un bon bout de temps. Je lis dans le journal qu'il répète une nouvelle pièce.

— Je lui ai donné la permission de reprendre son activité il y a un mois. Anna entame la procédure de divorce. Ils ont l'intention de se marier après la première à New York.

— Voilà qui prouve à quel point j'avais du retard. Et comment va Sandra ?

— Elle a été un pilier de la clinique pendant le mois passé.

— Est-ce que tu es allé à Rynhook dernièrement ?

— Je n'ai eu le temps d'aller nulle part. Avec cette épidémie, j'avais peur d'avoir la Duchesse comme malade, mais on m'assure qu'elle se porte comme un charme.

— Voilà près de six semaines qu'elle a toute sa tête. Je suis passé la voir deux fois pour m'en assurer.

Quelque chose, dans la voix du vieux médecin, alerta immédiatement Mike.

— Quel est le but de ce conclave ? Est-ce que nous allons discuter de l'épidémie d'hépatite, de mes problèmes personnels ou de Marcella Van Ryn ?

— J'aimerais les passer en revue tous les trois. Quand peux-tu être ici ?

— Sauf imprévu, je quitte mon tour de garde dans une heure.

Mike trouva le docteur Coxe dans son cabinet, les pieds sur le bureau, sa tête chauve auréolée de fumée de cigare. Le vieil homme paraissait affreusement fatigué, mais il avait dans le regard une lueur qui avertit son visiteur qu'il ne s'agissait pas d'une simple visite habituelle.

— Je respire enfin, Mike, dit-il. Pas toi ?

— Si vous voulez parler du nuage couleur de

jaunisse qui plane sur New Salem, je commence à voir un peu de ciel bleu.

— Laissons la médecine de côté pour le moment. Où en est ta querelle avec Sandra ?

— Qui vous a dit que nous nous étions querellés ?

— Garçons et filles se querellent toujours quand ils sont amoureux — et que l'un d'eux est trop aveugle pour le comprendre.

— Il se trouve que Sandra est amoureuse de Paul. C'est un sujet que je préfère ne pas aborder.

— Parce qu'on ne parle pas de corde dans la maison d'un pendu ?

— Ce n'est pas le moment de parler par proverbes.

— Pourquoi donc — quand ce ne serait que pour éclaircir l'atmosphère ? Cet après-midi, j'ai beaucoup de choses à dire sur Paul. Et je crains bien qu'il ne te faille écouter, parce que j'ai grand besoin de tes conseils. Les choses ont atteint leur point critique la semaine dernière, quand Omar Dean est venu me voir...

Absorbé par ses sombres pensées, Mike n'avait entendu que d'une oreille les propos du vieux médecin. Le nom d'Omar Dean éveilla soudain son attention. Aîné des membres du cabinet Dean et Irving, Omar était le plus célèbre avocat de la ville, et ses opinions considérées comme paroles d'Évangile dans la vallée.

— S'il cherche à intenter un procès à l'hôpital, je prends le maquis.

— Il n'est pas question d'Indian Hill. Dean et Irving viennent d'accepter Paul Van Ryn comme client. Sa mère lui a légué tous ses biens. Il veut entrer en possession dès maintenant.

— Paul lui-même doit savoir que c'est impossible !

— Pas s'il peut obtenir que deux médecins déclarent la Duchesse incompétente. Omar m'a demandé si je consentirais à signer avec Hugo Brett les papiers nécessaires. Il avait soigneusement considéré la question, depuis la lecture de la correspondance de Paul. Tout bien pesé, il a fini par conclure que ce serait excellent pour New Salem.

— Est-ce que vous imaginez Paul seigneur de Rynhook?

— Paul n'a nulle intention de conserver Rynhook, Mike. S'il arrive à en devenir le maître, il vendra aussitôt le domaine, — le château, le terrain de l'usine et les logements ouvriers. A condition, bien entendu, que Zeagler Électronique y mette le prix.

— Et ensuite?

— Il a promis à Omar de faire soigner Marcella dans une maison de santé privée. Quant à lui, il entend s'installer à New York, où il mènera une existence digne d'un gentleman artiste. Omar est convaincu que c'est ce qu'il fera, si le tribunal, se rend à ses vues.

— Est-ce que vous avez mentionné les faiblesses de Paul? Ou suggéré que c'était plutôt lui qui avait besoin d'être interné?

— Je n'ai pas jugé sage d'insister sur ce point. Il m'était difficile de nier que Paul eût un peu raison — si l'on considère uniquement le cas de la mère, en oubliant le fils. Examine les faits tels que les voit Omar. Les Van Ryn ont été condamnés, depuis le jour où Paul s'est révélé la dernière pomme pourrie du panier. Du point de vue de la ville, un internement — et une vente rapide — effaceraient l'ardoise. Paul ne serait plus qu'un mauvais souvenir. Marcella coulerait ses derniers jours confortablement dans une maison de santé et tout le monde pourrait trouver du travail à la nouvelle usine Zeagler.

— Quelle réponse avez-vous donnée à Omar?

— J'ai promis de réfléchir. Après son départ, j'ai fait la première de mes deux visites à Bearclaw Point.

— Pour annoncer la nouvelle à la Duchesse avec ménagements?

— Loin de là. C'était une visite stratégique, pour voir si elle était capable d'agir plus vite que son fils — dans son propre intérêt. Je lui ai conseillé de vendre au meilleur prix à Zeagler, de donner à Paul de quoi prouver qu'il est la réponse de l'Amérique à Van Gogh et puis de partir en croisière autour du monde. Juge de ma stupéfaction, quand Marcella m'a avoué que depuis quelque temps, elle caressait les mêmes idées...

— Quand je l'ai vue le mois dernier, elle m'a juré que jamais elle ne vendrait Rynhook.

— Les circonstances altèrent souvent les choses, Mike. Elles peuvent changer un esprit obstiné. La Duchesse est un tyran, mais le bien de Paul a toujours été son souci primordial. Quand il jouait au play-boy et que sa peinture ne paraissait qu'une distraction, elle avait raison de lui tenir la bride serrée. Quand le talent de Paul a été reconnu, ce fut une autre histoire. Maintenant qu'il touche à la gloire, elle semble prête à le libérer complètement. Elle a même parlé de financer sa première grande exposition particulière avec la vente d'un terrain.

— Je suppose que vous ne lui avez pas parlé de la visite d'Omar Dean?

— Je savais qu'elle apprendrait cette histoire assez vite. Il m'a semblé plus sage de la laisser le pied en l'air, si j'ose dire. Quatre jours plus tard, Anna est passée à Rynhook pour dire au revoir. La Duchesse et elle ont eu une longue conversation. Je crois savoir que la bru n'a pas ménagé sa belle-mère — et qu'elle lui a même parlé de l'habitude qu'avait Paul de battre les femmes. Pour la première fois, Marcella a connu la vérité sur ce mariage et pourquoi Anna quittait Paul. Par-dessus le marché, elle a appris que Paul s'apprêtait à entamer la procédure pour la faire interdire. Naturellement, elle était folle de rage quand je suis allé la voir la deuxième fois.

— Je ne puis croire que ce qu'Anna lui a dit ait été une révélation. Elles ont vécu six ans sous le même toit. La Duchesse a bien dû voir son fils à l'œuvre.

— Elle savait qu'il faisait des colères, des caprices, bien entendu. Au fond d'elle-même, elle comprend qu'il vit au bord de la folie. Ce qu'elle ne voulait pas admettre, c'était qu'Anna le quitte. Cela signifiait que Paul perdait une des deux ancres sur lesquelles il pouvait compter. L'autre, c'est Rynhook. À son retour, elle insistera pour qu'il retourne à l'atelier de la tour, jusqu'à ce qu'il ait *vraiment* prouvé son talent au monde entier. Plus question de l'exposition particulière, bien entendu, à moins que ce soit à New Salem.

— Et l'intention de Paul de la faire interdire?

— Marcella m'a ri au nez quand je lui en ai parlé, comme si c'était un mauvais tour de son garnement de fils et rien de plus. De ce côté-là, elle refuse complètement de voir la réalité. Maintenant qu'elle s'est mis dans la tête de se retrancher, elle entend défendre le fort jusqu'à la mort.

— Ce qui veut dire, naturellement, qu'on peut s'attendre à un feu d'artifice?

— Avec fusées, chandelles romaines et bouquet final.

— Est-ce qu'elle a la moindre chance, si Paul essaye de la faire interner?

— Il y a un an, j'aurais misé sur elle, si Omar Dean n'était pas dans le camp du fils. Les juges sont généralement assez vieux pour se pencher vers le passé. Avec Dean et Irving représentant le demandeur, nous risquons un renversement de la situation. Surtout si la ville renifle l'odeur de l'argent frais et du travail pour tout le monde.

— Ne me dites pas que vous jetez l'éponge, *vous*!

— Je ne t'ai pas encore tout avoué, Mike. Marcella a eu une de ses crises, avant que nous arrivions au bout de la seconde entrevue. Pas trop grave, mais il a tout de même fallu une piqûre de paraldehyde pour la calmer. Après l'avoir endormie, j'ai demandé à Nellie de me faire faire un véritable tour d'inspection du château. Les caves sont noyées. Depuis des années, c'est le paradis des cancrelats.

— Ce qui nous ramène à l'épidémie.

— A grandes guides, déclara le docteur Coxe.

— Vous croyez que *Bearclaw Point* est le foyer d'infection ?

— C'est une supposition logique, bien que je n'en aie pas encore de preuves. Tu sais que c'est pratiquement impossible de faire une bonne culture de virus d'hépatite. Il est encore plus difficile de déterminer que les insectes de ces caves en sont les convoyeurs.

— En dehors du fait que personne n'a eu l'hépatite à Rynhook.

— J'en suis venu à la même conclusion en quittant le château. Une heure plus tard, j'ai commencé à me donner des coups de pieds et à me traiter de vieillard aveugle et sénile.

— Là, je ne vous suis plus du tout, docteur.

— Juste avant sa mort, j'ai soigné Nicholas Van Ryn pour une hépatite. Un peu plus tard, Marcella a été légèrement atteinte.

— Ce n'est pas pour cela qu'elle serait porteuse — sans jaunisse discernable.

— C'est pourtant logique. Réfléchis. La même chose ou presque s'est produite dans ton immeuble de Californie ; j'ai cherché les références. Une fois qu'ils ont eu désinfecté les locaux et éliminé la vermine, la maladie a pratiquement disparu. Est-ce que ça ne prouve pas que les cafards étaient contaminés par des porteurs — et transmettaient le virus à d'autres ?

— L'hypothèse est ingénieuse, reconnu Mike. Et les faits semblent la soutenir. Mais vous n'avez tout de même pas de preuves formelles, puisque l'on ne parvient pas à isoler le virus. Jusque-là, vous ne pourrez jamais épingler une étiquette de Typhoïde Mary sur la Duchesse.

— Inutile d'aller si loin, répliqua le docteur Coxe. Joe Saunders est allé hier à Albany et il a raconté tout ça au Conseil de Santé. Cette ville est assez nerveuse, après six semaines d'épidémie. Le Gouvernement d'État a vu là une bonne occasion d'améliorer les relations publiques, alors qu'il détient tous les atouts. Ils acceptent mon hypothèse, bien que je ne puisse la prouver.

— Que comptent-ils faire pour commencer ?

— D'abord, Joe va poser au barrage une barrière d'insecticide californien suffisante pour empêcher nos visiteurs à six pattes d'améliorer leur standing social. Ensuite, il fera venir une équipe spéciale, pour désinfecter toutes les maisons des Hauteurs, sans exception. L'épidémie est nettement en régression. Si mon hypothèse est valide, la suppression de la vermine nous apportera le quitus.

— Vous oubliez le foyer de Rynhook.

— J'aimerais bien, Mike. Joe insiste pour que le château subisse le même traitement. Si la Duchesse regimbe — ce qu'elle fera sûrement — son règne sera terminé à New Salem.

Mike hocha la tête. C'était clair à présent. Tout son instinct médical lui criait que le docteur Coxe avait raison. S'il y avait une nouvelle flambée d'hépatite, après que Marcella Van Ryn aurait claqué la porte au nez des équipes de désinfection, Omar Dean remporterait une victoire sans lever le petit doigt.

— Et en ce qui nous concerne, où cela nous laisse-t-il ? Dans le bouillon ?

— Pas tout à fait. J'ai réussi à convaincre Joe de ne pas s'occuper tout de suite de Rynhook ; il va en avoir plein les bras pendant quelques jours. Si la Duchesse se remet entre-temps, je ferai de mon mieux pour la persuader de vendre. Zeagler démolira le château pour construire son usine. Elle obtiendra un prix plafond, et il n'y aura plus besoin de désinfecter. Et avec cet argent, plus d'interdiction non plus :

elle aura les moyens d'engager un avocat encore plus fort qu'Omar pour tenir tête à Paul.

— Combien de temps avons-nous ?

— Joe a consenti à attendre jusqu'à lundi prochain.

— Et moi là-dedans, docteur ?

— Si Marcella veut bien écouter, je veux que tu ailles ajouter ta voix à la mienne. Nellie a l'ordre de me prévenir dès que la Duchesse aura retrouvé sa tête. Nous pourrons sauver la mise, si elle consent à reconnaître les faits.

— Et si elle refuse de vendre ?

— Alors nous devrons nous rappeler que nous sommes médecins et soutenir Omar Dean. La situation sera faite sur mesures pour Paul : encore une vieille folle qui refuse de quitter son nid à rats alors qu'il a été condamné comme menaçant la santé publique.

— Cela vous ennuie-t-il que j'en parle à Larry ?

— Au contraire. C'est ton devoir, et le sien, de décider quel parti prendra l'hôpital.

— Lundi, c'est dans quatre jours. Ça ne nous laisse pas beaucoup de temps.

— Nous aurons peut-être moins que ça, si Paul décide de hâter les choses en vue d'une décision immédiate de la Cour. Je suis sûr qu'il est au courant de ses chances.

Melcher était dans son bureau lorsque Mike rentra à l'hôpital ; il venait d'arriver par avion de Baltimore, où il était allé enterrer sa femme. Mary Melcher avait été une des dernières victimes de l'épidémie d'hépatite et, dans son testament, elle avait demandé à être enterrée dans son caveau de famille.

Complètement absorbé par la crise, Mike n'avait pas encore eu l'occasion de présenter ses condoléances. Il fut soulagé de trouver Melcher relativement de bonne humeur, bien qu'encore sous le choc de sa perte.

— Remerciez tout le monde en mon nom, Mike. Je sais que vous avez tous fait l'impossible pour la sauver.

Les deux hommes se serrèrent la main. Il était inutile de discuter du cas. La malade avait paru lutter contre le virus, au début, mais son organisme déficient n'avait pu supporter la tension. Lorsqu'elle avait commencé à baisser, les derniers moments avaient été brefs.

— Je ne vais pas vous dire que c'est une délivrance, Larry.

— Pour Mary certainement, Dieu sait... Mais je ne puis croire qu'elle est partie. Pendant des années, je l'ai considérée comme morte. Maintenant, je me surprends à songer aux débuts de notre mariage, quand j'essayais de me persuader qu'elle était heureuse.

— Personne ne vous reprochera quoi que ce soit. Vous le comprendrez avec le temps.

— Sans doute, si je suis assez patient. Le meilleur des hommes est un animal déraisonnable, Mike. Lorsque je croyais que la délivrance ne viendrait jamais, je pouvais souhaiter sa mort au fond de mon cœur, bien que ma religion m'interdise de prier ouvertement pour cela. Je me promettais d'épouser Lee dès que je serais libre...

— Vous pouvez maintenant tenir cette promesse.

— Lee a un projet qui, je l'espère, nous sauvera tous les deux. Appelons cela une sorte de pénitence mutuelle. Il y a longtemps qu'elle rêve de passer un an de perfectionnement à Hopkins pour y apprendre les dernières nouveautés de sa spécialité. Hier, elle s'est inscrite pour son premier cours à la session d'été. Au bout de son année, nous nous marierons dans l'intimité et nous ferons de notre mieux pour oublier le passé.

— Vous n'avez sûrement pas besoin d'attendre aussi longtemps.

Melcher se leva et alla remonter le store, inondant le bureau de lumière du couchant. Il se retourna, devant la fenêtre, et carra ses épaules. Mike comprit qu'il avait rejeté son manteau de culpabilité.

— Un an est le plus bref délai que cette ville nous permettra, dit-il.

— Ou que vous vous permettrez vous-mêmes ?

— J'ai besoin d'un an pour m'assurer quelle est ma position ici. Zeagler peut dissoudre la société demain, s'il reçoit un rapport défavorable au sujet de la flambée d'hépatite.

— De ce côté-là au moins, j'ai du nouveau.

Melcher écouta attentivement Mike qui lui répéta l'essentiel de sa conversation avec le docteur Coxe, et la manœuvre que le vieux médecin conseillait.

— Il a parfaitement raison, bien sûr. Notre seule chance est de persuader la Duchesse de vendre. De toute manière, la propriété est vouée à un procès. La banque de Vincent Schneider détient une hypothèque formidable sur tout le domaine et elle n'attendra pas indéfiniment.

— Malgré cela, elle peut refuser de bouger. Je n'aimerais pas la voir mordre la poussière, quel que soit l'adversaire. Voulez-vous me soutenir, quand j'irai à Rynhook ?

— Jusqu'au bout, assura Melcher. Rien ne me ferait davantage de plaisir que de voir Paul battu à son propre jeu.

Ce soir-là à sept heures, une lumière brillait encore derrière la porte du domaine de Louis Garstein quand Mike termina sa ronde. A son léger grattement, le pathologiste ouvrit lui-même la porte vitrée. Garstein était en costume de ville. Ses gros sourcils se rejoignaient dans une grimace que Mike avait appris à associer aux catastrophes.

— Les grands esprits, docteur Constant. J'allais justement vous chercher.

— Qu'est-ce que vous diriez d'un verre sur ma terrasse?

— Je ne répondrai pas que je n'en ai pas besoin, mais je n'en ai pas le temps. Accompagnez-moi jusqu'à ma voiture. Ce que j'ai à vous dire fera moins mauvais effet dehors que dedans.

La voiture du pathologiste, une Buick de dix ans équipée de leviers lui permettant de conduire avec les mains seules, était garée à l'extrémité du parking, à l'ombre d'un prunier du Japon qui venait de fleurir. Garstein fronça les sourcils au dôme de fleurs éclatantes et s'installa au volant. Dans les rayons du couchant, il avait l'air terriblement las.

— Art Coxe m'a raconté que vous avez eu une conversation ensemble?

— Nous voyons le bout de l'épidémie, Louis. Il y a là de quoi être reconnaissant, au moins — bien que je ne sache pas du tout comment les choses tourneront à Rynhook.

— A votre place, je me ferais une raison et je reconnaîtrais que Rynhook a toujours été hors de votre portée. C'est une autre histoire avec l'Hôpital Memorial de New Salem.

— Ne me dites pas que vous avez passé l'après-midi assis sur une bombe!

— Seulement depuis que je me suis entretenu avec mon estimé beau-frère.

— Zeagler est à Rome, si j'en crois le journal d'aujourd'hui.

— Il y a le téléphone transatlantique. C'est là qu'Aaron a ses meilleures idées, généralement.

— J'espère que vous lui avez confirmé que l'épidémie d'hépatite n'est plus qu'un mauvais souvenir?

— Il le savait déjà par Schneider. Vous n'ignorez pas, naturellement, que votre ami le banquier est le fondé de pouvoirs de Zeagler en son absence. Avec pleine autorité pour faire tout ce qu'il veut — et avec une procuration en main.

— Larry nous l'a expliqué à notre dernière réunion, en insistant sur ce point.

— Il faut que vous téléphoniez tout de suite à Schneider et que vous preniez un rendez-vous pour demain. Il vous commentera la décision qu'Aaron vient de prendre.

— Quelle décision?

— Quelque chose d'assez draconien. Zeagler Électronique ne renouvellera pas son bail avec la société de l'hôpital.

Maintenant que la nouvelle avait été lancée, Mike s'aperçut qu'il était plus choqué qu'étonné. Il se demanda même pourquoi le coup n'était pas venu plus tôt. Dans un sens, c'était tout de même assez séant, que Zeagler ait choisi de l'en informer ainsi, sans en toucher le moindre mot à Larry Melcher.

— Qu'est-ce qui a provoqué sa décision? L'hépatite?

— Je ne crois pas que l'épidémie ait sa part là-dedans, dit Garstein. Aaron ne pouvait guère nous en rendre responsables. De fait, il a assuré qu'il était bougrement heureux que la menace s'éloigne. Cela causait beaucoup d'ennuis de personnel à l'usine.

— Il a bien dû vous donner une raison.

— Seulement qu'il envisageait de résilier le bail depuis un certain temps. Schneider a des ordres formels. Il vous donnera tous les détails quand vous le verrez demain.

— Pourquoi ne puis-je le voir tout de suite?

— A votre place, je n'en ferais rien, Mike. Quand Aaron joue au Bon Dieu, il n'est pas prudent de bousculer ses emplois du temps.

Garstein mit sa voiture en marche, et recula pour sortir du parking, puis il s'arrêta.

— Autre chose, et c'est important aussi. Il ne faut rien dire à Larry, tant que vous n'aurez pas vu Schneider. Il recevra la nouvelle demain matin, par câble.

— C'est tout, Louis ?

— Je n'aime pas plus les mystères que vous. Mais Aaron les adore.

Le pathologiste démarra après un dernier grognement rageur, laissant Mike debout à l'ombre du prunier du Japon, plongé dans une stupeur qui alla en s'assombrissant quand il sortit de son engourdissement et regagna l'hôpital.

Le téléphone sonnait quand il entra chez lui, mais il hésita à décrocher. Toutes les nouvelles de la journée avaient été mauvaises ; il était convaincu que la sonnerie était un nouvel avertissement que les événements de New Salem se précipitaient vers un dénouement qu'il était impuissant à retarder. Quand il entendit la voix de Sandra au bout du fil, il comprit que son pressentiment ne l'avait pas trompé. Le cycle qui avait débuté dans le bureau du docteur Coxe était maintenant achevé.

— Je téléphone pour te dire au revoir, Mike.

— Tu quittes New Salem ?

— Paul revient par avion ce soir. Je vais l'attendre à Idlewild. Il m'a semblé qu'il était juste de te le faire savoir.

— *Sandra, tu ne peux pas !...*

Il ne sut jamais s'il n'avait pas crié dans un téléphone mort. Peut-être n'avait-il rien dit et les mots n'avaient-ils résonné que dans sa tête. Pendant quelques secondes encore il resta, l'appareil en main, avant de raccrocher lentement. Il songea distraitement que, maintenant qu'il n'était plus de garde, c'était l'heure du whisky du soir qu'il prenait souvent sur la terrasse avec Lee Searles.

Mais lorsqu'il sortit et contempla la terrasse déserte, il se rappela que même Lee l'avait abandonné. Ce soir, s'il voulait boire, il lui faudrait boire seul.

11

LA banque de New Salem, la Fidelity Title et Trust, occupait le rez-de-chaussée du building Schneider, une vénérable masse de pierre et de brique qui se dressait au croisement de Lower Street et de River Road. Neuf heures sonnaient à l'horloge de la mairie quand Mike traversa cet important carrefour, tourna dans le parking et gara sa Ford à côté du rectangle dessiné à la chaux réservé à la Packard du banquier. Cela faisait partie de la légende du banquier de conduire lui-même sa voiture. Il avait continué de le faire bien après qu'il eut récolté et investi son second million de dollars dans la vallée. C'était caractéristique qu'il utilisât une voiture qui avait disparu du marché, et qu'il la fît soigner — au prix de gros — au Garage Hudson, un établissement que la famille Schneider possédait depuis la fin du siècle dernier, alors que c'était l'unique écurie de louage de la ville.

Ce matin-là, la place réservée vide était révélatrice. Les habitants de New Salem qui se rendaient à leur travail pouvaient généralement mettre leur montre à l'heure à l'arrivée du banquier à son bureau. Le fait qu'il ne fût pas encore là à l'ouverture des portes signifiait qu'il se passait quelque chose d'important — ou plus précisément que le téléphone l'avait retenu chez lui.

La tête de Mike était encore lourde après une nuit d'insomnie quand il traversa le hall et se présenta aux bureaux directoriaux. Les deux vice-présidents n'y étaient pas encore, mais la secrétaire particulière de Schneider tapait déjà activement à la machine dans son coin.

— Serais-je en avance, miss Barnes?

— Entrez donc dans son bureau, docteur Constant. Il est en route.

L'antre du banquier était modeste. Le bureau où il travaillait, devant la grande baie dominant River Road, était aussi simple que ceux de ses subordonnés. La pièce était sommairement meublée d'une grande bibliothèque et d'un fauteuil Morris où le banquier faisait une sieste après déjeuner... Mike arpentait encore le parquet nu et maudissait ses paupières lourdes, quand il entendit un pas derrière la porte entrouverte.

Le président de la banque entra rapidement et posa sur son bureau une serviette bien gonflée. Ce matin-là, il était l'image même de la bonne humeur et de la santé rubiconde. Il était impossible de l'imaginer dans le rôle d'un Machiavel.

— Merci d'être exact, Mike. Je n'ai moi-même jamais plus d'une minute de retard. Ce matin, malheureusement, j'ai été retenu par le téléphone. Mais cela a au moins l'avantage de nous donner le champ libre.

— J'espère que vous êtes prêt à m'expliquer ces mystères, monsieur.

— Il n'y a pas de mystère dans *cette* décision d'Aaron Zeagler, en tout cas.

Schneider s'affairait et vidait sa serviette, avec les gestes précis d'un directeur pour qui le papier timbré est plus précieux que le boire et le manger.

— Les notes de téléphone transatlantiques sont le

cadet de ses soucis. Ce matin, il tenait à passer en revue toute l'histoire, avant que je vous parle.

Mike réussit à sourire faiblement. Cela ne ressemblait guère au banquier d'éluder une question précise.

— Je commence à comprendre pourquoi vous êtes en retard, dit-il.

— Aaron a une façon très personnelle de diriger ses affaires. Parfois, il semble négliger totalement l'élément humain, mais il obtient généralement des résultats. J'ai reçu aussi un coup de téléphone de Larry Melcher. Le conseil d'administration de l'hôpital se réunit dans une heure pour discuter de la situation — et décider quelles mesures doivent être prises. Comptez-vous y assister ?

— Il me semble que je le dois, monsieur. Je ne puis guère priver Keate et Pailey du plaisir de me mettre à la porte.

— Pourquoi prendraient-ils une décision aussi radicale ?

— Manifestement, ils vont croire que je suis responsable de la décision de M. Zeagler.

Le banquier continuait à trier ses documents.

— Dans ce cas, nous allons entrer dans le vif du sujet sans plus attendre. La supposition de vos ennemis est parfaitement exacte. Vous êtes pour beaucoup dans le refus d'Aaron de renouveler le bail. Voilà une copie du câble qu'il a envoyé au docteur Melcher.

Mike parcourut le bref message que le banquier lui tendait. Son cœur se serra quand il en comprit toute la portée. Larry Melcher, président de la société de l'Hôpital Memorial de New Salem, avait exactement six semaines pour vider les lieux. Aucune raison n'était donnée pour la brusque résiliation du bail et rien ne dévoilait les plans de Zeagler pour l'avenir.

— Je ne m'étonne plus que Larry soit commotionné. C'est plutôt sec, même pour un magnat.

— Nous verrons tout à l'heure les mobiles d'Aaron, dit le banquier. En attendant, je veux que vous répondiez à la question numéro un. De quoi et de combien avez-vous besoin pour prendre l'affaire en mains ?

— Si c'est de l'hôpital que vous voulez parler...

— Pourquoi diable pensiez-vous qu'Aaron se débarrasserait de la société ? Je vous offre le poste de directeur, avec son approbation pleine et entière. La banque est prête à financer le transfert, y compris l'achat de tout le matériel apporté par la présente société. Donnez-moi simplement un chiffre approximatif, pour que j'aie une base.

— Je ne suis qu'un chirurgien, monsieur Schneider. Qu'est-ce qui vous fait croire que j'ai suffisamment de compétence pour diriger un hôpital.

— Voilà trois mois que vous êtes à Indian Hill, Mike. Durant ces trois mois, vous avez obtenu des améliorations spectaculaires. Maintenant que l'épidémie de jaunisse est enrayée, l'hôpital devrait recommencer à faire des bénéfices. Vous n'arriverez sans doute jamais aux vingt pour cent que Ralph Pailey espérait, mais vous ne vous débrouillerez pas mal, j'en suis sûr. Ajoutez vos propres honoraires à votre part de bénéfices et, en dix ans, vous serez un homme riche. Plus tôt peut-être, si New Salem poursuit son expansion selon les plans de Zeagler.

— Ma réponse est non. Vous devez bien comprendre pourquoi il m'est impossible d'accepter cette offre.

— Voulez-vous me donner vos raisons ?

— Vous les connaissez bien. A mon avis, les hôpitaux ne sont pas là pour gagner de l'argent. Ils sont là pour guérir les malades, pour aider les agonisants à franchir le cap et pour amener des vies nouvelles dans ce monde. C'est un bénéfice largement suffisant.

Vincent Schneider posa le papier qu'il avait à la main et sourit à Mike.

— Merci, dit-il. Vous avez passé cet examen haut la main. Maintenant, nous allons discuter du véritable plan d'Aaron.

— Et si je vous disais que j'en ai un peu assez des plans de Zeagler ? Que je vais tirer ma révérence avec Larry, que je sois renvoyé ou non ?

— Si vous le faites, je ne vous en voudrais pas. Vous avez passé trois mois pénibles au Memorial. Si l'hôpital ne peut absolument pas être réformé, c'est le moment de le dire.

— Hier soir, j'étais prêt à jeter mes bagages dans ma vieille guimbarde pour retourner en Californie, répondit Mike. On me propose d'enseigner la chirurgie à Stanford et d'exercer à côté. A minuit, un poste où la médecine prenait le pas sur la politique me paraissait bougrement séduisant. Ma seconde pensée fut très simple ; j'aurais besoin d'une voiture neuve. La mienne ne franchirait jamais une seconde fois le col du Donner.

— Ce prêt vous serait fait tout de suite, déclara le banquier. Votre signature me suffit.

— Merci, monsieur Schneider. C'était mon examen à moi. Alors oublions Zeagler Électronique pour le moment et causons comme des amis.

— Rien ne saurait me plaire davantage, Mike. Je suppose que cette nuit n'a été qu'une longue minute de vérité pour vous ?

— A quatre heures du matin, j'ai renoncé à dormir et je suis allé sur ma terrasse pour attendre l'aurore. Quand le soleil eut dispersé les brumes, je me suis surpris à regarder New Salem en face, pour la première fois depuis mon retour. Je n'avais besoin que de ce long regard. Cette ville fait partie de ma chair ; je ne serai jamais un homme intégral ailleurs.

Mike se leva, et s'approcha de la grande baie, pour contempler l'animation de River Road.

— La nuit dernière, dit-il, j'ai essayé de m'enfuir, de mettre le continent entre moi et la femme que j'aime et que je ne puis avoir. Ce que j'ai de lâche en moi cherchait une porte de sortie rapide — mais je me suis ressaisi avant que le soleil monte au-dessus d'Overlook. Je vais faire tout ce qui est en mon pouvoir pour donner à New Salem un avenir digne de son passé.

— Avec l'aide d'Aaron Zeagler ?

— S'il a une part dans cet avenir, j'écouterais ses projets avec joie.

— Moi aussi, je suis de New Salem, dit le banquier. Y a-t-il une raison pour qu'un Hollandais, un Grec et un Juif ne puissent s'entendre ?

— Certainement pas, si nous sommes d'accord sur les principes fondamentaux. Si je dois prendre en charge le nouvel hôpital, il ne sera absolument pas question d'y soigner des malades en vue de faire des bénéfices.

— Aaron a compris où pouvait mener leur politique quand il a failli perdre sa fille. Moi, j'ai compris quand un charcutier nommé Keate a voulu guérir ma femme d'une pneumonie avec un bistouri.

— Est-ce que Zeagler comprend qu'on ne peut diriger de la même manière une usine et un hôpital ?

— Il comprend que sa principale erreur a été de confier l'administration générale à Ralph Pailey. Ralph est un comptable remarquable, mais il ne comprend pas du tout comment fonctionne un hôpital.

— Une saine gestion, c'est tout ce qu'il nous faut. Nous avons déjà le personnel. Au cours de ces trois derniers mois, Melcher a complété l'équipement rudimentaire. Mais je ne suis pas qualifié pour diriger tout un hôpital, pas plus que Pailey. Je suis un chirurgien, pas un homme de bureau. Le Memorial a besoin d'un véritable directeur.

— Ça se défend. Que suggérez-vous ?

— Avant tout, une direction qui saura faire preuve d'autorité et qui ne protestera pas quand notre compte sera débiteur, comme cela ne peut manquer de se produire à un moment ou un autre.

— Ce que vous recommandez, en somme, c'est un comité de direction ?

— Oui, et un comité d'hommes de confiance dont les intérêts ne sont pas purement commerciaux. Si vous voulez des noms, je place le vôtre en tête de liste. Avec Aaron Zeagler en second, chargé de lever les fonds.

— Vous aurez besoin de médecins aussi.

— Le docteur Coxe nous donnera tout son temps, à présent qu'il prend sa retraite.

— Plus vous et Larry Melcher.

— Vous comprenez, bien entendu, que le personnel actuel ne doit pas être entièrement renouvelé ? La plupart des médecins disponibles sont déjà membres de la société.

— Vous pouvez sûrement travailler en harmonie avec les hommes que nous choisirons ?

— Vous oubliez un point capital, monsieur Schneider. Le bail de l'hôpital, tel qu'il est, a encore six semaines de répit avant d'expirer. Le groupe Melcher conserve tous ses droits pendant cette période et ils auront ma tête dans l'heure qui va suivre. Certains des membres — peut-être la majorité — argueront que Zeagler leur accordera une seconde chance, s'ils promettent de s'améliorer.

— Ce sera leur plus grand tort, Mike.

— Ils peuvent quand même faire du vilain et alerter l'opinion si le seul centre médical moderne de New Salem est arbitrairement fermé par décision du propriétaire des murs. Une propagande de ce genre risque de faire du tort à Zeagler.

— Peuvent-ils présenter un front uni ?

— Keate sait pousser les grands coups de gueule. Gedeon Bliss et quelques autres soutiendront toutes les motions qu'il proposera.

— Et Melcher ?

— Larry est encore sous le coup de la mort de sa femme. Normalement, j'aurais compté sur son soutien. Aujourd'hui, je ne sais pas.

— Supposons que je lui téléphone maintenant, pour lui exposer l'alternative ?

— J'aimerais mieux pas. Je crois qu'il faut d'abord que je me rende à la réunion et que je me laisse renvoyer. Une fois que j'aurais affronté le groupe, je saurai sur qui nous pouvons compter — et quels sont ceux qui continueront de lutter pour le dollar facile.

— Voulez-vous que je vous accompagne ?

— Pas plus loin que mes appartements à l'hôpital. Accordez-moi dix minutes dans la cage aux lions avant de venir à la rescousse. En toute justice, il faut bien laisser à mes ennemis leur minute de gloire.

Sur le conseil de Mike, le banquier le suivit dans sa propre voiture à une certaine distance, afin qu'une arrivée ensemble ne détruisît pas l'effet de surprise qui devait être leur arme secrète. Mike n'eut pas besoin de demander où se tenait la réunion ; les rugissements qui filtraient par la porte fermée de la bibliothèque le renseignèrent. Une heure auparavant, ce tumulte l'eut empli de noirs pressentiments. Maintenant qu'il avait formé son plan de bataille, il s'approcha du bureau de réception avec confiance.

— J'attends un coup de téléphone, miss Jenks. Voudriez-vous me le passer à la bibliothèque ?

— Le docteur Melcher a interdit toute communication pendant la réunion, docteur.

— Je suis certain qu'il prendra celle-là.

Mike frappa un coup sec à la porte de la bibliothèque et entra avant que la discussion se fût apaisée. Les huit médecins qui formaient la société étaient réunis autour de la table ovale. Melcher, en qualité de président, occupait une des extrémités. Il y avait une place libre à côté de lui, et Mike y alla tout droit, en feignant de ne pas remarquer le silence soudain. Il vit que Keate et Pailey s'étaient installés côte à côte. L'administrateur, qui servait aujourd'hui de secrétaire, évita le regard de Mike. Le gros chirurgien rougeaud le toisa au contraire avec une arrogance triomphante.

— Je ne vous demanderai pas si je suis le bienvenu, messieurs, lança Mike. Je sais que vous voudrez entendre mon rapport...

— Vous avez le droit de parler, docteur Constant, fit Melcher d'un ton glacial. Je ne vous dénierai pas ce droit mais...

Déjà, Keate bondissait sur ses pieds.

— Larry, je soulève un point de détail...

Melcher leva son marteau pour faire taire le brouhaha surexcité. Mike comprit que les façons dominatrices de Keate avaient déjà mis les nerfs à vif.

— Oui, Brad ?

— Une motion a été présentée. Je demande que nous la mettions aux voix.

— Maintenant que Mike est là, intervint vivement Hugo Brett, pourquoi ne pas écouter sa version ?

— Constant n'est pas un membre de notre société. Je ne lui permettrai pas d'interrompre les débats.

— Bon Dieu, Brad, faut-il vraiment que vous vous preniez toujours pour un rouleau compresseur ?

On perdit plusieurs minutes en discussions procédurières, la voix de Keate dominant péremptoirement toutes les autres. Lorsque Pailey put enfin donner lecture de la motion, Mike vit que les mains de l'administrateur tremblaient et cela le réjouit.

— Le docteur Keate propose que la collaboration du docteur Michael Constant cesse immédiatement, par suite d'activités préjudiciables à cette société.

— Quelles activités ? demanda Brett. Prouvées par qui ?

— Par le câble de Zeagler, que vous venez de lire ! rugit Keate.

— Laissez-le tout de même se défendre avant de voter. C'est une question de simple justice.

— Fichez-nous la paix avec votre justice, Hugo. Constant nous a poignardés dans le dos. Que pouvons-nous faire d'autre que le sacquer ? J'ai la voix de Ralph. A nous deux, cela fait une majorité à cinquante-cinq pour cent. Motion approuvée et soutenue. Y a-t-il une opposition, rien que pour le principe ?

Un nouveau murmure s'éleva dans la pièce, mais personne ne releva le défi. En observant les huit figures, Mike put y lire les sentiments, depuis la mauvaise humeur jusqu'à la peur — mais aucun signe de bonne volonté pour prendre sa défense. Selon une interprétation quelque peu élastique des règlements parlementaires, la motion de Keate avait été emportée, sans que l'on puisse la contester. Son grognement de victoire saluait la réussite d'un stratagème bien connu des conseils d'administration du monde entier.

— Vous êtes renvoyé, Constant, sur l'heure, déclara-t-il. Vous avez voulu démolir ce groupe, et cela vous retombe sur la tête. Retour de manivelle ! L'Hôpital Memorial de New Salem ne se fera pas faute de vous blackbouler quand vous postulerez un nouveau poste et...

— Puis-je me défendre maintenant, monsieur le président ?

— Vous avez la parole, docteur Constant.

Mike se leva pour faire face au groupe et laissa le silence hostile s'appesantir avant de le rompre.

— Je commencerai en rappelant au docteur Keate que sa menace de me blackbouler, comme il dit, ne tient pas. Cet hôpital n'a pas pu encore se faire accréditer. Par conséquent, son veto ou sa recommandation n'ont pas la moindre signification.

Keate se leva d'un bond pour protester, mais Melcher le réduisit au silence d'un coup de marteau sur la table, en disant :

— Nous avons passé votre motion, Brad. Laissez parler l'adversaire.

— Je vous demande à tous de garder présent à l'esprit un fait capital. Jamais cet hôpital ne sera accrédité tant que le docteur Keate et la caisse enregistreuse lui dicteront sa politique. Comme vous le savez, je détiens un certificat de l'Académie Américaine de Chirurgie, la plus haute qualification existant dans ma spécialité. A cause de mon rang et de mon expérience, j'ai été engagé il y a trois mois afin de réviser la gestion de cet établissement et d'y rétablir l'exercice de la médecine comme unique fonction. A présent, il semble que je sois renvoyé sans procès, sur une accusation dénuée de fondement. La véritable raison de mon renvoi est mon refus de participer ou d'autoriser la chasse au dollar. Je puis vous assurer que si je me plains au Conseil de l'Ordre des Médecins de cet État — et que je leur expose tous les faits — le blackboulage ira dans l'autre sens.

Un tumulte de protestations accueillit les paroles de Mike. Il poursuivit rapidement, couvrant de la voix les coups de marteau du président.

— Messieurs, je comprends votre colère. Le refus de Zeagler Électronique de renouveler votre bail est certes une pilule amère et dure à avaler. Manifestement, vous entendez porter ce geste cavalier devant l'opinion publique dans l'espoir que vous forcerez Zeagler à se raviser. Peut-être pensez-vous qu'il a les mains liées, que ses ouvriers ne sauront plus de quel côté se tourner pour une assistance médicale. Permettez-moi de vous avertir que des mesures ont déjà été prises pour assurer la continuité de cette entreprise. Vous pouvez me croire sur parole quand je vous dis que ces mesures réussiront.

— Votre parole! Que vaut-elle à New Salem aujourd'hui? lança Keate.

Mike ne releva pas le propos et consulta sa montre.

— Dans un instant, vous aurez la preuve que la décision de M. Zeagler n'est pas mon fait. Vous apprendrez aussi comment vous pouvez sauver cet hôpital.

Le téléphone sonna enfin, et il se tourna vers l'appareil avec soulagement.

— Je suis sûr, ajouta-t-il, que vous allez bien accueillir celui qui s'apprête à faire appel à vous en tant que citoyens, plus que de médecins.

Melcher s'était emparé du téléphone et criait d'une voix que l'on devait entendre jusque dans le hall :

— J'avais dit que nous ne devions pas être dérangés, miss Jenks.

— C'est M. Schneider, docteur, répondit-elle et sa voix put être entendue par tous ; Mike sourit lorsque plusieurs têtes se redressèrent. Il dit qu'il a un message, pour vous tous.

Melcher couvrit le diaphragme de sa paume.

— Schneider est là, avec un nouveau message de Zeagler. Est-ce que nous le voyons tout de suite ou plus tard ?

— Ne le laissez pas échapper, Larry, s'exclama Brett dans un aparté de théâtre.

Quand des rires fusèrent tout autour de la table, Mike sentit, pour la première fois, qu'un élément humain avait été rétabli dans les débats.

— Faites entrer M. Schneider, s'il vous plaît.

Keate se leva, en poussant un rugissement qui fit tinter les cristaux du lustre.

— C'est un tour de Constant ! Pourquoi n'avez-vous pas dit à Schneider qu'il était renvoyé ?

— Taisez-vous, Brad. Avez-vous oublié qui détient l'hypothèque ?

Keate se rassit en marmonnant des jurons. Mike ne put réprimer un petit rire quand il vit que l'interruption passait inaperçue. Tous les regards étaient tournés vers la porte qui s'ouvrait pour le banquier et sa grosse serviette.

Mike se dit que Jason West, au temps de sa gloire, n'aurait pu réussir entrée plus parfaite. Schneider accepta le fauteuil qu'Hugo Brett se hâta de lui avancer. Le banquier était aussi calme et détendu que son sourire.

— Pardonnez mon apparition assez brusque, messieurs. Dans un cas comme le vôtre, il est d'usage que Mahomet aille à la montagne. Aujourd'hui, il semblait logique de renverser les usages.

— Si vous êtes venu discuter le renvoi de Constant, déclara Keate, il est trop tard, c'est déjà fait.

Le banquier regarda autour de la table.

— Notre minutage n'est pas très au point, Mike. Vous disiez qu'ils avaient besoin de dix minutes pour abattre la hache. Je ne savais pas que le docteur Keate était si efficient. C'est sans doute sa pratique de la chirurgie.

Keate garda son aplomb et toute son arrogance.

— Qu'est-ce que c'est que cette collusion, monsieur Schneider?

— Pour votre bien, docteur, je vous conseille de mesurer vos paroles avec plus de soin, répliqua le banquier en ouvrant sa serviette et en présentant un papier au directeur. Docteur Melcher, voici une lettre résiliant le bail consenti à la Société de l'Hôpital Memorial de New Salem, dans six semaines à dater de ce jour. En qualité de principal créancier, je vous avertis de plus, officiellement, que l'hypothèque intéressant votre équipement sera forclose à la même date. Vous vous souviendrez que nous avions convenu qu'elle serait renouvelable d'année en année, à la discrétion de la banque — discrétion qui dépendrait à son tour de la qualification de l'hôpital.

Un silence profond accueillit cette déclaration. Mike jeta un coup d'œil à Pailey. Les lèvres de l'administrateur s'étaient entrouvertes pour protester, mais il ravala ses mots dans une déglutition convulsive. Le visage impassible de Melcher contrastait avec celui de Bradfort Keate, rageur et congestionné.

— Qu'est-ce que Zeagler va faire d'un hôpital

vide et désert? s'écria le chirurgien. Quelle excuse donnera-t-il à la population pour fermer nos portes et nous renvoyer?

— Aucun médecin qualifié de New Salem ne sera renvoyé, répliqua le banquier. Nous accueillerons volontiers tous ceux qui sont prêts à se soumettre à nos règlements.

— Qu'est-ce que ça veut dire, *nous*?

— Je veux parler de l'Association de l'Hôpital Memorial de New Salem — un comité de direction bénévole qui assumera la gestion de l'établissement sans souci des bénéfices. Pour le moment, j'en suis le président.

— Il y a vous, et qui encore?

L'insolence de Keate fit sourire le banquier.

— Un comité de trois membres a été formé ce matin avec moi-même, Aaron Zeagler et le docteur Constant.

— Nous venons de renvoyer Constant!

— Il me dit qu'il a malgré tout l'intention d'exercer ici. En ma qualité de président du comité directeur, j'ai accédé à sa demande d'utiliser cet hôpital pour sa clientèle privée. Je lui ai aussi demandé de reprendre son poste de chirurgien chef, à l'expiration du présent bail.

Du bout de la table, le directeur parla d'un ton posé.

— Quand tout cela s'est-il fait?

— Il y a une heure, dans mon bureau.

— Sur les instances de qui?

— M. Zeagler m'a donné carte blanche pour prendre toutes mesures souhaitables afin de sauver l'hôpital.

Le poing de Keate s'abattit sur la table.

— Qu'est-ce que je vous disais, Larry? Constant a bien manigancé derrière notre dos pour faire sa petite cuisine!

— Votre sens des affaires est encore pire que votre jugement médical, docteur, lança Schneider avec un sourire glacé. Pendant trois ans, comme ne l'ignorent pas vos confrères, vous avez voulu faire la loi ici. Vous avez donné libre cours à votre *furor operativus* — une faiblesse qui a fait courir à ma femme un danger mortel. Vos pratiques déplorables ont gâché les chances d'accréditation de l'hôpital. Maintenant, sans la moindre preuve, vous accusez le docteur Constant de collusion. Croyez-moi, messieurs, Mike est sans reproche dans cette affaire. Quand il est venu me voir à la banque ce matin, il ignorait absolument tout de nos projets.

Même alors, Keate refusait de capituler. Malgré son antipathie violente, Mike ne pouvait s'empêcher d'admirer cet homme qui s'entêtait à défendre une position perdue.

— Vous ne pouvez pas nier que Zeagler a offert de lui louer l'hôpital. C'est écrit noir sur blanc, dans le câble qu'il a expédié de Rome à Larry.

— Il est exact qu'il a fait cette offre, docteur Keate.

— Et Constant n'a pas les moyens d'accepter. Alors vous avez manigancé cette combine d'entreprise bénévole entre vous.

— Le docteur Constant avait parfaitement les moyens d'accepter. Ma banque est toute prête à le subventionner.

— Jusqu'à ce que vous ayez appris que nous l'avons balancé.

— Au contraire. Votre animosité contre le docteur Constant est la plus haute recommandation qu'il pouvait recevoir. Il se trouve que nous étions tous les deux d'avis qu'un hôpital bénévole était ce qu'il y avait de mieux pour New Salem.

— Épargnez-moi les boniments de bien public. Comment un prétendu comité directeur pourrait-il acheter et faire marcher le Memorial quand un de ses membres n'est même pas solvable?

— Le docteur Constant possède un taux de crédit qui dépasse toutes vos garanties — l'intégrité.

— C'est une réponse à ma question, ça?

— Je le crois, docteur. Cependant, puisque votre carnet de chèques est votre bible, je vais avoir recours à des mots que vous comprendrez mieux. Zeagler Électronique fait don, entièrement don de cet hôpital à la nouvelle association. Dès que mon propre conseil de direction pourra agir, ma banque fera don de l'équipement couvert par l'hypothèque.

Les bajoues violacées de Keate frémissaient de rage, mais aucun son ne sortit de ses lèvres. Lorsque le regard de Mike fit le tour de la table, il put lire la réponse qu'il avait espérée. Hugo Brett souriait largement. Le hochement de tête de Crosby Pendergast était une indiscutable approbation. Même le soupir qui échappa aux minces lèvres puritaines de Gideon Bliss était une résignation à l'inévitable. Lorsque Melcher prit la parole, sa voix avait retrouvé ses chaleureux accents.

— En tant que praticiens exerçants, nous sommes naturellement concernés par le standing professionnel que vous comptez maintenir ici. Y avez-vous déjà songé?

— Jusqu'ici, l'association n'a qu'un membre médecin. Il sera notre conseiller en tout ce qui touche à la chirurgie. Puisque vous occupez une position identique sur le plan de médecine pure, je serais heureux de vous offrir le même poste de chef de votre service.

Melcher n'hésita pas une seconde.

— Je serai enchanté de collaborer, pour le plus grand bien de New Salem.

— Nous discuterons des autres postes plus tard. Notre comité fera certainement appel à plusieurs d'entre vous.

Le banquier s'interrompit. Keate venait de sortir en claquant violemment la porte. Schneider haussa les épaules et se mit à ranger ses papiers dans sa serviette.

— Un des postes clefs demeure à pourvoir, dit-il

encore. J'ose espérer que M. Pailey voudra bien s'occuper de l'administration, dans les conditions que je viens d'exposer.

Pailey rougit, pitoyablement.

— J'accepte ce poste, monsieur Schneider, et sa responsabilité.

— Plus de questions, messieurs? J'espère que non, puisque c'est l'heure de mon déjeuner et que je suis l'esclave de mes habitudes.

Le banquier se leva, se dirigea vers la porte, et se retourna sur le seuil avant de sortir, pour ajouter :

— Tous les problèmes de la passation de pouvoirs ont été résolus, à l'exception d'un seul. Dans les intérêts de la continuité, je suggère que vous reveniez sur le renvoi du docteur Constant.

— Accordé, dit aussitôt Hugo Brett.

Les lèvres pincées, Gideon Bliss laissa tomber :

— Je soutiens la motion.

Il était inutile de passer aux voix. Tous les hommes présents se précipitaient déjà pour serrer la main de Mike.

12

APRÈS le spectaculaire renversement de la situation dans la bibliothèque, Mike s'était attendu à passer une journée bien fade en comparaison — et assombrie par des visions de Sandra à Idlewild dans les bras de Paul. Mais les exigences du métier le réclamèrent avant la fin de son déjeuner, quand une collision multiple sur l'autoroute remplit la salle des urgences et envoya une demi-douzaine de blessés sur les tables d'opération. Entièrement absorbé par les os et les chairs à réparer et à recoudre, il n'eut pas le temps de songer à ses propres dilemmes. Et lorsqu'il en eut fini à la chirurgie, une soudaine hémorragie chez un des malades d'hépatite fit réclamer d'urgence des flacons de sang du groupe O que l'on avait maintenant en stock pour cette éventualité.

Les dernières visites aux blessés et aux cas de jaunisses, qui emplissaient encore les salles communes, retardèrent encore son dîner. Le soir tombait quand Mike put enfin récapituler la journée et ses événements. Il prenait sa douche chez lui lorsque le téléphone sonna une fois de plus.

— Vous avez une visite en bas, docteur.

Le cœur de Mike fit un bond. Sandra s'était-elle ravisée?

— Qui est-ce?

— Mrs Paul Van Ryn. Elle attend dans votre bureau.

Anna arpentait le tapis lorsque Mike descendit. Elle portait un costume de voyage de toile bleu marine et un imperméable jeté sur les épaules.

— Je vous croyais partie pour Reno, Anna.

— J'ai retardé mon voyage pour assister à la première de Jason.

— Est-ce qu'il a reçu mon télégramme à New Haven?

— Je le lui ai porté moi-même dans sa loge, Mike.

— Le journal de ce matin dit que la pièce et lui ont fait sensation.

— Il n'a jamais mieux joué.

La voix d'Anna était curieusement terne, comme si elle cherchait à conserver son souffle pour un suprême effort.

— Qu'est-ce qu'il y a? C'est encore Paul?

— Est-ce que ce n'est pas toujours Paul, au moment même où nous pensons que tout est arrangé?

Les mains d'Anna étaient glacées quand il les prit dans les siennes pour la conduire vers un fauteuil, mais le regard qu'elle posa sur lui était clair et franc.

— Qu'est-ce qu'il a encore fait?

— Ce n'est pas ce qu'il a fait, c'est ce qu'il projette. Il est arrivé d'Allemagne par avion ce matin...

— Sandra m'a appris qu'il arrivait.

— Si c'est d'elle que vous vous inquiétez, je puis vous dire qu'il ne l'avait pas vue, quand je lui ai parlé ce matin.

La voix d'Anna était déjà plus assurée.

— Nous nous sommes recontrés dans le cabinet de mon avocat de New York. Nous devions discuter des détails de notre divorce. Je m'attendais à un éclat, mais il a signé tous les papiers qu'on lui présentait. Il m'a très manifestement rayée de sa vie — maintenant qu'il a compris qu'il ne peut plus me faire de mal.

— Voilà qui me fait plaisir, au moins.

— C'est ce qu'il m'a lancé ensuite qui me terrifie. Paul est convaincu qu'il peut faire interner sa mère dans un hôpital psychiatrique.

— Avec le meilleur avocat de New Salem derrière lui, il y réussira sans doute.

— Il a l'intention, une fois qu'elle sera déclarée incompétente et qu'il aura un droit de contrôle légal sur ses biens, de tout vendre ici pour s'installer à New York dans un atelier — avec Sandra comme maîtresse.

— Il vous a dit *ça*?

— Mot pour mot. Aussi calmement que si nous parlions de la pluie et du beau temps.

— Elle croit qu'il va l'épouser?

— Les Paul Van Ryn de ce monde ne se marient que par intérêt, Mike.

— Allez donc expliquer ça à Sandra. Il y a longtemps que j'y ai renoncé, moi.

— Il ne faut pas. Vous ne le feriez pas avec un malade. Nous savons tous deux que Paul est fou. Il devrait être interné.

— Si vous aviez parlé après votre opération de la rate, vous auriez eu une chance de le faire. Depuis lors, il s'est conduit comme un mari parfait, jusqu'à sa visite à vos avocats, aujourd'hui. Cela vous coupe l'herbe sous le pied.

— Alors sa mère doit le réclamer. Le docteur Coxe signerait les papiers, n'est-ce pas?

— Bien sûr, mais la Duchesse n'y consentira jamais.

— Peut-être, quand elle aura vu la preuve que j'apporte.

Mike n'avait pas remarqué le journal plié, dans la poche de l'imperméable d'Anna. Il vit que c'était la première édition d'un grand quotidien du soir de New York.

— Je l'ai acheté en partant, dit-elle. Je n'avais même pas lu l'article, avant de m'arrêter pour faire le plein d'essence.

Le journal était ouvert et replié à la deuxième page, sur un article de deux colonnes illustré de la reproduction d'un tableau. La photo lui sauta aux yeux quand il prit le journal des mains d'Anna. Même sans la légende, il aurait tout de suite reconnu la peinture de Paul. Les convulsions de l'esprit torturé qui l'avaient exécutée étaient reconnaissables à chaque coup de pinceau. Le titre et l'article qui suivait étaient presque superflus.

LE DOYEN DES CRITIQUES
D'ART ALLEMANDS
TRAITE UN ARTISTE AMÉRICAIN
DE « DÉMENT »

Le professeur Heinrich Bultmann, l'éminent critique d'art de l'Illustrierte Zeitung *de Munich et doyen de l'académie des Beaux-Arts à l'Université de Tubingen, a rendu aujourd'hui un verdict saisissant sur les fresques fort discutées récemment exécutées par le peintre américain Paul Van Ryn.*

« Ceci n'est absolument pas de l'art, déclare le professeur Bultmann. Ces fresques sont manifestement l'œuvre d'un dément et ne peuvent être prises pour autre chose. »

Cette opinion est partagée par un psychiatre de la même université, qui désire garder l'anonymat. L'œuvre de Van Ryn devait orner le foyer d'un nouveau P. X. de l'armée américaine en occupation. L'artiste est le gendre de l'industriel bien connu Aaron Zeagler. Il a été impossible de le joindre pour avoir son avis sur cette opinion.

Mike laissa retomber le journal ; il avait du mal à se persuader que ce qu'il venait de lire n'était pas un mirage.

— Est-ce que Paul a lu ça?

— Il n'a pas pu. Il a quitté New York plusieurs heures avant la mise en vente de cette édition.

— Vous avez raison, Anna. C'est peut-être bien le coup de pouce dont sa mère a besoin.

Tout en parlant, Mike avait décroché le téléphone et formait un numéro.

— Que faites-vous? demanda Anna.

— Je téléphone d'abord au docteur Coxe, pour lui demander de nous retrouver là-bas, avec les papiers de demande d'internement nécessaires. C'est une occasion qui risque de ne jamais se représenter. La Duchesse a laissé Paul aller en Europe — espérant contre tout espoir qu'il n'était pas le paranoïaque qu'elle redoutait déjà. Avec cette preuve, elle ne pourra plus s'illusionner.

Mike parla brièvement au téléphone, puis il raccrocha.

— Le docteur visite un malade, mais Mrs Bramwell pense qu'elle peut le joindre. Elle va lui dire de m'appeler ici.

— Est-ce que nous ne devrions pas aller tout de suite à Rynhook, Mike?

— Je ne crois pas qu'il faille gaspiller nos munitions. Avec l'aide du docteur Coxe, nous règlerons sans doute la question sur l'heure.

— Pas si Paul a lu l'article et s'il a juré à sa mère que ce n'est pas vrai.

— Prions Dieu qu'il ne sache rien, alors. C'est notre grande chance.

Anna frissonna et remonta l'imperméable sur ses épaules.

— J'ai peur, Mike. Paul a été beaucoup trop complaisant ce matin à New York. Chaque fois que je l'ai vu comme ça, c'était qu'il méditait de faire du mal à quelqu'un.

— En tout cas, il ne peut plus vous atteindre.
— Il peut encore faire du mal à Sandra.
Mike donna une petite tape sur le journal qu'il tenait à la main.
— J'espère que ceci va aussi la convaincre.
Le téléphone sonna et il décrocha, s'attendant à entendre la voix du docteur Coxe. Il fut surpris de reconnaître Nellie, la petite bonne de Mrs Van Ryn.
— Est-ce que vous pouvez venir tout de suite, docteur Constant?
— Que se passe-t-il?
Il avait deviné de la terreur dans sa voix chantante et il dut faire un effort pour répondre calmement.
— Je ne sais pas, mais Madame ne va pas bien du tout.
— Avez-vous essayé de prévenir le docteur Coxe?
— Oui, docteur. Il n'est pas chez lui. Son infirmière m'a dit de vous appeler.
— Je serai à Rynhook dans dix minutes.
Lorsque Mike eut appuyé sur les broches de l'appareil, il forma une seconde fois le numéro du docteur Coxe.
— Je vais à Rynhook, Mrs Bramwell, dit-il. Je n'ai rien pu tirer de Nellie, mais j'ai peur que Mrs Van Ryn soit au plus mal. Quand vous aurez le docteur Coxe, demandez-lui de me rejoindre là-bas. Et dites-lui d'apporter des papiers d'internement.
Il raccrocha, et regarda Anna, d'un air sombre.
— Espérons qu'elle aura toute sa lucidité quand le docteur Coxe nous rejoindra.
— Je vous accompagne, Mike. Je me sentirai plus tranquille avec vous.
— Je prends ma trousse et je vous retrouve à la voiture. Nous prendrons la vôtre.

Les roues de la décapotable d'Anna firent claquer les planches du pont de Bear Creek au moment où la nuit tombait sur New Salem. A cette heure, Rynhook ressemblait à une sombre forteresse sur le fond de ciel étoilé. Mike fut stupéfait de voir que toutes les fenêtres du rez-de-chaussée étaient brillamment illuminées. Même de la grille, on entendait le bruit assourdissant de la télévision, qui déversait à plein volume les accents du *Concerto de l'Empereur* de Beethoven.

— En tout cas, elle a sa connaissance, observa Anna.

— Je doute que la Duchesse écoute. Elle aime les images à la télévision, pas le son.

Mike passa devant Gate House, mû par le pressentiment que cela n'allait pas du tout au château. Une partie de son esprit remarqua la Cadillac sous la porte cochère, mais il ne s'attarda pas à chercher les raisons de sa présence.

Quand il s'arrêta devant le perron, la porte s'ouvrit aussitôt. Nellie l'attendait sur le seuil, un masque de patience sur la figure.

— Comment va madame à présent?

— Elle n'a pas bougé de son lit, docteur. Pas depuis...

La voix de Paul Van Ryn couvrit le tonnerre de l'orchestre philharmonique de New York :

— Entrez, entrez, Mike Constant! Ne tirez pas les vers du nez de la bonne derrière mon dos!

— Il m'a *forcée* à vous téléphoner, docteur, chuchota Nellie. Dès son arrivée, quand il a vu qu'elle n'avait pas sa tête...

Mike se tourna vers Anna, qui l'avait rejoint sur le seuil.

— Laissez-moi entrer le premier. S'il y a du vilain, vous appellerez la police.

Il avança vers la double porte, sans lui donner le temps de protester. Nellie avait déjà disparu par l'autre porte, au fond du salon.

Paul était assis dans le fauteuil Queen Anne de sa mère, devant le poste de télévision tonitruant.

A part l'éclat du regard qu'il fixait sur la porte, il avait l'air tout à fait détendu. Mike avait vu cette même lueur dans les yeux de drogués, mais il doutait que Paul le fût ; dans un moment pareil, les flammes qui faisaient rage dans son esprit suffisaient à le stimuler. Comprenant immédiatement la manœuvre qui l'avait attiré là et les raisons de cette manœuvre, Mike fut heureux de voir que les deux fusils de chasse de Nicholas Van Ryn étaient toujours accrochés au mur.

— Je vous ai demandé d'entrer, Mike, dit Paul. Ne restez donc pas planté là.

C'était le moment de tenter la première épreuve et la moindre hésitation risquait d'être fatale. Carrant ses épaules, Mike traversa le salon et alla couper le son de la télévision.

— Votre mère est malade. Vous savez qu'elle n'aime pas le bruit.

Un mince sourire étira les lèvres de Paul ; son regard rétréci et menaçant avertit Mike du danger qu'il venait de courir.

— Ce que ma mère aime ou n'aime pas n'a plus guère d'importance, déclara Paul d'une voix morne. Avez-vous amené Anna avec vous ? Je l'ai voulu ainsi, quand je suis passé devant l'hôpital et que j'ai vu sa voiture garée là.

Anna franchit le seuil du grand salon, la tête haute. Elle était très pâle, mais Mike ne décela aucun tremblement lorsqu'elle vint se placer à côté de lui.

— Je suis venue voir ta mère, Paul. Tu devais bien t'en douter.

— C'est extrêmement aimable de ta part, ma chère. Autrement, j'aurais peut-être eu du mal à organiser ce — voyons — ce tête-à-tête à trois.

— Que veux-tu dire ?

Mike comprit qu'Anna avait parlé machinalement, pour gagner du temps. Il était trop tard pour s'attendre à une réponse raisonnée.

— Comme vous le savez tous les deux, je me prépare à faire interdire la Duchesse. Omar Dean m'assure qu'il n'y aura pas de difficultés légales et que New Salem est assez cupide pour me laisser faire ce que je veux.

Mike fit un pas vers le fauteuil et s'arrêta quand Paul leva la main.

— Attention, Mike. Ce serait une grave erreur d'essayer de me sauter dessus. Mère garde toujours ces fusils chargés, par crainte des rôdeurs.

— Pourquoi êtes-vous revenu?

— J'avais fini la première partie de la fresque. Von Helm organise sa présentation à la critique. En attendant j'ai pensé que ce serait une excellente idée de venir voir un peu ce qui se passait ici, de votre côté surtout, Mike.

Anna ouvrit la bouche, mais un regard aigu de Mike la fit taire, tandis que Paul poursuivait d'une voix sereine :

— Au fond, je n'ai pas besoin de vous raconter tout ça, je suis certain que nous nous comprenons à merveille. Pendant des années, j'ai vu ma mère perdre peu à peu la tête et s'écrouler tout comme Rynhook s'écroule. Pendant toutes ces années, j'ai fait de la patience ma plus grande vertu. Je me suis dit qu'elle ne pourrait régner éternellement, avec cette volonté de fer et cette main sur son carnet de chèques. A la fin, ma patience a été récompensée.

— Où est votre mère en ce moment?

Paul désigna de la tête le fond du salon.

— Dans sa chambre. Vous la trouverez en train de baver, comme d'habitude.

Mike traversa le salon pour aller regarder par la double porte entrouverte. Nellie était assise au pied du grand lit à colonnes. La Duchesse était étendue sur le dos, soutenue par des oreillers, comme si le lit était vraiment le catafalque auquel il ressemblait. La lampe de chevet jetait une lumière sépulcrale sur la courtepointe. Dans cette clarté presque lunaire, la figure de Marcella Van Ryn était jaune comme du parchemin ; elle avait les yeux fermés. De là où se tenait Mike, on ne la voyait pas respirer — et cependant, pour une raison qu'il n'eût pu préciser, il avait l'impression que son coma apparent était moins profond qu'il n'y paraissait.

— Pas plus loin que le seuil, je vous prie, dit Paul.

Lorsque Mike revint dans le salon, Paul s'était enfoncé dans le fauteuil de sa mère et regardait fixement Anna, avec un sourire malveillant qui avertit Mike d'avancer prudemment.

— Vous avez fait votre office de médecin, Mike. Je suis sûr que votre observation de l'état de ma mère confirmera mes dires.

— Comme je ne suis qu'un chirurgien, il me faudrait l'opinion d'un médecin consultant, répondit automatiquement Mike.

Il cherchait à gagner du temps, sans savoir très bien comment il le mettrait à profit.

— Deux des plus éminents psychiatres de New York vont venir demain matin, dit Paul. Ils certifieront que la Duchesse est incompétente — et Omar Dean partira de là. Naturellement, je serai trop prostré par l'épouvantable tragédie qui me frappe personnellement pour prendre part à cette action.

— Quelle tragédie personnelle ?

— La mort de ma femme et celle de mon ancien condisciple.

— C'est pour ça que vous nous avez fait venir ?

— Pourrais-je avoir de meilleure raison ? susurra Paul. Comment laisser vivre Anna, alors qu'elle m'a publiquement rejeté pour courir après un comédien fini comme Jason West. Et j'ai toujours pensé que le monde se passerait fort bien de votre noblesse. Heureusement, j'étais sûr de pouvoir compter sur vous pour l'amener ici ce soir, me permettant ainsi, si vous me passez l'expression, de faire d'une pierre deux coups.

— Un double assassinat? Jamais vous n'échapperez à la justice!

— Le meurtre est justifié, dans certains cas. Dans quelques instants, nous allons prendre tous les trois l'ascenseur pour mon appartement de la tour. Quand la police arrivera, lorsque tout sera fini, j'expliquerai que je suis rentré à l'improviste et que je vous ai surpris en flagrant...

Anna intervint enfin et Mike fut heureux de voir qu'elle se maîtrisait parfaitement.

— C'est toi qui es fou, Paul. Pas ta mère.

Paul haussa les épaules.

— Tu as peut-être raison, ma chère. Mais tu aurais du mal à le prouver, si tu voulais me faire mettre au cabanon. Tandis que dans le cas de ma mère, j'ai toutes les preuves sous la main.

Mike avança d'un pas méfiant vers le fauteuil. Il comprenait — avec une brusque surexcitation — que le moment était venu de jouer son atout maître qu'il avait presque oublié.

— Vous vous trompez, Paul, s'écria-t-il d'une voix involontairement tonnante. Depuis midi, depuis aujourd'hui midi, le monde entier sait que vous êtes fou!

— Qu'est-ce que vous dites?

— Connaissez-vous un critique d'art allemand nommé Heinrich Bultmann?

— Naturellement.

Mike tira le journal de sa poche.

— Voilà une déclaration qu'il a faite ce matin à Munich, après avoir vu votre fresque. Il affirme que ce n'est pas de l'art, mais l'œuvre d'un dément.

Paul n'avança pas la main pour s'emparer du journal, comme l'avait espéré Mike. Il se leva et le contourna, en reculant pour poser une main sur l'un des fusils.

— Ne bougez pas, dit-il. Jetez le journal sur le fauteuil.

Mike obéit. Paul déplia la feuille et contempla

la reproduction, puis il lut l'article. Alors, d'un geste convulsif, il arracha la page du journal, la roula en boule, et porta un poing crispé à son front. Quand sa main retomba, tout son corps tremblait d'une rage qu'il ne cherchait pas à maîtriser. Le vernis d'urbanité qui l'avait revêtu comme une armure craquait enfin — et la brèche était irréparable.

— *Le porc! Le fumier! Le sale porc prussien!*

Les paroles hurlées étaient presque indistinctes. En les prononçant, Paul jeta la boule de journal par terre et la piétina rageusement. L'explosion de folie fut brève. Elle se termina, aussi soudainement qu'elle avait commencé, quand les portes du fond du salon s'ouvrirent en grand et qu'une voix s'éleva dans la pénombre de la chambre :

— Ça suffit comme ça, Paul. Je t'ai déjà averti que je ne supporterais pas ces colères. Tu t'es très mal conduit et tu vas être puni.

C'était la Duchesse, en robe de chambre de brocart, qui s'avançait d'un pas résolu et plein d'autorité pour rejoindre le groupe près du fauteuil Queen Anne. Mike comprit tout de suite que son espoir n'avait pas été vain. La Duchesse, avec l'aide de Nellie, était sortie de son coma à temps pour écouter la fin de l'entretien dans le salon. Pour l'instant au moins, elle semblait tout à fait lucide.

En entendant la voix de sa mère, Paul s'était jeté dans le fauteuil, les bras croisés sur la figure comme un enfant qui s'attend à être giflé. Mike avait déjà observé ce genre de régressions, dans les salles psychiatriques d'un hôpital municipal. C'était un phénomène habituel, chez les malades mentaux incurables, après une explosion de violence.

Après l'avoir gourmandé, la Duchesse se désintéressa de son fils. Elle se tourna vers Mike et Anna, avec un mouvement d'épaules très las.

— Est-ce vrai, Michael, ce que vous avez dit de ce critique allemand?

Mike n'osait pas la regarder en face. Pour rien

au monde, il n'eût voulu blesser cette vieille femme à l'allure royale, qui voyait s'effondrer tous les espoirs qu'elle avait placés sur son fils et dans son nom.

— Hélas oui, madame.

— Je le pense aussi, après ce que je viens d'entendre.

— Le docteur Coxe est en chemin, avec des papiers d'internement. Voudrez-vous les signer vous aussi ?

— Naturellement, Mike, dit Marcella Van Ryn, puis elle se tourna vers sa belle-fille. Pardonnez-moi de vous avoir si mal jugée, Anna. Je n'espère plus vivre bien longtemps — et j'aurai besoin d'argent, pour faire soigner Paul. Il faut que nous nous entendions avec votre père, pour qu'il m'achète mes propriétés.

— Ne vous inquiétez pas, mère.

Mike était certain qu'Anna avait prononcé le dernier mot sans y penser. La lueur qui s'alluma dans les yeux de la vieille dame lui serra la gorge ; il savait qu'en cet instant il eût été incapable de parler.

Ébloui et surpris par la profondeur de cette compréhension mutuelle, il fallut le petit cri d'avertissement étouffé d'Anna pour qu'il se tourne vers Paul, qui venait de bondir de son fauteuil pour s'emparer d'un des fusils.

Pendant quelques instants, personne ne bougea dans la pièce, tandis que Paul, se déplaçant du pas sûr du chasseur traquant son gibier — s'écartait de l'obstacle présenté par le fauteuil et faisait sauter le cran de sûreté avant de viser Mike au cœur.

— Vous d'abord, docteur, si les dames m'y autorisent, siffla-t-il froidement. On ne fait pas passer les fous à la chaise électrique, vous le savez bien!

Il ne restait plus la moindre trace de son explosion de colère puérile.

Mike tendit le bras pour pousser Anna derrière lui. Marcella Van Ryn parla très calmement, avant que Mike pût s'élancer sur Paul.

— Pose ce fusil, dit-elle comme si elle s'adressait à un enfant. Le docteur Coxe a demandé à Nellie d'ôter les balles, il y a des mois de cela. Ils avaient peur que je me blesse au cours d'une de mes crises.

Les yeux de Paul s'abaissèrent sur la culasse, et sa main droite la tira pour exposer le magasin vide. Mike avançait déjà. Il entendit le juron de Paul, il vit ses mains se crisper sur le canon et lever la crosse comme une massue. Il était trop tard pour stopper son propre élan. Il ne put que lever les deux bras pour protéger sa tête. Comme dans un cauchemar, il se rua vers Paul pour le plaquer au sol, au moment où la Duchesse se jetait entre lui et la crosse du fusil.

La lourde crosse maniée avec la force incroyable d'un fou, s'abattit sur l'épaule de Marcella Van Ryn ; elle perdit l'équilibre et alla s'écraser contre le fauteuil à oreillettes. La sensation de cauchemar s'accentua lorsque Mike vit le menton de la vieille dame accrocher le bras du fauteuil tandis que son corps continuait d'être entraîné par la chute. Il y eut un claquement sec, et l'esprit médical de Mike comprit aussitôt que les vertèbres cervicales venaient de se rompre sous le poids du corps. Sa tête complètement tordue de côté, la Duchesse de Rynhook retomba en tas contre le pied du fauteuil.

La diversion avait donné à Mike le temps de repartir à l'attaque. Cette fois, il réussit à arracher le fusil des mains tremblantes de Paul et à envoyer son adversaire au tapis. Laissant Paul là où il était tombé, Mike se précipita vers le fauteuil et se pencha sur la Duchesse. Nellie était déjà à genoux près d'elle, les épaules secouées de sanglots. Point n'était besoin d'expliquer l'étrange inertie de la silhouette en manteau de brocart.

Dans le silence pesant, Mike prit le poignet de la Duchesse, dans un futile espoir de trouver le pouls. Il savait déjà qu'elle s'était rompu le cou en tombant.

Soudain, il entendit un gémissement de bébé, et comprit que le son provenait de la gorge de Paul. La seconde régression fut encore plus brève que la première. Mike ne se retourna même pas quand un pas précipité lui apprit que Paul venait de se ruer hors du salon. Quelques secondes plus tard, le vrombissement d'un moteur puissant s'éleva au dehors. Il était inutile de mettre le nez à la fenêtre pour savoir que la Porsche démarrait en trombe de sa cachette entre les buis. Une fois de plus, Paul avait choisi — comme un dément — de fuir la réalité, réalité qui était ce soir le meurtre de sa propre mère.

— Il est parti, Mike?

La nouvelle voix venait de la porte de la cuisine. En se retournant lentement, Mike ne fut pas tellement saisi de voir Sandra West sur le seuil. Il trouva tout naturel de lui tendre les bras tandis qu'elle courait s'y blottir en éclatant en sanglots.

— Quelqu'un voudrait-il prévenir la police?

Sandra répondit, la figure enfouie dans le creux de l'épaule de Mike, d'une voix étrangement résolue malgré les larmes.

— Je l'ai prévenue, il y a quelques minutes. Par le téléphone de la cuisine.

— Tu ne te sens pas trop mal, Sandra?

— Non... ça va...

Elle s'était tournée vers la Duchesse, mais Mike la prit par le coude et la guida jusqu'à la banquette sous la fenêtre, où Anna venait de s'asseoir, pétrifiée de terreur.

— Depuis quand écoutais-tu?

— J'en ai entendu assez, Mike. Plus qu'assez. Mrs Van Ryn est morte, n'est-ce pas?

— Oui, d'une rupture des vertèbres cervicales. La mort a été instantanée.

— Dieu soit loué, pour cela au moins.

De l'autre côté du barrage, une sirène hululait avec insistance. Le temps que Mike arrive dans l'allée, avec Sandra sur ses talons, le chef de la police,

Wharton, un gros homme trapu en uniforme d'été, descendait de la voiture de patrouille.

— Nous avons croisé Paul sur le pont, docteur. Il était au volant de cette Porsche rouge et il filait à toute allure. Qu'est-ce qui se passe ici?

— Je crains qu'il ait finalement complètement craqué.

L'officier de police hocha lentement la tête.

— Je m'y attendais un peu, depuis pas mal de temps. Qu'est-ce qui a déclenché la crise? Cette histoire en Allemagne?

— Comment êtes-vous au courant?

— Par le dernier bulletin d'information, à la radio. Une des stations locales a diffusé la nouvelle. J'ai compris tout de suite que si Paul l'avait entendue, ce serait le drame. Il est arrivé quelque chose ici?

— Mrs Van Ryn est morte — à la suite d'une chute, le cou rompu.

Au pied de la falaise, des pneus hurlaient sur l'asphalte. Le chef Wharton se tourna vers la sombre masse rocheuse.

— C'est Paul, dit-il. Je me doutais qu'il allait prendre la route panoramique.

Le policier contemplait le faisceau insensé des phares qui balayaient le paysage, au premier des virages en épingle à cheveux.

— Je me demande s'il va pouvoir tenir la route, à cette vitesse, ajouta-t-il.

— Oh! il la tiendra, répondit Mike, en se rappelant la nuit où la Porsche l'avait traqué sur cette même route à flanc de montagne.

Le chef de la police décrocha le microphone de son tableau de bord et donna quelques instructions brèves. Tout en parlant, il regardait les phares de la petite voiture de sport qui balayaient le virage suivant et continuaient de grimper dans l'autre sens.

— C'est fou, mais on dirait qu'il tient bien la route, docteur. Seulement, il lui faut encore descendre sur l'autre versant. Nous avons la police routière qui l'attend au croisement de l'autoroute. Les motards l'arrêteront.

— Si quelque chose ne l'arrête pas avant, dit Mike. Par une nuit comme celle-ci, des tas de gosses auront garé leurs voitures là-haut à Overlook. Paul ne pourra pas voir leurs autos avant d'avoir dépassé le dernier virage. Et alors il sera trop tard. Il sera en plein parmi eux.

— Dieu tout puissant! s'écria le chef Wharton.

Il tendit sa main vers son micro et la laissa retomber. Aucune puissance au monde ne pouvait plus empêcher Paul Van Ryn d'atteindre le sommet de la falaise.

Mike sentit la main de Sandra se glisser dans la sienne, tandis qu'il regardait la voiture grimper la côte abrupte en zigzags. Il se demanda si son imagination ne lui jouait pas des tours ; Paul semblait rouler encore plus vite lorsqu'il jaillit du dernier tournant et disparut au sommet de la côte. Mike croyait voir le projectile rouge surgissant de la route comme un bolide au beau milieu des voitures garées en désordre le long du bord de la falaise.

— Il a réussi, docteur!

La voix du policier était rauque de soulagement ; le double faisceau des phares reparaissait au-delà d'Overlook. Presque aussitôt, ils disparurent pour la deuxième fois, signe certain que Paul entamait la descente. Puis, sur la face de la falaise, les spectateurs revirent la même danse des phares, traçant un schéma sur le ciel nocturne, une folle parabole qui rappelait vaguement à Mike les coups de pinceaux déments des œuvres de Paul.

— Quelqu'un dégringole, en tout cas...

— Paul, ou une autre voiture?

— Nous sommes trop loin, on ne peut pas savoir...

Comme le policier répondait, la folle sarabande des phares se termina en une explosion de flammes, juste en dessous du sommet de la falaise.

— Ça, c'est le réservoir d'essence qui explose,

en heurtant la première corniche... La suivante est au moins trente mètres plus bas.

Comme pour obéir aux paroles de Wharton, la boule de feu tombait, rebondissait en tournoyant sur la seconde corniche et repartait comme une comète, traînant des flammes, pour s'écraser au pied de la falaise, dans la vallée.

— Nous ferions bien d'aller voir, docteur.

La voix du policier arracha Mike à l'espèce de transe dans laquelle ce spectacle atroce l'avait plongé. Lâchant la main de Sandra, il s'approcha de la voiture de patrouille.

— Nous ne pouvons plus rien pour celui qui s'est écrasé, quel qu'il soit, murmura-t-il.

— Il y aura peut-être des gens qui auront besoin de vos soins au sommet. Je vais appeler une ambulance par radio.

Il était près de minuit lorsque Mike arrêta sa voiture devant Gate House. Sandra, qui l'avait rejoint à l'Hôpital Memorial à son retour de la falaise, contempla la masse de granit de sa demeure, comme si elle la voyait pour la première fois.

— Tu es sûre que tu ne veux pas revenir à l'hôpital? proposa-t-il encore une fois. Nous pouvons te donner un lit jusqu'à demain.

— Non, Mike, ce n'est pas la peine. Je n'ai pas peur.

— Tu ne resteras plus longtemps ici, déclara-t-il d'un ton autoritaire. Je vais faire construire notre maison sur les Hauteurs, de l'autre côté du lac. Cela te convient-il?

— J'adorerais habiter là-bas, Mike. Tu es sûr que tu veux bien de moi, après...

— Tout est oublié, c'est fini. Nous sommes convenus de ne plus jamais en parler.

— Tu ne m'as toujours pas dit ce qui s'est passé en haut de la falaise.

— Il n'y a pas grand-chose à raconter. Si ton frère était là, il aurait une citation toute prête pour résumer la sortie de scène de Paul. La seule qui me vienne à l'esprit, c'est : *Rien dans sa vie ne lui convint mieux que sa manière de la quitter.*

— Je n'arrive pas à comprendre comment il a pu passer entre les voitures garées.

— Paul était trop bon conducteur pour ne pas y parvenir. Les gosses qui étaient là-haut ont tout vu. Il a manqué un break de quelques centimètres, puis il a foncé dans la descente comme un boulet de canon. Une voiture montait, au dernier virage. Le garçon qui la conduisait serrait la paroi de la falaise...

— Sur la *gauche* ?

— Paul a dû donner un coup de volant pour l'éviter. Il n'a pas eu le temps de redresser. La voiture a enfoncé le parapet. Tu as vu comment elle a explosé, sur la première corniche.

Mike sentit frissonner Sandra et il la serra contre lui.

— Anna et toi vous êtes restées un bon moment ensemble avant que je revienne, murmura-t-il. Je doute que Paul ait été de ceux qui font un testament. Il est mort après sa mère, donc Anna, sa femme, est maintenant l'héritière des Van Ryn. Est-ce qu'elle t'a dit comment elle entendait disposer du domaine ?

— Elle va louer tout Bearclaw Point à son père, pour sa nouvelle usine. Une partie de l'argent servira à construire de nouveaux logements à Lower Street. Le reste sera consacré à des bourses d'études, pour les enfants d'ouvriers.

— Naturellement, cela suppose que Rynhook finira sous la pioche des démolisseurs ?

— Hélas oui, Mike. Cela supprimera au moins la menace d'épidémie d'hépatite.

— Anna n'aurait pu prendre meilleure décision.

Sandra s'agita un peu, au creux de son bras.

— Tu ne crois pas qu'il serait temps de me demander comment je me suis trouvée ce soir à Gate House, au lieu d'être à New York?

— Tu es là. Rien d'autre n'importe pour le moment.

— Je veux quand même que tu saches pourquoi. Quand je t'ai téléphoné hier soir, j'avais l'intention d'aller tout droit à Idlewild... pour faire une surprise à Paul en l'accueillant à sa descente d'avion.

— Faut-il vraiment que nous en parlions? La nuit dernière me semble dater d'un siècle.

— Laisse-moi finir, je t'en prie. Après avoir raccroché, je me suis aperçu que j'avais le temps de faire un petit crochet...

— Un petit crochet?

— A New Haven — pour la première de Jason.

— Alors, c'est lui qui t'a persuadée de ne pas le voir?

— Je ne suis même pas allée en coulisses. Après avoir vu la pièce, j'étais trop bouleversée pour parler à qui que ce soit. Ce sera un grand succès, Mike. Aussi bien pour Jason que pour l'auteur.

— C'est ce que disent les journaux. Mais je ne vois toujours pas le rapport.

— As-tu oublié le titre de la pièce?

— *L'Amant Démon*, je crois. Non?

— Sûrement, tu n'as pas oublié le poème de Coleridge que nous avons étudié au lycée?

Mike se mit à rire.

— Le dictionnaire des citations, c'est Jason, pas moi. Et je ne savais pas qu'il avait déteint sur toi.

— *L'Amant Démon* est l'histoire d'un Don Juan qui séduit toutes les femmes et qui n'est sincère qu'avec lui-même. Un homme qui ne vit que pour ses appétits — et qui en meurt. La jeune fille qu'il poursuit n'a pas autant de chance que moi, à la fin. Au dernier baisser de rideau, elle erre encore au fond de l'abîme de ses illusions.

— C'est le jeu et la création de Jason qui t'ont fait changer d'idée?

— Soyons francs ; disons que la pièce m'a donné à penser — et que je suis revenue à Gate House pour réfléchir. Quand Paul est arrivé ce soir, il était bien trop occupé à vous tendre son piège, à Anna et toi, pour s'apercevoir de ma présence. Quand il s'est mis à crier, je suis montée jusqu'à Rynhook, pour voir par moi-même jusqu'où il pouvait aller dans le mal. Et voilà. C'est la fin de mon histoire.

Mike leva les yeux vers la masse sombre du château qui semblait les dominer. Le clair de lune, chose étrange, avait adouci ses contours ténébreux, à présent que ses jours étaient comptés.

— Ce n'est pas encore tout à fait la fin, Sandra. Ce que tu viens de me dire a radicalement changé mes projets.

— Comment cela?

— Demain, je vais envoyer un reçu à ton frère, au lieu d'une facture. Il me devait le prix de son opération, jusqu'à ce que tu voies sa pièce hier soir et que tu me reviennes. D'ailleurs, il me serait difficile de présenter une facture à mon propre beau-frère!

FIN

ACHEVÉ D'IMPRIMER LE
19 MAI 1971 SUR LES
PRESSES DE L'IMPRIMERIE
BUSSIÈRE, SAINT-AMAND (CHER)

— N° d'édit. 412. — N° d'imp. 516. —
Dépôt légal : 1er trimestre 1968.
Imprimé en France

COLLECTION PRESSES POCKET

DÉJA PARUS (suite) :

764 Le val aux corneilles — Dorothy EDEN
765 Heydrich, l'ange du mal — Charles WINGHTON
766 La bataille du silence — VERCORS
767 La nuit de Lisbonne — Eric Maria REMARQUE
768 Les hauts cris — Gilbert GANNE
769 Opération Bernhardt (Les mystères du lac Toplitz) — Anthony PIRIE
770 L'heure de vérité — Utta DANELLA
771 Les rumeurs de la ville — Marcia DAVENPORT
772 Le cahier d'absence — Frédéric DARD
773 Bon sang ne peut mentir — Frank SLAUGHTER
774 Un whisky de plus — Peter CHEYNEY
775 Fusillade — Raymond CHANDLER
776 La boule noire — Georges SIMENON
777 Histoires gratinées — JEAN-CHARLES
778 L'opium et le bâton — Mouloud MAMMERI
779 La fille de Marie-Antoinette — André CASTELOT
780 Pièges à filles — Dashiell HAMMETT
781 Poivre vert — Hélène TOURNAIRE
782 Une femme dans la tourmente — M. L. FISCHER
783 La nuit où courait le diable — Will BERTHOLD
784 Passeport pour la nuit — Pierre DANINOS
785 Anako de Panama — Robert GAILLARD
786 Solitudes — Henri QUEFFÉLEC
787 Maigret et la vieille dame — Georges SIMENON

COLLECTION PRESSES POCKET

DÉJA PARUS (suite) :

788	Maigret au « Picratt's »	Georges SIMENON
789	Maigret chez le coroner	Georges SIMENON
790	La dernière année de Vichy	André BRISSAUD
791	Une vie de boy	Ferdinand OYONO
792	De galère en palais	Frank G. SLAUGHTER
793	La patience de Maigret	Georges SIMENON
794	La pipe de Maigret	Georges SIMENON
795	Maigret et la grande perche	Georges SIMENON
796	Le pavillon des amours secrètes	Maurice DEKOBRA
797	Bir Hakeim	Jacques MORDAL
798	Sauveterre	Jean LARTÉGUY
799	Puisque les oiseaux meurent	Frédéric DARD
800	Ils sont tombés du ciel	Heinz G. KONSALIK
801	Rue des bouches peintes	Maurice DEKOBRA
802	L'amante aux pieds nus	Daniel GRAY
803	Les mémoires de Maigret	Georges SIMENON
804	Liquidez Paris!	Sven HASSEL
805	La vallée du jugement (t. I)	Marcia DAVENPORT
806	La vallée du jugement (t. II)	Marcia DAVENPORT
807	Maigret et le voleur paresseux	Georges SIMENON
808	Les scrupules de Maigret	Georges SIMENON
809	Forcer le destin	J.-J. SERVAN-SCHREIBER
810	La maison des Bories	Simonne RATEL
811	La grande joie d'aimer	Dr VINCENT

COLLECTION PRESSES POCKET

DÉJA PARUS (suite) :

812	La nuit des temps	René BARJAVEL
813	Des yeux pour pleurer	Frédéric DARD
814	Le glaive et la croix	Frank G. SLAUGHTER
815	Le prince impérial	Alain DECAUX
816	Histoire de Napoléon Bonaparte (1) Le Général Bonaparte	André CASTELOT
817	Lieutenant en Algérie	J.-J. SERVAN-SCHREIBER
818	Crimes célèbres	Alexandre DUMAS
819	Au son des violons	Simon TROY
820	Dans un monde inconnu	Heinz G. KONSALIK
821	Christine Starlette	Hugo de HAAN
822	Coplan fait ses comptes	Paul KENNY
823	Le château des tempêtes	Marion Zimmer BRADLEY
824	La veuve aux gants roses	Maurice DEKOBRA
825	Ma vie avec Jackie Kennedy	Mary Barelli GALLAGHER Frances SPATZ LEIGHTON
826	Les naufragés de Paris	Georges BLOND
827	Les roses de Baden	Elisabeth KYLE
828	Histoire de Napoléon Bonaparte (2) Le premier consul	André CASTELOT
829	Mariage aux chandelles	Dorothy EDEN
830	Bruneval	RÉMY
831	Le secret des Trégaron	Jill TATTERSAL
832	Maigret et l'affaire Nahour	Georges SIMENON

COLLECTION PRESSES POCKET

DÉJA PARUS (suite)

833	Contes d'outre-temps	J.-P. CHABROL
834	Les volontaires	SAINT-LOUP
835	L'homme de Bora-Bora	Marcelle FERRY
836	Nungesser, l'as des as	Marcel JULLIAN
837	Capitaine Carter	Frank G. SLAUGHTER
838	L'or du petit matin	Alistair MAC LEAN
839	A l'ombre des magnolias	Jean-Francis WEBB
840	Curieuses histoires de l'histoire	Guy BRETON
841	L'horloger d'Everton	Georges SIMENON
842	Histoire de Napoléon Bonaparte (3) L'empereur de la Révolution	André CASTELOT
843	La nuit de l'enchanteresse	Katherine TROY

COLLECTION PRESSES POCKET

A PARAITRE :

844	Les vacances de Bérurier	**SAN-ANTONIO**
845	Vivez pleinement votre vie	**Norman VINCENT PEALE**
846	L'homme de guerre	**François PONTHIER**
847	Tendre Susannah	**Margaret FERGUSON**
848	Coplan contre-attaque	**Paul KENNY**
849	Les orphelins d'Auteuil	**François NOURISSIER**
850	Les assassins de l'ordre	**Jean LABORDE**